KLUB ŚWIĄTECZNYCH ZBRODNI

Zawsze lubiłam tajemnice. Ciekawe zbrodnie, dziwaczne podejrzane postacie, fragmenty układanki. Uwielbiam zwroty akcji, mylne tropy i zwodzenie, a także ostateczne ujawnienie, kto popełnił zbrodnię i dlaczego. Tajemnice mogą być przerażające, mrożące krew w żyłach, ale i zabawne. Możliwości są nieskończone.

To, co najbardziej podoba mi się w tym zbiorze tajemnic i dlaczego jestem tak dumna, że jestem jego częścią, to świeżość, jaką daje. Wszystkie trzynaście głosów wniosło coś nowego. Historie są wyjątkowe, nieoczekiwane, sprytne i zabawne. Zaskoczą cię, wprawią w zakłopotanie, sprawią, że wstrzymasz oddech, a nawet będziesz się śmiać.

Kiedy byłam młodą czytelniczką, nie potrafiłam utożsamić się z bohaterami różnych historii ze względu na brak różnorodnych głosów w książkach, które czytałam. Teraz to rozumiem. Wszyscy zasługujemy na historie, w których możemy się odnaleźć, i niezwykle ważne jest, aby móc także ujrzeć w roli bohatera kogoś innego niż my sami. Bardzo w to wierzę. Cieszę się, że mogę zaprezentować tę antologię wraz z Robin i z wydawnictwem Farshore, i mam nadzieję, że zainspiruje ona nowe pokolenia fanów kryminałów. Pamiętaj, że i ty możesz być bohaterem jakiejś historii! Wszyscy możemy!

Serena Patel

Myślisz, że wiesz, co się wydarzy
w jakiejś kryminalnej opowieści. Jest
przestępstwo, są podejrzani i wskazówki,
a potem jest detektyw, który rozwiązuje sprawę.
Wszystkie jak zwykle, prawda?

Błąd.

W kryminałach najbardziej fascynuje mnie sposób, w jaki każdy
pisarz wykorzystuje te elementy, by wymyślić coś zupełnie nowego.
Każdy kryminał jest tak wyjątkowy, jak mózg jego autora,
z diabelskimi łamigłówkami, przerażającymi sceneriami
i wspaniałymi postaciami, na jakie tylko ta osoba mogła wpaść.

To wspaniałe być częścią tej antologii i czytać niezapomniane
historie, które stworzyli jej autorzy. Teraz z radością mogę powiedzieć,
że ta zupełnie nowa kolekcja trzynastu kryminałów dla dzieci jest
mądra, zabawna i różnorodna, a także (co najważniejsze) bardzo,
bardzo tajemnicza. Te historie zabiorą cię w podróż po włoskich stokach
narciarskich, londyńskich zimowych jarmarkach, a nawet po pozornie
normalnej ulicy (pozory mogą mylić). Zadziwią cię (czy potrafisz
rozwiązać zagadkę Domu Śmiechu? Dlaczego delfiny trzeba chronić?),
zaprezentują ci postacie, których nie będziesz mógł zapomnieć: mamę
włamywaczkę, detektywki bliźniaczki, tajemniczą leśną bestię i grupę
taneczną z pewną misją!

Witaj więc w tej zimowej krainie czarów, tropów, niebezpiecznych
misji i odważnych detektywów, w której każdy znajdzie coś dla
siebie. Mam nadzieję, że te wspaniałe tajemnice zainspirują cię
do opowiedzenia własnej historii. Być może ujrzymy ją w kolejnej
antologii!

Tytuł oryginalny: THE VERY MERRY MURDER CLUB

Tekst: ABIOLA Bello, Annabelle Sami, Benjamin Dean, Dominique Valente, Maisie Chan, Elle McNicoll, Roopa Farooki, E.L. Norry, Nizrana Farook, Patrice Lawrence, Joanna Williams, Serena Patel, Sharna Jackson

Przekład: Katarzyna Biegańska

Ilustracje: Harry Woodgate

Kierownik redakcji: Katarzyna Biegańska

Redakcja: Magdalena Jakuszew

Korekta: Joanna Rutkowska-Marchewka

Skład i łamanie: Studio Gola

ISBN 978-83-8141-692-4

:DWUKROPEK

www.dwukropek.com.pl

Wydawnictwo Juka-91 Sp. z o.o.
ul. Jutrzenki 118
02-230 Warszawa

infolinia 800 650 300
kontakt@dwukropek.com.pl

KLUB ŚWIĄTECZNYCH ZBRODNI

POD REDAKCJĄ
SERENY PATEL
I ROBIN STEVENS

W PRZEKŁADZIE
KATARZYNY BIEGAŃSKIEJ

ZAWARTOŚĆ

(UWAGA, MOŻE BYĆ PEŁNA NIECZYSTYCH ZAGRYWEK)

	STRONA
ŚLADY NA ŚNIEGU	11
ZBRODNIA W ŚNIEGU	45
BESTIA Z BEDLEYWOOD	79
ŚWIĄTECZNY NAPAD	115

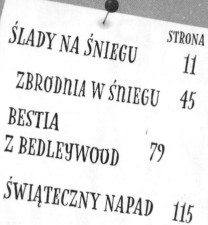

KLUB ŚWIĄTECZNYCH ZBRODNI

STRONA

WIATRAK DLA KOTA 149

TRZEBA ZŁODZIEJA NA ZŁODZIEJA 181

WIECZNOMROZIE 211

SCRABBLE I MORDERSTWO 247

DOM ŚMIECHU 287

STRONA

OGIEŃ I LÓD 315

CICHA NOC 349

NIE MA LITOŚCI DLA ZŁOCZYŃCÓW 377

GWIAZDKOWY SABAT 409

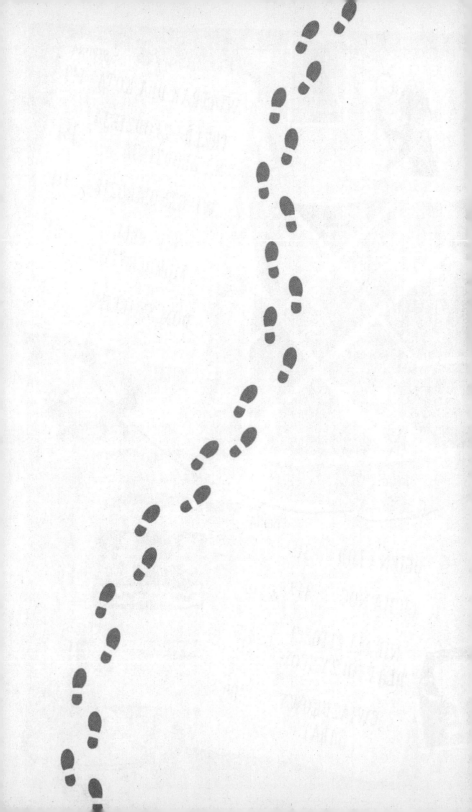

ELLE MCNICOLL

ŚLADY
NA
ŚNIEGU

ŚCIŚLE TAJNE

ŚLADY NA ŚNIEGU

Elle McNicoll

Baletnice są strasznie trudne do zabicia.

Jako ktoś, kto szczególnie interesuje się baletem, Briar doskonale o tym wiedziała. Wiedziała, że baletnice to tytanki sportu. Wiedziała, że poddają swoje ciała ekstremalnym wysiłkom, żeby ich występy były niesamowite. Jednak to nie tylko ich sprawność i siła sprawiały, że trudno było im zrobić krzywdę. Chodzi również o ich naturę. Zdaniem Briar były one niewiarygodnie pokornymi osobami. To branża pełna rywalizacji, ale i pracowitych, wrażliwych i ofiarnych tancerek.

Posy Lennox nie należała do tego rodzaju baletnic. Pod tym względem stanowiła wyjątek.

Rodzice Briar byli właścicielami najpopularniejszego zajazdu w Aviemore, a ich jedenaścioro gości właśnie zostało zasypanych śniegiem. Utknęli w Inverness.

Briar udało się unikać wymagającej dwudziestokilkulet-
niej byłej baletnicy i jej małej świty. Ich jedyne starcie
miało miejsce, gdy Briar czekała na korytarzu na górze,
żeby wykonać swoją pracę. Cała trójka wyszła razem z pokoju Posy: Posy, jej matka Renee oraz rzeczniczka i menadżerka Posy, Marianne Hobson. Pokoje Posy i jej matki
były połączone, a pokój Marianne z nimi sąsiadował, czy
jej się to podobało, czy nie.

Minęły Briar, która właśnie czekała, aby wejść i posprzątać pokoje.

– Dziwna mała – powiedziała cicho Renee.

– Raczej przerażająca – parsknęła Posy wcale nie cicho. – Słyszałam, że jest z nią coś nie tak.

Marianne posłała Briar przepraszający uśmiech i poklepała ją po głowie, kiedy przechodziły. Briar stała w korytarzu i pozwoliła, by te okrutne uwagi rozwiały się niczym dym
z papierosa. Przez chwilę były nieprzyjemne, szczypały jej
niewiarygodnie wrażliwe nozdrza, ale zniknęły prawie tak
szybko, jak się pojawiły. Nos Briar był wyjątkowy. W węsze-
niu mogłaby rywalizować z psem. Zasłała łóżka w pokojach
i zwalczyła w sobie potrzebę poustawiania kosmetyków do
makijażu i uporządkowania rzeczy osobistych.

Kolejne starcie miało miejsce później tego samego
wieczoru, kiedy Briar i Flecik przygotowywali jadalnię do
kolacji. Posy zbiegła po schodach i zaczęła besztać Jean-
-Claude'a w recepcji.

– Głośno jak na takie małe stópki – odezwała się Briar do Flecika, basseta, który nigdy się od niej nie oddalał.

Dziewczynka i jej pomarszczony czworonóg patrzyli, jak była baletnica, a aktualnie celebrytka rozpoczyna swoją tyradę. A co do stóp miała rację: były absolutnie maleńkie. Mniejsze niż stopy Briar mimo dwudziestu lat różnicy.

– Wiesz, ilu mam obserwatorów na Insta? – warknęła Posy na mężczyznę w recepcji.

Briar przełknęła ślinę, wymieniając spojrzenia z Flecikiem. Obydwoje znali temperament Jean-Claude'a. Być może Posy Lennox właśnie spotkała godnego siebie przeciwnika.

– Nic mnie to nie obchodzi – odparł chłodno Jean--Claude. – Wszyscy tkwimy tu od wielu dni i znosimy twoje napady złości, a ja mam tego dość! Powiedz swoim obserwatorom, że jest mi to obojętne.

– Nie wolno zwracać się do klientów w ten sposób, a szczególnie do mnie! – krzyknęła Posy, napełniając płuca powietrzem i stając na palcach. – Jedno moje słowo, i to miejsce będzie przeklęte do końca swojego smutnego małego istnienia. Wiesz, kim ja jestem?

– Niestety tak – odwarknął Jean-Claude, prostując się. – Jesteś przebrzmiałą baletnicą. A teraz wynoś się z mojej recepcji, zanim skręcę ci kark! Opublikuj swoją recenzyjkę. Zobaczymy, co się stanie! *Je pourrais te tuer*[1]!

---

1 *Je pourrais te tuer* (franc.) – Mógłbym cię zabić

Briar wiedziała, że groźby Jean-Claude'a z reguły nie miały pokrycia, ale teraz był on bez wątpienia bardziej wściekły niż kiedykolwiek. Rozsądna osoba zdecydowałaby się odejść w takiej sytuacji. Ale Posy Lennox nie była rozsądna, a jej matka Renee wyglądała na równie wściekłą jak ona. Stały obok siebie jak solniczka i pieprzniczka, całkowicie rozjuszone, gotowe rzucić mężczyźnie wyzwanie.

– Dajmy sobie chwilę, żeby odetchnąć, dobrze? – U boku swojej klientki i jej matki pojawiła się Marianne. Jej twarz i głos były pogodne, a oczy ciepłe i wyrozumiałe.

– Nazwał mnie przebrzmiałą! – wrzasnęła Posy. Pozwoliła jednak Marianne zaprowadzić się do jadalni. – Chcę, żeby go zwolniono!

– Och, cudownie – powiedziała Marianne, podnosząc małe papierowe menu ze stołu. – Francuska zupa cebulowa. Jak za dawnych czasów, Pose. Ciekawe, czy tak samo dobra jak zupa Matrony.

Briar kontynuowała ustawianie dzbanków z wodą na stołach i usiłowała wyglądać tak, jakby wcale nie interesowała się ich rozmową. Ale słuch Briar był równie wyrafinowany jak jej węch, dzięki czemu podsłuchiwanie w jej przypadku było nie tylko łatwe, ale czasem wręcz nieuniknione.

Tuż za trzema kobietami siedział Martin Herriot, dziennikarz podróżniczy pracujący dla jakiejś gazety. Ciekawe, czy nieoczekiwanie dłuższy przymusowy pobyt wpłynie na jego artykuł na temat lokalnej gościnności. Nie starał się ukryć faktu, że słucha i obserwuje wszystko, co się dzieje dokoła.

– Kiedy pozwolisz mi sobą zarządzać... – zwróciła się Renee do córki, a Briar wyobraziła sobie, że musiała używać tego tonu przez jakieś dwadzieścia lat – ...nie będziemy mieszkały w miejscach takich jak to. Możemy mieć więcej prywatności.

Było jasne, że tę dyskusję odbyły już wiele razy.

– Mówiłam ci już! – warknęła Posy. – Mówiłam ci, mamo, że nie będziesz mną zarządzać. Ledwo mogę znieść dzielenie z tobą pokoju, nie chcę nawet myśleć o pracy z tobą.

Briar się skrzywiła. Martin Herriot cicho gwizdnął. Dwie starsze panie, które lubiły grać w karty podczas kolacji, nie odrywały wzroku od asów i królowych, ale ich usta były zaciśnięte z pogardą.

– Arogantka! – krzyknął Jean-Claude z recepcji, zanim wpadł do kuchni.

– Posy, jesteś okropna – powiedziała Renee cichym tonem.

Kiedy matka Briar zaczynała mówić cichym gniewnym głosem zamiast krzyczeć, dziewczynka wiedziała, że czas wziąć nogi za pas.

Posy wściekle stukała w komórkę, lekceważąc subtelną dezaprobatę wypełniającą pokój niczym gaz musztardowy.

– Recenzja wysłana! – zadeklarowała głośno, triumfalnie uderzając smartfonem w stół. – A ja porozmawiam z kierownikiem, kiedy wreszcie będzie można wymeldować się z tego śmietnika! – Rzuciła jadowite spojrzenie Briar i Flecikowi. – W jadalni nie powinno być zwierząt.

Dziewczynka wyjrzała przez duże wykuszowe okno. Widziała, że hałdy śniegu na zewnątrz nie chcą nawet drgnąć, a nowe płatki wciąż spadają małymi prowokującymi podmuchami.

Briar nie spodziewała się, że to będzie ostatnia noc, jaką Posy Lennox spędzi w zajeździe.

Briar obudziła się w godzinę czarownic.

Od razu było jasne dlaczego. Jej słuch, lepszy niż słuch Flecika, wychwycił kłótnie i krzyki dobiegające z góry. Pokój Briar mieścił się na parterze. Dobrze wiedziała, czyj pokój znajduje się bezpośrednio nad nią. Małe nóżki tupały, a gniewne słowa Posy niosły się aż na sam dół.

Stwierdzenie typu „Wolę umrzeć niż dalej z tobą pracować" wybrzmiało chwilę przed tym, zanim matka Posy wrzasnęła tak głośno, że Flecik się obudził i prawie spadł z łóżka Briar.

Dziewczynka wyślizgnęła się spod kołdry, podeszła do drzwi i otworzyła je, żeby nasłuchiwać.

– Coś musi się stać – zwróciła się do psa ze stoickim spokojem.

Słychać było, jak matka Posy krzyczy o niewdzięczności, a potem dudnienie kroków zaalarmowało Briar, że ktoś schodzi na dół. To była Posy, ubrana w jeden ze szlafroków z zajazdu i kapcie, które przylegały do jej maleńkich stópek jak baletki. Ryczała do telefonu komórkowego do kogoś, kto był po drugiej stronie linii, że została uwięziona i że chciałaby zepchnąć matkę ze schodów. Tuż obok recepcji wyrzuciła z siebie ostatnie przekleństwo i wybiegła na śnieg.

Briar patrzyła, jak Posy odchodzi.

– Nie mam zasięgu, nie słyszę cię. Poczekaj!

To były ostatnie słowa, jakie Briar usłyszała z jej ust.

Kilka godzin później, gdy zaczęło wyglądać słońce, Briar wzięła Flecika na smycz na codzienny poranny spacer. Włożyła płaszcz oraz buty i wyszła na mróz. Po zamieszaniu, jakie wybuchło zeszłej nocy, nie pozostał już nawet ślad – ani nie padał śnieg, ani nie słychać było hałasów. Kiedy Briar zamknęła za sobą drzwi zajazdu, zauważyła, że samotne wgniecenia po butach Posy wciąż są świeże i wyraźnie widoczne na rozciągającej się przed nią białej połaci.

– Ostrożnie – powiedziała, odciągając Flecika od ścieżki samotnych śladów. – Coś jest nie tak. Ślady stóp prowadzą tam i znikają – mruknęła. – Ale nie widać, żeby wracały.

To była prawda. Ślady były tak widoczne jak plamy na białym dywanie.

Ale żadne nie prowadziły z powrotem do zajazdu.

Briar ruszyła w stronę lasu, trzymając smycz Flecika i uważając, by nie nadepnąć na ślady. Jeśli Posy Lennox została uwięziona w wąwozie lub zapadła gdzieś w hipotermię, wgniecenia na śniegu były najlepszą wskazówką.

– Nie zabrudź potencjalnego miejsca zbrodni – powiedziała do psa.

Flecik wydał z siebie pomruk.

– To naprawdę może być miejsce zbrodni – perorowała dziewczynka, ciągnąc za sobą upartego pupila. – Wiem, że nie lubisz śniegu na łapach, ale ona może mieć kłopoty!

„Okaż mi trochę wsparcia", pomyślała.

Ruszyli dalej. Kiedy Flecik zaczął podejrzanie sapać, Briar wiedziała, że są blisko, i poczuła zdenerwowanie tym, co może odkryć.

Miała rację.

Gdy zbliżyli się do skraju lasu, pies zaczął ujadać, a Briar ją zauważyła.

Posy Lennox. Z twarzą w śniegu.

Policjant próbował wcisnąć w ręce Briar filiżankę z herbatą i koc termiczny.

– Dziwne – rzekła dziewczynka do Flecika, pochylając się, by owinąć basseta kocem. – Nie jestem w szoku. Byłam prawie pewna, że znajdziemy właśnie to, co znaleźliśmy.

Flecik zaszczekał na pocieszenie.

– Zaginął jej telefon – zadumała się Briar, napotykając pytające spojrzenie basseta. – Zauważyłeś? Kiedy wypadła jak burza, rozmawiała przez telefon, a nie widziałam go nigdzie, kiedy sprawdzałam jej puls.

Dłoń Posy pozostała otwarta, jakby wciąż trzymała w niej komórkę. Tylko że po telefonie nie było śladu. Z jadalni dochodził płacz Renee Lennox. Marianne, blada, wyczerpana i zszokowana, próbowała ją uspokoić. Kierownik recepcji ukrywał się przed policją w małym pomieszczeniu dla personelu, mamrocząc, że Posy Lennox rujnuje wszystkim niedzielę.

– Jesteś ostatnią osobą, która widziała ją żywą, Jean-Claude – stwierdziła rzeczowo Briar.

Jego twarz przybrała dziwny rumiany kolor.

– Może i tak! Ale sama w nocy wybiegła w śnieg. Nie śledziłem jej przecież.

„Nie", pomyślała Briar. To z pewnością była prawda. Nie widziała ani nie słyszała, żeby Jean-Claude poszedł za Posy, w dodatku na śniegu nie znalazła żadnych innych śladów. Szybki rzut oka na stopy Jean-Claude'a potwierdził, że nosi co najmniej dwunastkę. Brak śladów na śniegu prowadzących do ciała Posy był z pewnością zastanawiający.

Briar spojrzała na policyjnego detektywa, który próbował pocieszać Marianne i Renee. Przyszedł pieszo, ponieważ śnieg był wciąż zbyt głęboki, żeby po nim przejechać. Ślady prowadzące do miejsca, w którym Briar znalazła Posy, zostały otoczone taśmą policyjną.

– Myślisz, że on zauważy, co trzeba? – zwróciła się do Flecika, a jej głos brzmiał niepewnie.

Pies posłał jej spojrzenie, które mówiło: „Oni nigdy nie zadają właściwych pytań". Briar skinęła głową i odwróciła się z powrotem do Jean-Claude'a. Detektyw równie dobrze mógłby poświęcić swój cenny czas na dostarczenie ludziom herbaty i kawy. Briar jednak zamierzała się dowiedzieć, czy dzieje się tu coś podejrzanego. No bo skoro detektyw ma zamiar węszyć w zasypanym śniegiem zajeździe, najwyraźniej nie wierzy, że Posy Lennox zginęła z przyczyn naturalnych.

A więc wszyscy w gospodzie są podejrzani.

– Co wiemy? – zapytała Briar Flecika, kiedy usiedli na górze. – Posy kłóci się z Renee o trzeciej nad ranem.

Zbiega na dół z komórką, wydziera się w recepcji, a potem rusza w śnieg. Ani śladu urazu. Tylko brak kultury.

Uszy Flecika leżały na dywanie, głowę miał opartą na przednich łapach i – nasłuchując – wpatrywał się w Briar.

– Wychodzi z telefonem, próbując złapać lepszy zasięg. Nikogo innego tu nie zauważono. Kiedy kilka godzin później znaleźliśmy ciało, były tam tylko jej ślady.

Pies pociągnął nosem.

– Żadnej krwi na ciele – dodała Briar. – Żadnych śladów walki. Nic nie wskazuje na to, że ktoś jeszcze tam był. Z wyjątkiem zaginionego telefonu.

– Co tam mamroczesz?

Briar i Flecik byli zaskoczeni, gdy Renee Lennox pojawiła się na szczycie schodów, zrozpaczona i z wyraźnie zapuchniętymi oczami. Wychodziła właśnie z sypialni i z irytacją popatrzyła na dziewczynkę i psa.

Briar nie odpowiedziała. Goście hotelowi często uważali, że Briar jest głupia, co bardzo jej odpowiadało, bo znacznie ułatwiało śledztwo. Brakowało telefonu komórkowego Posy i można było założyć, że jest w rękach podejrzanego.

– To nie ma sensu – ciągnęła Renee, opierając się o ścianę korytarza i wpatrując w pustkę. – Posy to najzdrowsza osoba, jaką znam. Zawsze taka była, baletnice muszą być zdrowe. Nie pali ani nie pije alkoholu. Zero kawy, tylko herbata. Dlaczego miałaby zemdleć? Co się stało?

Briar zauważyła, że Renee nadal używa czasu teraźniejszego.

Próbowała przybrać współczujący wyraz twarzy. Prawdę mówiąc, szczerze współczuła Renee. Tyle że jej sposobem na okazanie współczucia było znalezienie mordercy, a nie szafowanie nudnymi frazesami. A Renee prawdopodobnie wcale nie szukałaby pocieszenia u dziewczynki i psa.

– Ty i Posy pokłóciłyście się zeszłej nocy.

Wyraźnie zaskoczona kobieta podskoczyła na dźwięk głosu Briar.

– Cóż... Tak. Ale matki i córki zawsze się kłócą, to zupełnie normalne!

– O co się pokłóciłyście?

Briar miała w głowie wyimaginowany notatnik i ołówek gotowy do robienia zapisków.

– Posy nie chce, żebym nią zarządzała – powiedziała kobieta, pociągając nosem. – Chce dalej pracować z Marianne bez mojego „wtrącania się”, jak to określiła. Ale naprawdę tylko ja wiem, czego ona potrzebuje.

To z pewnością motyw, bez względu na to, jak zrozpaczona wydawała się kobieta. Briar patrzyła, jak Renee, płacząc, schodzi po schodach. Zerknęła na Flecika. Warknął bardzo cicho, żeby dziewczynka wiedziała, że on też nie jest do końca przekonany. Briar zapukała do drzwi sąsiadujących z pokojem Renee.

– Sprzątanie?

Kiedy nikt nie odpowiedział, weszła do środka. To był pokój Posy, wciąż pachnący jej drogim szamponem. Dziewczynka poruszała się ostrożnie, udając, że poprawia narzutę i poduszki, podczas gdy jej oczy wodziły po cichej przestrzeni.

Flecik stał na straży przy drzwiach.

– Nic niezwykłego – mruknęła. Potem jej wzrok padł na toaletkę. Stała tam szkatułka pełna biżuterii, kilka fotografii i karteczek samoprzylepnych przyczepionych do lustra i buteleczki z kosmetykami, zbyt wiele, by je zliczyć.

Briar podeszła bliżej, żeby obejrzeć fotografie. Były robione w różnym czasie, a najstarsze sięgały chwil, kiedy Posy dopiero zaczynała tańczyć w balecie. Zdjęcie przedstawiało ją za kulisami, w pomieszczeniu, które wyglądało jak garderoba, ubraną w piękny srebrno-biały kostium. Kochająca balet Briar wiedziała, że to kostium Odetty z *Jeziora łabędziego*. Posy stała obok baletnicy grającej czarnego łabędzia, obie wznosiły się na palcach. Na pointach. Briar raz próbowała stanąć na czubkach palców przed wejściem pod prysznic. Prawie złamała kostkę. To było niezwykle trudne.

Inne zdjęcie przedstawiało Posy z dobrze znaną Briar baletnicą: Louise Clarkson. Briar widziała ją w *Dziadku do orzechów*, a jej talent sprawił, że duży teatr, pełen zapachów, dźwięków i innych ludzi, był po prostu wspaniały. Louise Clarkson spadła ze schodów i doznała tak poważnego urazu kręgosłupa, że musiała zrezygnować z tańca.

Ona i Posy uśmiechały się do Briar ze zdjęcia.

Dziewczynka ostrożnie odstawiła fotografię i przeniosła się do sąsiedniego pokoju, należącego do Renee. Zauważyła na podłodze rozbity kubek. Ruszyła w jego stronę, uważając, by nie stanąć na odłamkach, kiedy nagle dostrzegła coś ciekawego.

Obok hotelowego czajnika stało duże opakowanie pełne torebek z herbatą.

To nie był gatunek herbaty, który rodzice Briar kupowali, by wyposażyć pokoje swoich gości.

Flecik zawarczał cicho ze swojego miejsca przy drzwiach. Briar rozejrzała się, aby się upewnić, czy ktoś nie nadchodzi. Ale wzrok basseta utkwiony był w komodzie i pudełku z torebkami herbaty. Briar ufała jego instynktom tak samo jak swoim. Ostrożnie uchyliła otwarte już wieczko pudełka i podniosła sporą, zupełnie nieznaną jej torebkę.

Jej nos nie wyczuł żadnych nut jaśminu ani rumianku. Żadnej pomarańczy czy cytryny. Prawdę mówiąc, jedynym zapachem, jaki rozpoznał niezwykle wprawny nos Briar, była odrobina czosnku.

– Herbata czosnkowa? – zadumała się, trochę oszołomiona.

To z pewnością nie była typowa mieszanka. Briar
zaczęły wręcz od niej szczypać nozdrza. Zrobiła krok
w tył.

– Coś jest nie tak z tą herbatą, Fleciku.

Wiedziała, że to mogłoby zdenerwować detektywa, ale
mimo to szybko schowała dwie torebki do kieszeni i odłożyła pudełko na miejsce.

– Chodź – powiedziała do basseta. – Musimy zacząć
zadawać pytania.

Briar i Flecik zastali w salonie Martina Herriota, dziennikarza podróżnika, i Marianne. Kobieta cicho pociągała
nosem, wysyłając e-maile na swoim laptopie.

– Odwołuję zaręczyny Posy – powiedziała, kiedy pojawiła się Briar. – To znaczy... Ja tylko... Nigdy tego nie
przeboleję.

Herriot delikatnie poklepał młodą kobietę po
ramieniu.

– Gdzie jest pani Lennox? – zapytała Briar.

– Z detektywem – odparła smutno Marianne. – Próbu-
ją ustalić, jak to się stało, że Posy zachorowała.

– Zachorowała? – zdziwiła się Briar.

– Mało prawdopodobne, żeby z własnej woli położyła się na śniegu – powiedział Herriot do dziewczynki
tym powolnym tonem, który tak bardzo lubili dorośli. –

Umarłaby z wychłodzenia. To musiał być tętniak albo coś innego, co zabiło to biedactwo.

Wydawał się trochę zbyt pewny siebie, pomyślała Briar. Tętniak to była tylko jedna z możliwości. Równie dobra jak samozapłon. Ale Briar w głębi serca wiedziała, że żadna z tych rzeczy nie spowodowała śmierci baletnicy.

– Posy pokłóciła się z matką zeszłej nocy – powiedziała spokojnie. – Zanim wyszła.

Nie zadała wprost żadnego pytania. Przemycała je między wierszami. Briar wolała stwierdzać fakty i pozwalać ludziom samodzielnie wypełniać luki.

– Kłóciły się od jakiegoś czasu – powiedziała z żalem Marianne, wydmuchując nos i ocierając oczy. – Odkąd je poznałam, były niestabilne. Ale od kiedy zostałam menadżerką Posy, z pewnością zrobiło się jeszcze gorzej. Renee... lubi, gdy wszystko idzie po jej myśli. Jeśli tak nie jest, zaczyna działać.

W odpowiedzi na te słowa Herriot zmarszczył brwi. Briar tylko skinęła głową. Wszystko się zgadzało, biorąc pod uwagę to, czego była świadkiem. Ale to jeszcze nie dowód jakiejkolwiek nieczystej gry.

– Co doprowadziło do kłótni Posy z mamą? – zapytała.

– Och... – Marianne odłożyła laptop na bok, próbując sobie przypomnieć. – Po kolacji Posy poszła do pokoju, żeby się oddać codziennym rutynowym zabiegom. Kąpiel, pielęgnacja skóry, medytacja i tak dalej.

Briar się skrzywiła. Niezbyt dobrze to świadczyło o pozytywnej mocy medytacji, skoro Posy Lennox ją praktykowała.

– Myślę, że mogła pójść spać około pierwszej – ciągnęła Marianne. – Renee też. Ale Renee często chrapie, a to irytuje Posy, bo ma lekki sen. Więc zaczęły się kłócić. Potem Posy wybiegła jak huragan.

Dziewczynka pomyślała o telefonie komórkowym. On wciąż był brakującym ogniwem.

– Wiem, że to wszystko wydaje się przerażające – dodała łagodnie Marianne, ściskając ramię Briar. – Ale nie bój się. Takie tragiczne rzeczy się zdarzają.

Briar skinęła głową, ale potem popatrzyła na detektywa, który właśnie wszedł do salonu.

– A jeśli to nie był wypadek?

Detektyw wychwycił jej słowa i rzucając jej niechętne spojrzenie, pogroził palcem:

– Nie zaczynaj. Tylko zdenerwujesz siebie i innych.

– Nie ma dowodów, że zgon nastąpił z przyczyn naturalnych – powiedziała Briar.

– Do miejsca zbrodni prowadzą tylko jedne ślady – odparował dobitnie detektyw. – Poza twoimi i twojego psa. Jeśli ty się do tego nie przyznajesz, to niemożliwe, żeby ktoś ją śledził.

– Może ktoś stawał na śladach Posy – zasugerował Herriot.

Nie, pomyślała Briar. Posy miała małe stopy. Najmniejsze w całym zajeździe. Nikt nie mógł iść za nią, nie zmieniając wielkości jej śladów.

Dziewczynka wyszła z salonu do kuchni.

– Jean-Claude!

Kierownik recepcji właśnie jadł lunch. Skrzywił się, gdy zobaczył Briar i Flecika.

– Zabierzcie mi tego *chien*² z kuchni!

– Jean-Claude, co słyszałeś zeszłej nocy na górze? – zapytała dziewczynka. – Zanim Posy wróciła na dół.

Jean-Claude wydał z siebie pomruk podobny do burczenia Flecika.

– Zostałem wezwany około drugiej nad ranem – powiedział z urazą – żeby przynieść panience ciepłe mleko do herbaty.

Briar popatrzyła na niego ze zdziwieniem.

– Mleko do herbaty? O drugiej w nocy?

– Chciała się odprężyć, tak powiedziała. Nie żeby to jakoś pomogło. Dalej się kłóciły, musiałaś słyszeć.

– Słyszałam. Widziałeś, jak piła herbatę?

Jean-Claude zmarszczył brwi.

– Chyba tak. Tak! Wzięła łyk i powiedziała mi, że mleko jest za ciepłe, i wtedy wyszedłem. Miałem jej dość.

Briar zaczynała trochę współczuć Posy, ale nie przestawała wypytywać Jean-Claude'a.

---

2 Chien (franc.) – pies

– I potem już byłeś w recepcji przez resztę nocy?

Jean-Claude potrząsnął głową.

– Nie. Jakieś pięć minut po tym, jak wyszła z zajazdu...

– Kto? Posy?

– ...tak. Ponownie wezwano mnie na górę. Pani Lennox stłukła kubek i się skaleczyła, więc musiałem jej pomóc nakleić plaster na palec. Po co te pytania, Briar? Nie myślisz chyba, że coś zrobiłem, prawda?

Nie, nie myślała, że coś zrobił, chociaż była pewna, że byłby do tego zdolny. Ale fakt, że przyniósł Posy mleko do jej dziwnie pachnącej herbaty, a potem pozostał sam na sam z Renee Lennox, wydawał jej się niezwykle interesujący.

– Sprzątnąłeś rozbity kubek? – zapytała Briar, mimo że znała odpowiedź.

– Nie. Pani Lennox powiedziała, że sama to zrobi. Wróciłem tutaj.

– Gdzie nie było nikogo?

– *Oui*.

Briar skinęła głową, patrząc znacząco na Flecika.

– Dziękuję, Jean-Claude. Idę na dalszy rekonesans. Herbatę podamy jak zwykle o trzeciej.

Odeszła, a jej nieznoszący sprzeciwu ton unosił się nawet po jej odejściu.

Briar skontaktowała się telefonicznie z rodzicami. Nadal byli uwięzieni w Inverness, błogo nieświadomi, że w gospodzie miało miejsce potencjalne morderstwo. Briar postanowiła nie wspominać o tym fakcie. Sprawdziła jeszcze kilka rzeczy w komputerze, aż w końcu zakradła się z Flecikiem na górę do pokoi gościnnych.

Tym razem zbadała inny pokój.

Niewiarygodnie czysta i schludna sypialnia nie wymagała żadnego sprzątania, więc Briar na wszelki wypadek pogniotła pościel, żeby mieć co sprzątać, w razie gdyby ktoś jej przeszkodził. Aż wreszcie, kiedy Flecik zaczął wąchać i krążyć wokół narzuty, rozpoczęła właściwe przeszukanie.

– Co jest, Fleciku?

Briar przykucnęła na dywanie i uniosła narzutę. Podczas gdy w większej części pokoju było czysto jak w laboratorium, przestrzeń pod łóżkiem okazała się okropnie zaśmiecona. Znajdowała się tam otwarta walizka z wysypującymi się z niej ubraniami, kilka papierowych kubków po kawie i pogniecione kartki.

I jeszcze coś ciekawego. Para pięknych baletek w kolorze pudrowego różu. Buciki, które noszą baletnice, aby tańczyć na samych czubkach palców. Jest to potwornie bolesny, ale piękny sposób poruszania się. Właściwy i profesjonalny, taki, który można zobaczyć na scenie w Covent Garden. Briar podniosła baletki ostrożnie, aby dokładniej im się przyjrzeć. Rozmiar osiem albo coś koło tego, więc z pewnością nie należały do Posy.

Briar dotykała czubków bucików, kiedy coś przykuło jej wzrok. Ich właściciel włożył coś do jednego z nich. Coś wiele mówiącego.

Briar szybko wsunęła wszystkie nowe dowody do torby ze środkami czystości.

– Chodź, słodziaku – powiedziała do Flecika głosem pełnym triumfu. – Czas podać herbatę.

Herbatę podawano w jadalni. Marianne i Renee Lennox siedziały razem i wyglądały na wyczerpane. Herriot i dwie brydżowe damy stały przy oknie. Detektyw siedział sam.

Briar wtoczyła wózek do pokoju i dokładnie zamknęła za sobą drzwi. Flecik usiadł jak wielki owłosiony odbojnik i spojrzał na gości.

Dziewczynka zatrzymała wózek.

– Wiem, co się stało z Posy Lennox.

Jej oświadczenie spotkało się z pełną zdumienia ciszą. Renee Lennox prychnęła cicho, a Herriot zaklął bezgłośnie. Detektyw tylko przewrócił oczami i zmierzył Briar pogardliwym spojrzeniem.

– To nie jest zabawa, młoda damo – powiedział sucho. – Kobieta straciła życie. Tragiczny wypadek. Koroner to udowodni.

Briar postanowiła go zignorować. To nie była jego wina, że był żałośnie niekompetentny i sytuacja go przerosła. Oczywiście myślał, że to zwykły wypadek, przecież dopiero co przyjechał. Jednak Briar obserwowała wszystkich gości w jadalni od ponad tygodnia. Znała godziny ich przyjść i wyjść i wiedziała, że śmierć Posy nie była przypadkiem.

– Posy Lennox była wczoraj w doskonałym zdrowiu – powiedziała spokojnie, zwracając się do zgromadzonych. – Nie miała problemów z oddechem, kiedy krzyczała na Jean-Claude'a. Myślała trzeźwo, kiedy kłóciła się z matką na oczach wszystkich, tutaj, w tym pokoju. A jej palce były sprawne, gdy wystukiwała nimi paskudną recenzję w swoim telefonie komórkowym.

Do telefonu postanowiła wrócić później.

– Jak możesz tak mówić?! – krzyknęła Renee.

Briar tylko na nią spojrzała – to były jedynie fakty.

– Ostatniej nocy Posy poszła na górę i spędziła kilka godzin, relaksując się. Miała problemy ze snem i o drugiej nad ranem nadal nie spała. Wtedy właśnie zadzwoniła do Jean-Claude'a, prosząc o ciepłe mleko do herbaty. Zgadza się?

Kiedy to mówiła, patrzyła na Renee. Pani Lennox wyglądała na lekko urażoną, ale skinęła głową.

– Tak.

– I piła tę herbatę, pani Lennox?

– No tak.

– Dokładnie tak!

Briar sięgnęła do torby i wyjęła dwie torebki herbaty, które zabrała z sypialni. Podniosła je wysoko.

– To nie jest marka, której używa się w tym zajeździe – oznajmiła. – Moi rodzice są bardzo zasadniczy w kwestii szkockiej herbaty śniadaniowej. A ta nie jest nawet podobna. Pierwotnie to była jakaś mieszanka ziół, ale po dziwnym zgniłym zapachu czosnku można poznać, że coś z nią jest nie tak.

Jedna ze starszych pań grających w karty sapnęła.

– Co jest nie tak?

Briar przerwała, by uzyskać dramatyczny efekt, po czym odpowiedziała:

– Jest zatruta.

Marianne zakryła usta dłońmi, a Renee patrzyła wzrokiem, w którym malowała się mieszanina dezorientacji i wściekłości. Herriot i starsze panie pochylili się, słuchając uważnie.

Briar kontynuowała.

– Posy wypiła zatrutą herbatę, nic nie przeczuwając...

– Ten okropny człowiek otruł moją córkę! – wrzasnęła Renee, prawie zrywając się na równe nogi z rozpaczy i niepokoju, i wskazała na Jean-Claude'a. – Aresztujcie go!

– Nie ma absolutnie żadnych dowodów na to, że Posy została zabita, nie mówiąc już o otruciu! –

krzyknął przeraźliwie detektyw. – To dziecko ma bujną wyobraźnię.

– Nie – odparła Briar od niechcenia. – Po prostu widzę różne rzeczy. W każdym razie, jak mówiłam... Posy pije herbatę około drugiej nad ranem, nieświadoma obecności trucizny. Następnie zaczyna kłócić się z panią Lennox, jako że ich pokoje są ze sobą połączone. Słyszy je cały zajazd. Ich kłótnia budzi także mnie.

– Nie bagatelizuj otrucia – przerwała ostro Renee. – Jeśli została otruta, to Jean-Claude to zrobił.

– Nie – westchnęła Briar, nieco poirytowana. – Nie rozumiesz? To nie mleko, które przyniósł Jean-Claude, było zatrute, ale torebki z herbatą.

– Jak torebki z herbatą mogły zostać zatrute? – spytała skołowana Marianne. – Przywiozłyśmy je ze sobą.

Briar właśnie do tego dochodziła.

– Posy budzi cały zajazd, a potem zbiega na dół jak huragan. Dzwoni do kogoś i po kilku niezbyt eleganckich słowach skierowanych do Jean-Claude'a opuszcza zajazd i zaczyna brnąć w śniegu. Pozostają tylko ślady jej maleńkich stóp. I nic nie wskazuje na jej powrót.

Renee jęknęła. Flecik warknął.

– Jean-Claude był najwyraźniej ostatnią osobą, która widziała Posy żywą – ciągnęła Briar. – Ale wezwano go ponownie na górę, żeby pomógł pani Lennox ze skaleczeniem po stłuczeniu kubka.

Renee spojrzała na swój palec.

– To spowodowało, że recepcja była pusta przez mniej więcej dwadzieścia minut. Ktoś z zajazdu z łatwością mógł wtedy pójść za Posy Lennox, żeby sprawdzić, czy otrucie przebiegło zgodnie z planem.

– Jak? – zapytał Herriot, a na jego twarzy odmalowało się zakłopotanie. Najwyraźniej odtwarzał całą scenę w swojej głowie. – Jest tylko jeden komplet śladów!

– Jeśli mamy dalej bawić się w tę śmieszną narrację – powiedział detektyw – przynajmniej pozwól mi zrobić w niej dziury. Dlaczego zabójca miałby podążać za Posy, skoro wiedział, że wypiła truciznę?

Briar uśmiechnęła się triumfalnie.

– Ponieważ Posy miała coś, czego zabójca potrzebował. Telefon komórkowy.

– Och, to takie ekscytujące – zaćwierkała jedna z dam brydżowych. – Co dalej?

– Zabójca podążył za Posy, a gdy tylko się upewnił, że trucizna zadziałała, zabrał jej telefon. Prawdopodobnie te nocne wędrówki Posy pokrzyżowały mu plany, wolałby raczej zabrać telefon z jej pokoju, ale musiał improwizować.

– Jak?! – wrzasnął ochryple detektyw. – Ślady!

Briar wzięła głęboki wdech.

– Posy szantażowała zabójcę. Wszystkie dowody są w telefonie komórkowym.

Briar sięgnęła do kieszeni i wyjęła różowy smartfon, który chwilę wcześniej znalazła schowany w baletce pod łóżkiem.

– Widzicie, Posy znała zabójczynię – wyjaśniła. – Obie były baletnicami. Zabójczyni zawsze zazdrościła Posy. A obie zazdrościły innej wspólnej koleżance z baletu. Zabójczyni zepchnęła tamtą baletnicę i zrujnowała jej karierę. Wiedziała o tym tylko Posy. I wykorzystywała to, żeby ją szantażować.

Po tej konkluzji zapadła lodowata cisza. Menadżerka Posy wydała z siebie cichy jęk niedowierzania, a spojrzenie jej niebieskich oczu błąkało się po twarzy Briar w przerażeniu.

– Na litość boską! – wykrzyknęła Marianne. – Co za niedorzeczne zarzuty! Daj spokój. Nie jest tajemnicą, że lata temu byłam w balecie z Posy. Ale reszta to kłamstwa.

– To nie są kłamstwa – zaprotestowała ostro Briar. – Nie mogłaś znieść Posy. Umiem rozpoznać maskę, Marianne, a ty ją zawsze przy niej nosiłaś. Udawałaś. Byłyście rywalkami i nie mogłaś znieść, że ona miała o wiele większe umiejętności. Louise Clarkson też była lepsza. Więc kiedy Posy dowiedziała się, co zrobiłaś Louise, szantażowała cię. Groziła zrujnowaniem twojej reputacji.

Briar położyła telefon komórkowy obok dwóch zatrutych torebek z herbatą, a następnie wyciągnęła zdjęcia, które zrobiła w sypialni.

– Przygotowałaś wcześniej torebki z zatrutą herbatą i przywiozłaś je ze sobą. Ostatniej nocy otworzyłaś pudełko, to była twoja pierwsza i jedyna próba. Udało ci się. Posy wypiła zatrutą herbatę i zmarła zaledwie kilka godzin później.

– Nie możesz udowodnić, że są zatrute – powiedziała Marianne. – Poza tym skąd miałabym jej telefon?

– Oczywiście poszłaś śladami Posy.

– Oszalałaś?! – krzyknęła Marianne, śmiejąc się przeraźliwie. Wskazała na swoje stopy. – Noszę ósemkę. Posy nosiła rozmiar trzy. Żartujesz.

– I to jest ta część, za którą prawie cię podziwiam – powiedziała spokojnie Briar. Wyciągnęła ostatni dowód i położyła go na wózku z herbatą.

Baletki.

Twarz Marianne zrobiła się bardzo blada, a wszyscy pozostali przyglądali się jej w zdumieniu.

– Z pewnością masz większe stopy niż Posy – powiedziała cicho Briar. – Ale umiesz stać i chodzić na palcach. To nie było daleko. Wystarczyło tylko dostać się do ciała i zabrać telefon. I zrobiłaś to. Stanęłaś na pointach i szłaś po śladach Posy. To prawdopodobnie najlepszy występ, jaki kiedykolwiek dałaś, a nikt nie mógł go zobaczyć.

Herriot zachichotał, a detektyw, wpatrując się w Marianne i Briar, wydał z siebie zduszony odgłos niedowierzania.

– Cóż – poprawiła się dziewczynka. – Niezupełnie „nikt". Moi rodzice mają monitoring.

– Co? – powiedzieli jednocześnie Marianne i detektyw.

– O tak. W lesie. Kamera jest schowana w sztucznej sowie. Pomysł taty, bardzo sprytny. Tata pobierze pliki, kiedy wróci z Inverness.

Renee patrzyła na menadżerkę swojej córki, wyraźnie zaniepokojona strachem na jej twarzy.

– Ale to nie może być prawda. Marianne. Powiedz, że to pomyłka.

– Ona kłamie – odparła Marianne ochrypłym głosem. – Chce zwrócić na siebie uwagę. Jest chora, ma nie po kolei w głowie.

– Przepraszam – zaprotestowała wyraźnie Briar. – Z moją głową jest wszystko w porządku. Chcesz dowiedzieć się czegoś zabawnego o osobach z autyzmem, Marianne? Mamy niesamowicie wyostrzone zmysły. Mam bardzo dobry zarówno słuch, jak i węch. Lepsze niż ty. Lepsze niż ktokolwiek w tym pokoju. – Wskazała Flecika. – Prawdopodobnie lepsze nawet niż on.

Basset wycharczał coś na temat tego, że to z pewnością nieprawda.

– Dlatego wyczułam zapach trucizny w herbacie – ciągnęła Briar, znów podnosząc torebki. – I zauważam to, na co inni ludzie nie zwracają uwagi. Nikt nie wie lepiej ode mnie, że pod powierzchnią zawsze kryje się coś głębszego.

– Nie możesz tego udowodnić – wysyczała Marianne
z lekką desperacją.

Briar zmusiła się do nawiązania kontaktu wzrokowego
z kobietą, gdy wrzucała obie zatrute torebki herbaty do dzbanka z gorącą wodą. Zamieszała, nie odrywając od niej wzroku.

– Proszę – powiedziała w końcu, nalewając herbaty do
filiżanki i podając ją Marianne. – Podano herbatę. Wypij.

Zapadła głucha cisza.

Marianne wpatrywała się w Briar. Briar odwzajem-
niała spojrzenie.

– Ostrożnie – dodała dziewczynka szeptem. – Jest
gorąca.

Przez krótką chwilę Briar myślała, że Marianne albo
przewróci stół, albo wytrąci jej herbatę z ręki. Zamiast
tego kobieta roześmiała się słabo i wszelkie ślady udawanego zdziwienia zniknęły z jej twarzy.

– Myślę, że można śmiało powiedzieć, że wszyscy
w tym budynku mieli motyw – stwierdziła jedwabistym
tonem. – Ale ja byłam jedyną, która miała plan.

– O mój Boże – westchnęła Renee.

– Morderca? – pisnął detektyw. – Tutaj?

– Chętnie napiłabym się herbaty! – powiedziała jedna
z brydżystek.

– Nie, ta jest zatruta, Deborah – skarciła ją druga.

– Wezwijmy kilku pańskich policjantów, detektywie –
zarządził surowo Herriot, spoglądając na Marianne,

której twarz miała teraz spokojny i pogodny wyraz, jakby kobieta była już wolna od stresu. – Mamy tu coś na kształt przyznania się do winy, a wkrótce powinien pan dostać monitoring.

Briar podbiegła do okna i wylała herbatę na śnieg. Zasyczało, gdy płyn dotknął delikatnej puszystości. Trucizna lśniła na białej powierzchni, tak że wszyscy mogli ją zobaczyć.

– Skąd wiedziałaś, że to morderstwo? – spytał Herriot.

On i Briar obserwowali, jak detektyw umieszcza Marianne na tylnym siedzeniu radiowozu. Śnieg trochę stopniał, więc policja mogła teraz swobodnie przyjechać i odjechać.

Briar mówiła bardzo rzeczowo, pochylając się, by podrapać basseta za uszami.

– Ponieważ ludzie tacy jak Posy Lennox, którzy są niegrzeczni, wstrętni i nieżyczliwi, zwykle żyją długo i umierają z przyczyn naturalnych. To nie mógł być tętniak ani nic w tym stylu. Marianne miała rację co do jednego: wszyscy chcieli pozbyć się Posy. Ale tylko ona była na tyle zuchwała, by to zrobić.

Herriot roześmiał się, zdezorientowany.

– Jesteś bardzo dojrzała, prawda?

– Nie, jestem po prostu autystyczna.

41

– Cóż, rozwiązałaś sprawę – powiedział. – Pan inspektor Bezużyteczny nigdy by się z tym nie uporał. Nie doceniliśmy Marianne. I ciebie, Briar.

Dziewczynka z powagą przypięła Flecikowi smycz do obroży. Nie mogła przestać myśleć o tym dziwnym dniu. To zdecydowanie nie było zwyczajne Boże Narodzenie.

– W porządku – rzuciła do Herriota i pociągnęła za sobą psa. – Jestem przyzwyczajona do bycia niedocenianą.

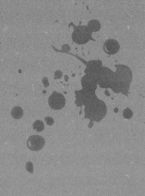

ROOPA FAROOKI

ZBRODNIA
W ŚNIEGU

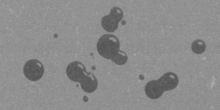

ŚCIŚLE TAJNE

WŁASNOŚĆ KLUBU ŚWIĄTECZNYCH ZBRODNI

ZBRODNIA
W ŚNIEGU

Roopa Farrooki

Ho-ho-HO!

Ali podskoczyła na tylnym siedzeniu, wyrzucając w powietrze stare opakowania po czekoladzie niczym konfetti. Tulip podskoczyła obok niej. Nan-Nan wcisnęła hamulec, a wtedy jej Nan-mobil zgasł. Odwróciła się i wbiła stalowe spojrzenie w Ali i Tulip.

– Ona to zrobiła – powiedziały razem bliźniaczki, wskazując na siebie wzajemnie.

Tulip zjeżyła się na tę niesprawiedliwość i oświadczyła jeszcze raz, bardziej dobitnie:

– Nie, naprawdę ONA to zrobiła!

Ali w tym samym czasie powiedziała to samo.

– Przestań! – zawołały znowu obie razem. – Nie, TY przestań!

Nan-Nan przewróciła oczami i beztrosko pomachała na przejeżdżające obok trąbiące pojazdy. Niektórzy kierowcy opuszczali nawet szyby, żeby pozrzędzić. Ale ona po prostu się do nich uśmiechała i wskazywała naklejkę z wózkiem inwalidzkim.

– Założę się, że jest wam przykro – powiedziała do awanturniczek. – Agresja drogowa wobec uroczej starszej pani na wózku inwalidzkim... – Wrzuciła bieg i ruszyła, popatrując we wsteczne lusterko. – Prowadzenie samochodu bez nóg jest łatwe. Ale jazda z wami dwiema z tyłu? To dopiero wyzwanie!

– To nie byłam ja... – poskarżyła się Tulip, a Ali powiedziała to samo ułamek sekundy później. – ...nie ja.

Nan-Nan potrząsnęła głową.

– Ciągle wam powtarzam, żebyście się powstrzymały od rozmów w tym swoim przerażającym bliźniaczym unisono. Wszystkich normalnych ludzi wprawia to w osłupienie. – Podjechała pod szkołę i dodała od niechcenia: – Czas na quiz! Jakie jest ulubione powiedzonko Świętego Mikołaja w Minecrafcie?

– Ho-ho-HO! – wrzasnęła Ali i w tej samej chwili zdała sobie sprawę, że się zdradziła. Uśmiechnęła się jednak: – Tak, to ja wtedy krzyczałam. Taki świąteczny żarcik. Ale było warto.

– Wiedziałyśmy, że to ty – powiedziała Nan-Nan. – Dlaczego jesteś tak irytująco uparta? Już wolę, kiedy z sobie tylko znanych złowrogich powodów postanawiasz nas ignorować.

– To oczywiste dlaczego! Bo już prawie święta! – krzyknęła Ali. – Mama dostała w szpitalu trzy dni wolnego. Nie będzie pracowała w Boże Narodzenie, więc możemy zająć się świątecznymi sprawami. Skarpety! Czekolada! Ciasteczka! Będziemy tak przepełnione radością, że aż się pochorujemy!

– Ali jest trochę podekscytowana – wyjaśniła przepraszająco Tulip. – Wstąpiła w nią świąteczna nadzieja spod znaku dzwonią-dzwonki-sań-pada-pada-śnieg. A to nie zwiastuje niczego dobrego.

– Och, jesteś taką ponuraczką – poskarżyła się Ali. – Jak burza gradowa. Nie mogę uwierzyć, że muszę spędzać z tobą Boże Narodzenie.

– Nie musisz – odparła Tulip, starając się nie wyglądać na zbyt zadowoloną z siebie. – Jesteśmy z Zakiem wolontariuszami w Świątecznej Jaskini. Tej przed szpitalnym oddziałem dziecięcym.

Zak i jego brat Jay to druga para bliźniaków w ich klasie. Zak jest tym milszym i – co irytujące – zawsze zgłasza się na ochotnika do różnych przedsięwzięć.

– Aargh! Nie mogę uwierzyć, że porzucisz mnie na święta! – wykrzyknęła Ali. – Zak jest koszmarny. Od polerowania własnej aureoli musi go chyba boleć ręka.

– To Boże Narodzenie jest koszmarne – poprawiła Nan-Nan. – Wielkie internetowe pranie mózgu, by wszystkich przekonać, że jest radośnie. Zasadniczo to narodowy dzień kłótni rodzinnych i obżerania się cukrem.

– Jakby Grinchowo? – spytała Tulip, przerywając Nan-Nan, zanim ta zdążyła do końca wygłosić swoją antyświąteczną przemowę. – Biedna stara zrzędliwa Nan-Nan. Gdybyś miała trawnik, kazałabyś dzieciom się z niego wynosić.

– Oczywiście, że tak – odparła Nan-Nan. – Jestem aktywną agentką tajnej siatki superszpiegowskiej. Nie znalazłam połowy pułapek, które zakopałam na wypadek, gdyby dopadli mnie moi międzynarodowi wrogowie. Mają dużo ostrych elementów. Oczywiście pułapki. Nie wrogowie.

– Tak, bo wrogowie to prawdziwi amatorzy – zgodziła się Ali.

– Dzięki za podwiezienie, Nan-Nan – powiedziała Tulip, patrząc znacząco na Ali. – Miałyśmy iść na piechotę, ale jest zimno, a ktoś zapomniał zabrać ze szkoły płaszcza.

– Nie zapomniałam – fuknęła urażona Ali. – Zostawiłam go w szafce ze swędzącym proszkiem w kieszeniach, żeby wrobić i ośmieszyć kogoś z listy moich wrogów...

– Zapewne jest to fascynująca historia, ale naprawdę nie muszę jej znać – oznajmiła Nan-Nan. Skinęła głową, opuściła okno i wyciągnęła przez nie ręce, by chwycić pierwsze płatki śniegu. – W samą porę. Nie chciałabym, żeby złapała was zła pogoda.

– Śnieg to nawet nie jest pogoda – zauważyła Tulip. – Na ogół rozpuszcza się przy dotyku.

– Tak to już jest na tej małej mokrej wysepce – zgodziła się Nan-Nan. – Na Grenlandii mogłabym budować całe forty z igloo i przytulne groty z lodu dla hobbitów.

– Nie masz przypadkiem na myśli Islandii? – spytała Ali.

– Nie – zaprzeczyła Nan-Nan. – Islandia jest zielona, a Grenlandia lodowa. Te nazwy to celowa zmyłka³, aby wprowadzić ludzi w błąd. Skinęła głową w kierunku stojącego przy bramie nauczyciela, pana Ofu, i dała bliźniaczkom znak ręką, żeby weszły do szkoły: – Idźcie! Biegusiem! Jeśli nadal będzie padać śnieg, przyjadę po was.

Ostatni dzień szkoły był wypełniony przeróżnymi obowiązkami, co nie pomogło Ali się uspokoić. Przygotowywali wieńce z bluszczu zerwanego z muru na tyłach placu zabaw, a potem musieli oglądać świąteczny film pełen wzruszających piosenek i animowanych zwierzątek.

– Szkoda, że nie ma tu Zaka i Jaya – skomentowała Tulip, energicznie podskakując w rytm ścieżki dźwiękowej filmu.

– No właśnie, gdzie są te przegrywy? – zapytała zbolałym tonem Ali, jakby dopiero teraz odnotowała

---

3 Islandia (ang. Iceland – lodowa ziemia), Grenlandia (ang. Greenland – zielona ziemia).

nieobecność bliźniaków. Tulip zauważyła wcześniej, że jej siostra była zawiedziona, gdy wyciągała z szafki Jaya swój płaszcz wypełniony swędzącym pudrem. – To nie-odpowiedzialne, że ich tu nie ma. Wszyscy liczą na ich słynne ciasteczka „końcowosemestralne".

– To prawda – potwierdziła Tulip. – Nauczyciele są bardzo rozczarowani. Żadnych domowych ciasteczek, żadnych ręcznie robionych pudełek na prezenty.

– Być może rodzice dali im wolne – powiedziała Ali. – Chłopaki nie przepadają za zajęciami o tematyce religij-nej. Gdy była Wielkanoc, ich mama nie pozwoliła im na-wet zagrać w *Tomb Raidera*.

– Nie wolno im grać w żadne gry – zauważyła Tulip. – I nie jestem pewna, czy napadanie na grobowiec ma co-kolwiek wspólnego z Wielkanocą.

– Nie, za to czekolada na pewno – stwierdziła Ali.

Pod koniec filmu pan Ofu podniósł rolety i zamrugał, gdy oślepiło go morze białego światła. W ciągu dwóch godzin śnieżyca pokryła wszystko grubym na kilka centy-metrów puszystym kocem.

– O RANY, NAPRAWDĘ napadało! – wrzasnęła Ali. – Prawdziwy grenlandzki igloo-grotowo-hobbitowy śnieg! Ho-ho-ho!

– Nie, nie, nie! Jak niby mam wyjechać samochodem z czegoś takiego! – powiedział pan Ofu. – Mój chłopak właśnie zrobił gofry. – Mężczyzna pokazał im zdjęcia na

Instagramie, które przeglądał podczas napisów końcowych filmu.

– Ach! – zawołała Tulip. – Zrobił śniadanie na podwieczorek? To najradośniejszy pomysł na świecie!

Pakowali właśnie swoje rzeczy, kiedy ze szkolnego radiowęzła rozległ się głos. To była pani Khan, która starała się brzmieć szorstko i oficjalnie:

– Czy pielęgniarka Han mogłaby się zgłosić do szkolnego korytarza? Młodsze klasy próbowały robić węża na śniegu i mamy kilka niefortunnych „lodowych" obrażeń.

– LOL, trzecioklasiści to największe krejzole – zawyrokowała Ali. – Dlaczego my nie zrobiliśmy węża?

Głośniki uruchomiły się ponownie. Pani Khan brzmiała na jeszcze bardziej zestresowaną:

– Dowiedziałam się, że pani Han jest na wakacjach. Właśnie umieściła życzenia o treści „Wesołych świąt z plaży" na swoim profilu na Facebooku. Szczerze mówiąc, mogła przynajmniej UDAWAĆ, że to jakaś nagła sprawa rodzinna. Tak więc, jeśli jakiś nauczyciel albo uczniowie, albo dwójka uczniów, a może nawet BLIŹNIACZKI, mogliby pomóc...

Pan Ofu uśmiechnął się i otworzył drzwi.

– Tulip, Ali, myślę, że pani Khan wzywa na pomoc superbohaterki. Pójdziecie na korytarz?

– Wreszcie! – zapiszczała Tulip. – Zostałyśmy wezwane ze względu na naszą wiedzę medyczną, a nie na jednogłośność.

– Mów za siebie – rzuciła Ali, ale z uśmiechem. Pacnęła Tulip w plecy i postukała w nie opuszkami palców. – Chodźmy zrobić porządek z trzecioklasistami. Krejzolskie krejzole.

W korytarzu stała długa kolejka trzecioklasistów z zadrapaniami, siniakami, połamanymi paznokciami i odmrożeniami.

– Więc wąż w śniegu jest trochę bardziej niebezpieczny, niż się wydaje – powiedziała ze współczuciem Tulip, wycierając nadmiar środka antyseptycznego z czyjegoś rozciętego kolana i przyklejając plaster.

– To jest TAAAKIE nudne – narzekała Ali. – Nikomu nawet nie wystaje kość. Mama może przynajmniej grzebać w mózgach jak zombie.

– Wczorajsza operacja trwała sześć godzin – zauważyła Tulip, sprawnie przykładając okład z lodu do czyjejś spuchniętej ręki. – A ty jesteś tu od pięciu minut i już masz dość?

– Tak, racja, mózgi są o wiele nudniejsze – zgodziła się Ali. – Przynajmniej twój.

Tulip otworzyła usta, żeby jej odpowiedzieć, ale Ali włączyła świąteczną składankę na swoim telefonie i wszystko zagłuszył dźwięk dzwoneczków.

Tulip i Ali opatrzyły w końcu ostatniego rannego ucznia.

– Dobra robota, dziewczyny – powiedział pan Ofu, który wcale nie miał pojęcia, czy była dobra, czy nie, ponieważ był nadwrażliwy i w dniu szczepień niemal mdlał na korytarzu. – Lepiej zaczekajcie tutaj, aż ktoś dorosły zabierze was do domu. Śniegu jest naprawdę sporo.

Tulip i Ali zebrały więc swoje rzeczy i czekały. Wkrótce okazało się, że już tylko one zostały w szkole. Pan Ofu zniknął, pewnie już zajadał się goframi. Pani Khan niecierpliwie dreptała po swoim gabinecie, besztając pielęgniarkę Han na WhatsAppie. A Nan-Nan nadal nie było. Tulip w końcu do niej zadzwoniła.

– Gdzie jesteś, Nan-Nan? Utknęłyśmy tutaj.

– Ja też utknęłam – poskarżyła się Nan-Nan. – W szpitalu. Nie mogłam zadzwonić. Jestem dosłownie uwiązana. Czy możecie tu przyjechać? Same?

– Na przykład na nartach? – spytała Tulip z powątpiewaniem. – Czy to nie jest trochę niebezpieczne?

– Oczywiście, że jest, kochanie. Znasz mnie przecież, prawda? – Nan-Nan rozłączyła się i już nie odebrała, kiedy Tulip ponownie do niej zadzwoniła.

Tulip nie zadała sobie trudu nagrania wiadomości. Wiedziała, że Nan-Nan nigdy ich nie słucha.

– Co się dzieje? – spytała Ali, wyjmując słuchawki z uszu. – Kiedy staruszka po nas przyjedzie?

– Twierdzi, że jest dosłownie uwiązana – powiedziała Tulip. – Myślisz, że rzeczywiście miała to na myśli?

– Aaach! – wściekała się Ali. – To takie w stylu Nan-
-Nan. Nie mogła nawet poczekać do końca szkoły, zanim
znowu się wdała w jakieś głupie superszpiegowskie afery.
Miałyśmy już zacząć ferie! Dziś wieczorem miało być coś
dobrego na wynos!

– Owszem – zgodziła się Tulip. – Nan-Nan chce, żebyśmy pojechały prosto do domu, i to szybciorem. Ale myślę, że powinnyśmy pojechać do szpitala, znaleźć mamę
i powiedzieć jej o Nan-Nan.

To nie były dokładne słowa Nan-Nan, ale Tulip wiedziała, że Ali będzie skłonna zrobić raczej coś odwrotne-
go niż to, co zaleciła babcia.

– Nie ma MOWY, żebym teraz wracała do domu – powiedziała Ali jak na zawołanie. – Szpital? Wchodzę to! –
Zgarnęła parę rakiet z hali sportowej i przywiązała je do
butów ozdobnym sznurkiem, który pozostał po imprezie
bożonarodzeniowej czwartej klasy.

– Rakiety śnieżne? – zapytała Tulip. – Świetny pomysł.
Jesteś baaaardzo sprytna, Ali.

Rakiety śnieżne były o wiele bezpieczniejsze od nart.
Starała się nie wyglądać na zbyt zadowoloną z siebie.
Wszystko szło zgodnie z planem.

Wyszły ze szkoły i pomaszerowały w stronę stacji metra na własnoręcznie zrobionych rakietach śnieżnych.

Ich czarna kotka, Wiedźma, przybłęda, która je zaadoptowała, zeskoczyła z muru na końcu ich ulicy i podążyła za nimi.

– Idź do domu, Wiedźmo, bo się zgubisz – zdenerwowała się Tulip.

– Ostatnim razem próbowałyśmy ją zgubić, pamiętasz? – zapytała Ali. – Głupi futrzak zawsze znajdzie drogę powrotną. – Rozchyliła swój worek na WF, a Wiedźma wskoczyła do środka. – No co? – burknęła, kiedy Tulip na nią spojrzała. – Na zewnątrz jest zimno. A jeśli się zsika, to wywalę strój. I tak z niego wyrosłam.

Wysiadły na stacji metra w pobliżu szpitala. Tulip spodziewała się, że Nan-Nan będzie tam na nie czekała, ale jej nie było. W tej części miasta śnieg był jeszcze głębszy. Samochody utknęły na głównej drodze. Ani wózek inwalidzki Nan-Nan, ani jej auto nie dałyby rady tutaj dotrzeć. Tulip rozejrzała się niecierpliwie.

– Nan-Nan powiedziała, że utknęła. Myślisz, że jest unieruchomiona? – zapytała.

Kiedy Ali zaczęła iść ulicą w kierunku przystanku autobusowego, zdała sobie sprawę z czegoś gorszego. Żaden samochód nie mógł stąd wyjechać. A to oznaczało, że również żaden nie mógł tu przyjechać.

– Nieee – powiedziała. – Ale mama mogła utknąć w szpitalu. A co, jeśli inni lekarze nie będą mogli przyjść i przejąć jej zmiany?

Bliźniaczki spojrzały na siebie z przerażeniem.

– Trzeba będzie odwołać Boże Narodzenie!

Usłyszały trąbienie, wesoły dzwonek furgonetki z lodami i przyjazny głos:

– Moje królowe! Utknęłyście w śnieżnym świecie cudów?

To był ich przyjaciel Momo, student, przyszły pracownik społeczny i taksówkarz na pół etatu w jednym. Rozpromienił się, a jego superbiałe zęby stanowiły dużą konkurencję dla bieli śniegu. Starannie ogoloną głowę nakrył świątecznym kapeluszem z pomponem.

– Eeej, schowaj te zęby, już jest wystarczająco jasno – jęknęła Ali. – Doniosę na ciebie za mycie zębów plutonem. To nie może być legalne.

– Proszę, nie – rzucił Momo, ale nie wyglądał na zbytnio zaniepokojonego. – To oskarżenie źle by wyglądało w moim wniosku o pozwolenie na stały pobyt. Podejrzewam, że potrzebujecie transportu. – Wskazał furgonetkę. – Autobusy do szpitala nie kursują, wasza Nan-Nan właśnie mnie poprosiła, żeby was tam zawieźć. Przez bramę dla zaopatrzenia. Z nieznanych powodów.

– To miło ze strony Nan-Nan – powiedziała Tulip, wsiadając do furgonetki. – Pracujesz teraz jako lodziarz? Gdzie twoja taksówka?

– Po ostatnim incydencie – zaczął wyjaśniać Momo, mając na myśli atak ze strony Evelyna Sprotlanda, który był znienawidzonym wrogiem bliźniaczek – zdecydowałem, że lody są bezpieczniejsze. A zimą furgonetka jest najtańsza.

– I najsmaczniejsza – potaknęła Tulip, naciskając guzik i chwytając wafelek, żeby zrobić sobie lodowego kręciołka. – Zapisz to na konto Nan-Nan, proszę.

– To naprawdę irytujące ze strony Nan-Nan – narzekała Ali. – Nie ma czasu na rozmowę z nami, ale na wypełnienie formularza dotyczącego bezpieczeństwa klientów Momo w jego aplikacji z zamówieniami już tak. – Pokazała to Ali na swoim telefonie.

Furgonetka Momo pokonała drogę do szpitala znacznie sprawniej niż Nan-mobile. Była sprytnie udoskonalona przez zamontowanie z przodu kilku pachołków drogowych, które działały jak szufle do zgarniania śniegu.

– Widzę, że wiesz, jak szybko śmieżać do przodu – zachichotała Tulip.

Ali jęknęła.

– Zapłacę ci, żebyś ją wyrzucił – szepnęła do Momo.

– To był bardzo śmieżny żart – dodała niezrażona Tulip.

Gdy Momo powoli podjechał do wejścia dla zaopatrzenia, Ali wyskoczyła i wbiegła do środka.

– Mamo! – wykrzyknęła w głąb budynku. – Tulip torturuje mnie swoimi śnieżnymi dowcipami!

– Przepraszam, lepiej pójdę za nią – rzuciła Tulip, ściskając Momo, i również wyskoczyła z furgonetki. – Czy mógłbyś zająć się Wiedźmą?! Dzięki!

– Czekajcie, moje królowe! – zawołał Momo. – Mam wam towarzyszyć! Wasza Nan-Nan jest opakowana!

– Masz na myśli „związana"? – spytała Tulip.

– Z pewnością powiedziała, że jest opakowana – powiedział Momo.

Tulip wbiegła do środka za Ali, zostawiając Momo usiłującego zaparkować furgonetkę.

Szpital nie wyglądał tak świątecznie jak podczas ich ostatniej wizyty. Tulip była pewna, że zamontowano mniej świecidełek i światełek niż w zeszłym tygodniu.

– Myślisz, że Nan-Nan jest Grinchem i psuje gwiazdkowe dekoracje? – zapytała Ali, jednocześnie wysyłając wiadomość do mamy. – No weź, mama mówiła, żeby poszukać jej w Świątecznej Jaskini. Może ona też jest tam wolontariuszką, tak jak ty i Zak. Musi dać się ją jakoś złapać.

Kiedy dotarły na oddział dziecięcy, Świąteczna Jaskinia przedstawiała sobą widok iście rozpaczliwy. Była zrujnowana. Mikołajowy fotel był przewrócony, lampki choinkowe zostały zerwane, a skrawki papieru do pakowania i połamane świecidełka zaśmiecały podłogę ze sztucznego śniegu.

– Moje dzieci!

To była mama. Podbiegła do bliźniaczek i mocno je objęła.

– Co wy tutaj robicie?!

– Twoja nieodpowiedzialna matka zapomniała nas odebrać – prychnęła Ali. – Powinnaś ją zbesztać.

– Powiedziała nam, że jest związana. Albo opakowana – dodała Tulip, przytulając się do mamy. – Co tu się stało? Czy maluchy na oddziale się zbuntowały i zdemolowały to miejsce?

– Nie wszystkie maluchy są takie jak wy dwie – skomentowała mama, po czym westchnęła: – Jaskinia była naprawdę piękna jeszcze chwilę temu. Teraz wszystkie dekoracje zniknęły, prezenty z darów wyparowały, a mikołaj się zdematerializował!

– Mieliście mikołaja? – dociekała Ali.

– Personel przebiera się za mikołaja – wyjaśniła mama. – Ale wygląda na to, że ktokolwiek był nim ostatnio, uciekł z prezentami.

– Ktoś ukradł świąteczne prezenty dla chorych dzieciaków? – Ali nie mogła uwierzyć. – I to podczas śnieżycy, kiedy nie da się ich niczym zastąpić? Co za pacan!

– Podsumujmy wskazówki – zasugerowała Tulip. – Skoro my nie możemy wwieźć prezentów, to nie można ich również wywieźć. Więc mikoł... złodziej wciąż musi tu być.

– Podwójne detektywki biorą tę sprawę! – oznajmiła podekscytowana Ali. – Ho-ho-ho!

– Czy ona wciąż to robi? – zapytała mama, patrząc ze współczuciem na Tulip. – Cóż, cieszę się jednak, że jest coś, co was, kociaki, zajmie. Ja mam pacjenta na oddziale, uroczego chłopczyka z denerwującym guzkiem w mózgu, z którym muszę zrobić porządek.

– Biedny malec. Chcesz powiedzieć, że badasz go pod kątem operacji? – zapytała Tulip, zerkając na Ali. Operacje neurochirurgiczne, które wykonywała mama, zwykle trwały wiele godzin.

– Hmm... guz mózgu! Ile ci to zajmie? – zapytała Ali, a mama spojrzała na nią. Ali wzruszyła ramionami i dodała: – A może byś tak zrobiła coś mniej egocentrycznego?

– Przepraszam, kociaku – odparła mama, całując dziewczynkę w głowę. – To zajmie tyle, ile trzeba. Moi koledzy nie mogą dotrzeć do szpitala, żeby mnie zastąpić. Siedzimy w śniegu po pachy.

– Znów śnieżny żart – powtórzyła ze smutkiem Tulip. – Problemy ze śniegiem.

I mama też ją pocałowała. Potem włączył się jej pager, więc z przepraszającym wyrazem twarzy pobiegła na oddział.

– No i kolejne skopane święta – powiedziała Ali, osuwając się na podłogę wśród podartych opakowań po prezentach i połamanych dekoracji. – Hej, tu jest czekolada!

– Nie jedz teraz czekolady – zaprotestowała Tulip. – Znajdźmy Nan-Nan i powiedzmy jej, że musimy odszukać wrednego mikołaja kradnącego prezenty.

– Pewnie pracują razem – mruknęła Ali. – Nan-Nan jest tylko o krok od przejścia na Ciemną Stronę Mocy.

Tulip próbowała podnieść Ali, ale sama upadła wśród śmieci. Po chwili dostrzegła błysk czerwieni na końcu korytarza. Czerwony płaszcz, wydatny brzuch, długa puszysta broda i biała peruka wciśnięta pod czerwony kapelusz ozdobiony na czubku radośnie brzęczącym dzwoneczkiem.

Mikołaj pchnął podwójne drzwi, ale zatrzymał się, dostrzegłszy bliźniaczki.

– Hej, ty! – wrzasnęła Ali. – Wredny mikołaju! – Zerwała się i pobiegła w jego stronę.

Przestraszony przybysz cofnął się i zaczął uciekać.

– Wracaj tu, złodzieju prezentów! – krzyknęła Ali.

– Cóż, ucieczka dowodzi, że jest winny – zawyrokowała Tulip, wstając, by pobiec za Ali goniącą mikołaja.

Pod całym tym strojem mikołaj wcale nie był taki duży i miał całkiem sprawne nogi. Ale mimo to Ali zdołała go złapać w kawiarni. Zjechała po poręczy, odcinając mu drogę, a potem bezlitośnie przewróciła na niego wielką roślinę doniczkową.

– Mam cię! – wrzasnęła. Wskoczyła mu na klatkę piersiową i triumfalnie podniosła z podłogi coś, co leżało obok niego. – Czekolada! – powiedziała. – Taka sama jak ta w jaskini.

– Co...? – zaczął mówić mikołaj, ale wtedy pojawiła się Tulip i zobaczyła miny ludzi zgromadzonych w kawiarni, wpatrujących się w Ali siedzącą na mikołaju. Wszyscy wyglądali na mocno poruszonych faktem, że dziesięciolatka powaliła na ziemię uroczego staruszka.

– Myślę, że potrzebujecie krótkiego wyjaśnienia – zaczęła Tulip przepraszająco.

– No właśnie. Dlaczego nikt nie bije mi brawa? – poskarżyła się Ali. – Złapałam wrednego faceta.

Z drugiej strony rośliny dobiegło powolne klaskanie.

– Łał, Ali – powiedział Jay. – A ja myślałem, że to twoja Nan-Nan jest przeciwniczką Bożego Narodzenia. To ho--ho-hokropnie słabe z twojej strony.

– Czy wszystko w porządku, proszę pana? – zapytał Zak, podając mikołajowi rękę, by pomóc mu wstać. – Spadaj, Ali, to nie jest zabawne. Trafiasz na listę niegrzecznych dzieci.

– NIE będę na liście niegrzecznych! – zaprotestowała Ali.

– Oczywiście, że nie, moja królowo – powiedział mikołaj, wstając. To był Momo i mrugnął do niej znad brody. Wręczył Ali i Tulip kawałki czekolady, które odkleił od czerwonego stroju. Najwyraźniej znalazły się tam, gdy szata leżała w furgonetce z lodami. – Mam nadzieję, że podobało się państwu nasze interaktywne świąteczne przedstawienie teatralne! – Momo zwrócił się do gości w kawiarni, kłaniając się głęboko. Tulip też się ukłoniła. Ali wzruszyła ramionami, ale po chwili dołączyła do ukłonów. – Przyjdźcie po smakołyki do Świątecznej Jaskini przed Oddziałem Słonecznym, a moje wspaniałe energiczne elfy okażą wam świąteczną życzliwość.

Zak i Jay wzięli od niego mikołajowy worek i rozdali czekoladki dzieciom w kawiarni. Wszyscy się do nich uśmiechali.

– Nie wydaje mi się, żeby mikołajem, który ukradł wszystkie prezenty, był Momo – powiedziała Tulip, gdy znaleźli się przed kawiarnią.

– Cóż, pewnie masz rację! – przyznała Ali i spojrzała ze złością na mężczyznę. – Ale co robisz w tym kostiumie?

– Wasza mama wysłała mi wiadomość, żebym zgłosił się na ochotnika, ponieważ szpitalny mikołaj zaginął – wyjaśnił Momo. – Zawsze mam w furgonetce strój na wypadek świątecznych sytuacji kryzysowych, ponieważ jestem towarzyski i kocham zarażać życzliwością.

– A dlaczego przed nami uciekałeś? – dopytywała Ali.

– Bo jesteś przerażająca – wyjaśnił Momo dość rozsądnie. – I wyglądało na to, że zniszczyłaś jaskinię w ramach jakiegoś protestu przeciwko świętom. Najbardziej bałem się o swój kostium.

– To nie my zniszczyłyśmy jaskinię. Tak ją zastałyśmy – wytłumaczyła Tulip.

Momo pokiwał głową ze zrozumieniem.

– Ech, zatem ją posprzątam – rzekł zdecydowanie. – Dzieciom potrzebna jest jaskinia.

– A my znajdziemy wrednego mikołaja i skradzione prezenty – zaoferowała Ali.

– Potrzebujecie pomocy? – zapytał Jay. – Chwilowo nie mamy nic do roboty. Mama jest na chemioterapii, a tata razem z nią.

Mama Jaya i Zaka latem zaczęła leczyć się na raka.

– Och – westchnęła Tulip. – A my się zastanawiałyśmy się, dlaczego nie było was w szkole.

– To na razie ostatnia chemia mamy – oznajmił Zak radośnie. – To będą najlepsze święta na świecie. Mama nawet sama uszyła wszystkie skarpety.

– To miłe – uśmiechnęła się Tulip. – Bo nasza mama zapowiedziała, że Boże Narodzenie prawdopodobnie spędzimy tutaj. Ma zaplanowaną pilną operację, a nikt nie dotrze, żeby ją zastąpić.

– Och, to do bani – szepnął współczująco Jay.

– Niestety tak – potwierdziła Ali.

Tulip wprowadzała Zaka i Jaya w ostatnie wydarzenia, podczas gdy Ali pożerała kawałki czekolady.

Zak zmarszczył brwi.

– Więc jakiś tajemniczy wredny mikołaj zdemolował jaskinię i rozpłynął się w powietrzu? – powtórzył. – A prezenty zostały skradzione?

– Tak – powiedziała Ali. – Dzięki za bezużyteczne podsumowanie. Nienawidzę, kiedy ludzie podsumowują to, co oczywiste.

– I wasza Nan-Nan zniknęła – stwierdził Jay.

To zabrzmiało dla Ali i Tulip jak coś nowego.

– Hm, tak, chyba tak – zgodziła się Tulip. – Wcześniej nie przyszło mi do głowy, że Nan-Nan zniknęła.

– Jak mogłaś o tym NIE pomyśleć? – obruszył się Zak. – Ciągle wam powtarzamy, że powinnyście doskonalić umiejętność obserwacji.

– A my nadal ignorujemy wszystko, co mówicie, więc to wasza wina – prychnęła Ali.

– Szczerze mówiąc, Nan-Nan ciągle zachowuje się tajemniczo – powiedziała Tulip. – My już nawet tego nie zauważamy. Ona po prostu jest taka przez cały czas.

– I tak nie byłaby zainteresowana tą sprawą – stwierdziła Ali. – Nan-Nan jest antygwiazdkowa. Prawdopodobnie chodzi o jakąś długą i smutną historię z jej przeszłości, której nie musimy znać.

– Więc wasza zaginiona Nan-Nan, która nienawidzi świąt Bożego Narodzenia, znika w szpitalu, w którym w tajemniczy sposób zostaje zdewastowana jaskinia, a wszystkie prezenty wraz z świecidełkami i lampkami zostają skradzione? – zapytał Jay. – Czy tylko ja to dostrzegam?

– Hej, nie możesz oskarżać naszej Nan-Nan o jakieś przypadkowe przestępstwa – oburzyła się Tulip. – To działka Ali.

– Ho-ho-ho! – huknął głos za nią.

– Przestań, Ali – zaprotestowała Tulip. – To robi się nudniejsze niż ubrania Nan-Nan. – Odwróciła się i zobaczyła, że wzrok jej siostry błądzi gdzieś poza kawiarnią.

– To nie ja – wyjaśniła Ali, zupełnie niepotrzebnie, ponieważ do szpitala nagle wlało się morze mikołajów w perukach w najrozmaitszych kolorach.

– Myślisz, że mama wysłała wiadomość do każdego wolnego mikołaja w mieście? – zapytała zdumiona Tulip.

Mikołaje krążyli po szpitalu, krzycząc: „Ho-ho-ho!", dzwoniąc dzwoneczkami i roznosząc worki ze smakołykami i strzelającymi świątecznymi cukierkami.

– Jakie to magiczne! – wykrzyknął Zak z szeroko otwartymi oczami. – Mikołaje ratują Boże Narodzenie!

– To jak mamy teraz znaleźć tego złego? – spytała Tulip. – Może łatwo ukryć się w tłumie. Jest ich tu co najmniej ośmiu.

– Po dwóch na głowę – stwierdziła Ali. – Podoba mi się taka proporcja.

– Chodźmy – rzucił Jay do Zaka.

Pobiegli za mikołajem w złotej kręconej peruce spacerującym z innym, który miał czarne loki.

– Och, bardzo przepraszam – wyszeptał Zak, udając, że przypadkiem się potknął, i ściągnął obu mikołajom brody.

– Mamy cię, młody człowieku! – zakrzyknęli radośnie mikołajowie piskliwymi kobiecymi głosami i chwycili chłopca po przyjacielsku.

– No cóż, nie wyglądacie na złych – podsumował Jay, przyglądając się uroczym starszym paniom w przebraniach.

– Czuję się dotknięta, dzieciaku – obruszyła się pani mikołaj w czarnej peruce i naciągnęła z powrotem brodę. – Możemy być tak złe, jak tylko chcemy. – Mrugnęła. – Coś się dzieje w tym szpitalu. Zostałyśmy wezwane.

– Jesteście częścią zespołu SWAT naszej Nan-Nan! – zawołała Ali, która właśnie do nich podbiegła. – Agentka Golda i agentka Ebony! Dlaczego Nan-Nan was tu wezwała?

SWAT, znany również jako Seniorki Wodnego Aerobikowego Teamu, był elitarnym kobiecym zespołem szpiegowskim Nan-Nan.

Tulip i Ali były honorowymi agentkami tajnych operacji.

– Powiedziała, że jest uwiązana – wyjaśniła agentka Golda.

– Albo opakowana – dodała agentka Ebony.

– Nan-Nan ma kłopoty! – Tulip jęknęła, uderzywszy się w czoło. – To nie były tylko puste słowa! Słyszałyśmy to zbyt wiele razy.

– Czy wszyscy pozostali mikołaje też są w drużynie SWAT? – zapytał Zak, rozglądając się.

– Jest nas siedem. Ale nie wiem, która jest kim – wyjaśniła agentka Ebony, wskazując na wysokiego, chudego mikołaja. – Żadna z nas nie ma zwykłej białej peruki. Jest zbyt nijaka. Lubimy, gdy nasze peruki mają odpowiednie kolory.

– Biegiem! Za tym mikołajem! – wrzasnęła nagle Tulip.

Chuda postać, która kręciła się swobodnie po korytarzu, weszła do windy w chwili, gdy dziewczynki zaczęły biec w kierunku rozsuwanych drzwi. Mikołaj wydał z siebie głośny obłąkańczy triumfalny rechot. Jego brązowe oczy groźnie błyszczały zza okularów w kształcie półksiężyca.

– Za późno, paskudne bliźniaczki! I wiecie co? Zło zwycięża! – zawołał, po czym drzwi się zamknęły i winda ruszyła w górę.

– Zło zwycięża? Słyszałaś? Kto to był? – rzuciła Tulip do Ali.

Dołączyli do nich zdyszani chłopcy. Zak wydobył z kieszeni swój niebieski inhalator.

– Szczerze mówiąc, nie wiemy, czemu się tak dziwicie – stwierdził.

– Szalonemu kolesiowi w kostiumie, w głupim kapeluszu i okularach? – przytaknął Jay. – To MUSI być on.

Tulip pokiwała głową.

– To nie zło zwycięża, ale Evelyn!

Obie z Ali zaczęły wygrażać pięściami przy windzie
i krzyczeć wściekłym chórem:

– Evelyn Sprotland!

Evelyn Sprotland, który od miesięcy częstował ich
mamę zatrutymi, upiornie usypiającymi czekoladkami, ponieważ miał na jej punkcie obsesję, odkąd skończył czternaście lat. Evelyn Sprotland, który z zazdrości
zaatakował Momo w jego taksówce i przeciął mu tętni-
cę podkolanową. Evelyn Sprotland, chłopak o niezapa-
miętywalnej twarzy, któremu zawsze udawało się uciec
w podstępnym przebraniu.

Momo podszedł do nich, już we własnym ubraniu,
niosąc torbę na WF należącą do Ali.

– Kilka łaskawych mikołajek, znajomych waszej Nan-
-Nan, zastąpiło mnie w jaskini – stwierdził. – A ta wściekła kotka była bardzo zirytowana, kiedy obudziła się na
tylnym siedzeniu mojej furgonetki.

– Och, Wiedźmo – powiedziała Tulip, przytulając
zwierzaka. – Miałaś miłą drzemkę?

– To teraz nieistotne, głupiutka puchata kulko – sarknęła Ali. – Czas zapolować na Sprotlanda! – Chwyciła Wiedź-
mę i skierowała się w stronę windy.

Wiedźma syknęła, wyczuwając zapach ich przeciwnika. Od zawsze go nienawidziła.

Winda zjechała na dół i drzwi się otworzyły, ukazując strój mikołaja leżący w nieładzie na podłodze.

– Porzucił przebranie – powiedział Jay. – Teraz może być kimkolwiek. Ten gość jest tak bezbarwny, że niemal niewidzialny.

– Nie dla czarnej kociej czarownicy – z dumą oznajmiła Tulip, gdy Wiedźma zaatakowała czerwony kostium.

Kotka złapała trop, prychnęła pyszczkiem pełnym puchu i zaczęła biec szpitalnym korytarzem.

– Dobra Wiedźma! – wrzasnęła Ali, wskazując drogę. – Prowadź do tego trującego-matkę-dźgającego-Momo-i-kradnącego-prezenty dziwaka!

Wszyscy patrzyli na nią z przerażeniem, ponieważ wyglądało to tak, jakby wskazywała na jedną z rozdających właśnie cukierki mikołajek.

– Tej dziewczynce musiało przydarzyć się coś strasznego w Boże Narodzenie – szepnął jeden z klientów kawiarni.

– Och, doprawdy! – Ali przewróciła oczami. – Tu nie da się splunąć, żeby nie trafić w kogoś w kostiumie.

Gonili za czarnym cieniem Wiedźmy, która wybiegła ze szpitala prosto w śnieg.

– Głupia kotka, Sprotland nie może tu być! – zawołała Ali.

Ale wtedy zobaczyli go leżącego twarzą w dół, z czymś owiniętym wokół nóg. To skradziony łańcuch choinkowy! I lampki ze szpitalnych dekoracji, migoczące triumfem.

– Auć! – zawył Evelyn. – Te małe lampki w kształcie sopli są naprawdę kłujące!

– Nan-Nan zastawiła pułapkę w śniegu! – Tulip się roześmiała, po czym wskoczyła na Sprotlanda i związała go sznurem lampek za pomocą kilku zgrabnych węzłów. – Te światełka nie są bajkowe, ale koszmarnie przerażające! Wygląda na to, że masz ciężki przypadek zapalenia łańcuchowego!

– Mamy cię, Evelyn! – powiedziała Ali, wysypując na leżącego złoczyńcę swędzący proszek, który miała w kieszeni płaszcza, a Wiedźma prychała ze złością. – Może Wiedźma cię podrapie!

– Dziewczyny! – wrzasnęła Nan-Nan.

Jej głos był przytłumiony. Tulip i Ali rozejrzały się dookoła, ale jej nie zobaczyły.

– Kopcie przy miejscu dla niepełnosprawnych! – rozległ się ponownie stłumiony głos.

Wszyscy rzucili się na parking i zaczęli kopać. Znaleźli Nan-Nan siedzącą w dziurze w śniegu, całą opakowaną jak prezent i przewiązaną wstążką – udało się jej oswobodzić jedną rękę.

– Ojej! Złapał cię i zostawił w tej dziurze! – krzyknęła z przerażeniem Tulip.

– Nonsens – natychmiast odparła Nan-Nan. – Owszem, złapał mnie i związał, ale to ja wykopałam dziurę w śniegu, żeby mieć schronienie i się ogrzać. Sprotland nie ma pojęcia, że starsze panie mogą wpaść w hipotermię. To było sprytne.

– Jesteś okropna, Ruby – wycharczał Evelyn w stronę Nan-Nan, kaszląc śniegiem.

– Nie, to ty jesteś okropny – powiedziała Ali. – Moja Nan-Nan mogła się rozchorować, kretynie. – Zamierzała go kopnąć, ale Zak ją powstrzymał.

– Dlaczego to zrobiłeś? – zapytał ponuro Evelyna. – Zniszczyłeś jaskinię i ukradłeś wszystkie prezenty!

– Co?! Zostały skradzione?! – zawył Evelyn. – Nieeeee! Ja te wszystkie prezenty PODAROWAŁEM!

– Ty... podarowałeś prezenty? – zapytał zdezorientowany Jay. – Ale czy przypadkiem nie jesteś tym złym?

– To ja ukradłam prezenty – oznajmiła z dumą Nan-Nan. – Dostałam cynk, że jakiś podejrzany typ podrzucił na oddział dziecięcy sporo pudełek i czai się w pobliżu twojej mamy.

– To były czekoladki! – zaprotestował Evelyn.

– Były zatrute! – powiedziała Nan-Nan. – Sprawdziłam. Nafaszerowałeś je swoim usypiającym serum.

– Chciałem uśpić dzieci, żeby je później uratować! Zamierzałem uratować pacjentów ich mamy! Chciałem być jej bohaterem! – pisnął Evelyn i sprawiał wrażenie całkowicie obłąkanego. – Wreszcie byłaby mną OCZAROWANA.

Wtedy ze szpitala wyszła mama. Wciąż była w fartuchu i gryzła kawałek czekolady.

– Nieee, mamo! – zawołała Ali, po czym zerwała się i wytrąciła jej smakołyk z ręki.

Mama z żalem spojrzała na upadającą czekoladę.

– Ta akurat była od Momo – powiedziała.

– Zasada trzech sekund! – krzyknęła Ali, podniosła z ziemi czekoladę i otrzepała ją ze śniegu.

Mama wzięła ją z powrotem.

– Więc nagle zaroiło się od mikołajów w perukach, którzy wprost zarażają świątecznym nastrojem – powiedziała, przeżuwając radośnie. Dzięki, mamo. Wiedziałam, że to załatwisz – zwróciła się do Nan-Nan i przyjrzała się z zaciekawieniem staruszce zakopanej w śniegu. – To znowu jakaś sztuczka w stylu Houdiniego? Nie robiłaś jej, odkąd byłam mała.

– Moja najdroższa! Mój śnieżny aniele! – wrzasnął żałośnie Evelyn, brnąc przez śnieg w stronę mamy niczym gąsienica. – Zrobiłem to dla ciebie!

Kobieta przeniosła wzrok z Nan-Nan.

– Evelyn? – Wyglądała na szczerze zdumioną. – Czemu leżysz owinięty w światełka? To naprawdę głupi sposób, żeby mi zaimponować. Pochorujesz się na śmierć.

– Bez obaw, mamo. W więzieniu będzie mu cieplej – dodała Ali, a w oddali rozległ się przeciągły dźwięk syren.

Ali, Tulip, Jay i Zak przybili piątkę, a potem odsunęli się i zaczęli machać na nadjeżdżający wóz policyjny.

Wszyscy siedzieli w posprzątanej już jaskini, a maszyna do lodów Momo wypluwała z siebie smakołyki dla pacjentów i ich rodzin.

– Ho-ho-ho! – powiedziała Ali, podając kolejny kręciołek lodowy.

– Hmm – mruknęła mama i popchnęła wózek, na którym siedział jej pacjent z oddziału pediatrycznego. – Czy to nie miłe, że Ali wpadła w świąteczny nastrój? Ten młody człowiek i ja wybieramy się na małą wycieczkę. Do zobaczenia za sześć do ośmiu godzin.

– Zostawimy wam trochę czekoladek – obiecała Tulip chłopcu, który uśmiechnął się do niej szeroko i podniósł kciuki.

– No cóż – westchnęła Ali. – Żadnych skarpet, żadnych wybuchających cukierków i żadnego jedzenia na wynos.

– Ale mam dla was niespodziankę – rzekła Nan-Nan z uśmiechem.

Pomachała, a wtedy jak na zawołanie pojawił się Momo z tacą parujących kartonowych pudełek i dużą torbą świątecznych wybuchających cukierków.

– Ach, Nan-Nan – wyszeptała Tulip i przytuliła ją.

– Cała przyjemność po mojej stronie – odparła staruszka. – Dobrze się dzisiaj bawiłam. Wyrzuciłam zatrute prezenty, zakopałam się w śniegu, złapałam złoczyńcę. Nareszcie Boże Narodzenie, które mi pasuje.

ANNA BELLE SAMI

BESTIA
Z
BEDLEYWOOD

ŚCIŚLE TAJNE

WŁASNOŚĆ KLUBU ŚWIĄTECZNYCH ZBRODNI

BESTIA
Z BEDLEYWOOD

Annabelle Sami

30 GRUDNIA, GODZINA 18.20

Tamsin i Rumi Kamal zostali uziemieni.

Ale tym razem to nie była ich wina. Gdyby Harry Brigham nie zadzwonił do drzwi „funkcjonariusza policyjnego" z ich szkoły, wszystko byłoby w porządku.

Ale zamiast tego Tamsin i jej starszy brat zostali odwiezieni do domu przez posterunkowego Kingsleya. Nawet włożył mundur, mimo że był w trakcie kolacji. Gdy jechali do ogromnego wieżowca, w którym mieszkały dzieci, Tamsin poczuła ucisk w żołądku. Zamknęła oczy i modliła się: „Proszę, niech mamy nie będzie w domu".

– Dlaczego to nas ciągniesz z powrotem, a nie Harry'ego? – mruknął Rumi, gdy czekali na windę.

– Właśnie, będzie musiał wracać do domu autobusem! – zaprotestowała Tamsin.

– Bo to już trzeci raz w czasie przerwy świątecznej, kiedy przyłapałem was na wybrykach – odparował posterunkowy Kingsley. – Jeśli Harry znowu coś nawywija, mogę was zapewnić, że jego również zaciągnę do domu jego rodziców.

Tamsin i Rumi przewrócili oczami. Tak, jasne.

Harry'emu Brighamowi wszystko uchodziło na sucho, ponieważ jego rodzice byli nauczycielami w szkole, w dodatku posterunkowy Kingsley ich znał. Harry Brigham mieszkał w dużym domu przy najpiękniejszej ulicy w Bedley. A Tamsin i Rumi mieszkali na jedenastym piętrze największego bloku w okolicy. Dlatego posterunkowy Kingsley wiózł do domu ich, a nie Harry'ego Brighama.

Rozklekotana winda właśnie przyjechała, więc weszli do środka i stanęli w niezręcznej ciszy. Posterunkowy Kingsley był postawnym mężczyzną o wiecznie czerwonej twarzy. W windzie zostało niewiele miejsca dla Tamsin i Rumiego, którzy, choć mieli tylko jedenaście i dwanaście lat, mierzyli już ponad sto siedemdziesiąt centymetrów. Wszyscy brali ich za bliźnięta z powodu identycznych gęstych czarnych włosów, złotych oczu i ciemnobrązowej skóry.

Winda wjechała powoli na jedenaste piętro i zatrzymała się ze skrzypieniem. Tamsin i Rumi wyszli niechętnie.

Policjant ruszył za nimi, uważnie im się przyglądając. Dziewczynka natychmiast poczuła w korytarzu zapach rozgrzanej na patelni mieszaniny cebuli i czosnku. Westchnęła, bo to mogło oznaczać tylko jedno – mama była w domu.

– Akurat dzisiaj nie pracuje w szpitalu – jęknął Rumi.

Posterunkowy Kingsley zapukał do drzwi mieszkania. Trzy mocne uderzenia.

– Halo!

Tamsin obserwowała wyraz twarzy mamy, gdy ta otwierała drzwi. Najpierw zdziwienie, potem zmieszanie, aż wreszcie wściekłość na poziomie wulkanu. Jej gęste czarne włosy były spięte w kok. Miała na sobie strój pielęgniarki oraz poplamiony kuchenny fartuch przewiązany w pasie. Tamsin zawsze miała wrażenie, że jej mama albo jest pracy, albo właśnie do niej wychodzi.

– Dobry wieczór, jestem posterunkowy Kingsley. Obawiam się, że przyłapałem pani dzieci na nieodpowiedniej zabawie. – I rozpoczął obszerną relację o wybrykach Tamsin i Rumiego, które wydarzyły się w ciągu ostatnich dwóch tygodni przerwy świątecznej.

Tamsin pomyślała, że to przesada. Nie złamali przecież żadnego prawa! Jeździli tylko na deskorolce, i to tam, gdzie nie powinni... A Rumi urządził sobie parkour w bibliotece... ale nic nie uszkodzili!

Kiedy posterunkowy skończył, a mama po raz setny go przeprosiła, zamknęła drzwi z kliknięciem i bardzo powoli się odwróciła.

– Ile razy mam wam powtarzać, żebyście się zachowywali? – grzmiała, a jej oczy były lodowato zimne. – Jesteście uziemieni, oboje! Sama nie wiem jeszcze, na jak długo. Idźcie do swojego pokoju!

– Ale mamo, jutro jest sylwester, mieliśmy z całą paczką oglądać fajerwerki – zaprotestował Rumi, a jego szeroko otwarte oczy wyrażały błaganie.

– Czy wyglądam, jakbym się tym przejmowała? – skrzywiła się mama.

Tamsin i Rumi ze smutkiem pokręcili głowami.

– Właśnie, a teraz idźcie do swojego pokoju. – Odwróciła się na pięcie i wpadła z powrotem do kuchni, po drodze gniewnie mrucząc.

30 GRUDNIA, GODZINA 18.30

– Schrzaniliśmy, Tam – westchnął Rumi, leżąc na łóżku. – Nie mogę uwierzyć, że posterunkowy Kingsley doniósł na nas mamie.

– Cóż, to była nasza wina – odparła Tamsin, wpatrując się w sufit. Mieli wspólny pokój z dwoma pojedynczymi łóżkami stojącymi przy tej samej ścianie i balkonem naprzeciwko. Tamsin lubiła ich pokój, ale był bardzo mały. Dlatego spędzali czas głównie na zewnątrz. – Myślę, że nie powinniśmy jeździć na deskorolce przed Sainsbury's. – To gdzie w takim razie mamy jeździć? Skatepark zamknęli. To nie nasza wina, że nie ma tu nic do roboty. – Rumi usiadł sfrustrowany. – A mama jest przez cały dzień w pracy, musimy się czymś zająć.

Tamsin wyszła na balkon i wpatrzyła się w ciemność. Było dopiero wpół do siódmej, ale niebo o tej porze roku było czarne jak smoła. Rumi dołączył do niej, siadając na jednym z krzeseł balkonowych. Najlepszą rzeczą w mieszkaniu na jedenastym piętrze był widok. Widzieli główną drogę, i to nie tylko odcinek wijący się przez Bedley, ale też jej dalszą część, wiodącą do większego miasta w oddali.

Tuż obok ich bloku rósł niewielki lasek, który miejscowi zdołali ocalić przed wyasfaltowaniem. Był wielkości parku, ale udało się go przekształcić w rezerwat – taki ze ścieżkami do spacerowania i polaną pośrodku. Miejscowi nazywali to miejsce Bedleywood.

Tamsin spojrzała na lasek. Jakiś czarny cień zanurkował i opadł na ciemne drzewa.

– Nietoperz! – powiedziała, trzymając się balustrady i patrząc w dół.

– Nie widzę żadnego nietoperza – odparł Rumi, mrużąc oczy.

– Tam! – Tamsin wskazała kolejny cień w polu widzenia. – Obok tego człowieka... Co on robi?

Oboje z wysokości dostrzegli postać zmierzającą w kierunku małej okrągłej polany pośrodku lasu. Kilkoro sąsiadów odpaliło fajerwerki już teraz i dzięki temu dodatkowemu oświetleniu mężczyzna był widoczny.

– Cokolwiek robi, robi to po ciemku, w lesie. Więc prawdopodobnie jest to nielegalne – zgadywał Rumi.

– Skąd wiesz? – prowokacyjnie zapytała Tamsin.

– Cóż, jestem o rok starszy od ciebie, Tam. Starszy i mądrzejszy.

– Masz dopiero dwanaście lat! – zakpiła Tamsin.

– Zatem, geniuszu, jak myślisz, co on robi? Obserwuje nietoperze? – Rumi trzepnął siostrę w ramię.

Tamsin uważnie obserwowała mężczyznę, w skupieniu podążając za nim wzrokiem.

– Idzie do baśniowego drzewa – powiedziała, wskazując na polanę, na której majaczył wielki, powykręcany cień.

– Nie nazywaj go tak – zadrwił Rumi. – Nie jesteśmy już dziećmi. To cis.

W dzieciństwie Tamsin i Rumi bawili się z przyjaciółmi pod starym cisem. Był wysoki i rozłożysty, a jego pień wyglądał jak mnóstwo małych, cienkich drzewek splątanych razem. Wiły się, tworząc luki i szczeliny, w których – według dzieci – mieszkały wróżki.

– Drzewo baśniowe... zaraz mi powiesz, że ten człowiek to Bestia z Bedleywood! – Rumi się roześmiał.

– Zamknij się, Rumi – warknęła Tamsin. – Przecież dobrze wiem, że Bestia nie jest prawdziwa. – Obserwowała mężczyznę, który znajdował się teraz na polanie pod cisem.

Kilka tygodni temu rada osiedla wywiesiła w ich bloku ogłoszenia. Stary cis miał zostać wycięty „ze względów bezpieczeństwa". Ktoś w radzie najwyraźniej dopiero teraz zdał sobie sprawę, że cisy są trujące. Więc rada postawiła wokół drzewa wielkie metalowe ogrodzenie. Od tygodnia stało tam też kilka koparek.

– Nie rozumiem, dlaczego mieliby się go pozbywać – wyszeptała Tamsin, wciąż obserwując mężczyznę, który właśnie okrążał ogrodzenie.

– Właśnie... Wystarczyłaby tabliczka: „Trujące, nie jeść kory" – zachichotał Rumi. – Mama mówi, że to pierwszy krok do wydania zezwolenia na budowę kolejnych domów na terenie lasu.

Drobna postać przeskoczyła przez metalowe ogrodzenie i zrzuciła plecak z ramion.

Oczy Tamsin się rozszerzyły.

– To zdecydowanie nie jest robotnik! Prawda?

Mężczyzna zbliżył się do jednej z koparek i przykucnął, ale nie dostrzegli, co robi. Byli zbyt daleko. Nagle drzwi do ich sypialni się otworzyły.

– Dobra. Idę do pracy. To moja ostatnia nocna zmiana. – Ich mama w cudowny sposób potrafiła w dziesięć minut zamienić piżamę w strój pielęgniarki.

– Jasne, mamo. Miłej pracy! – zawołała Tamsin z balkonu.

– Kolacja jest w piekarniku. – Kobieta zatrzymała się i zrobiła krok do pokoju, by przyjrzeć się bliżej Tamsin i Rumiemu. – I chyba nie muszę wam mówić, że jeśli opuścicie ten pokój, wywieszę was na zewnątrz na sznurze do prania?

Jej spojrzenie było porażające, Tamsin wiedziała, że mama nie żartuje.

– Wiemy, mamo – odpowiedział Rumi. – Przepraszamy.

Mama wpatrywała się w nich jeszcze przez kilka sekund, zanim opuściła sypialnię. Chwilę później usłyszeli trzask frontowych drzwi.

– Ona jest najbardziej przerażającą osobą, jaką kiedykolwiek spotkałem – przełknął ślinę Rumi.

– No co ty nie powiesz – sarknęła Tamsin. – Czekaj, ten człowiek! – Odwróciła się, by spojrzeć na polanę, ale mężczyzny już nie było. – Teraz już nigdy się nie dowiemy, co zamierzał zrobić – prychnęła zrezygnowana.

– Chyba że zejdziemy i sprawdzimy – powiedział cicho Rumi.

– Słyszałeś mamę! – oburzyła się Tamsin i go pacnęła.

Rumi uniósł ręce w obronnym geście i przeszedł z balkonu do pokoju.

– Wiem, wiem. Ale to ty kochasz to baśniowe drzewo.

Tamsin weszła do pokoju za nim, zamykając za sobą drzwi balkonowe.

– To drzewo to cis. I wcale go nie kocham. Po prostu uważam, że to smutne, że planują je wyciąć. I chcę wiedzieć, co robił tamten facet.

Rumi ruszył do kuchni po jedzenie, które przygotowała im mama. Tamsin z burczącym brzuchem postanowiła zrobić to samo.

30 GRUDNIA, GODZINA 19.30

Oboje w ciszy zjedli kolację, głównie grając na telefonach. Ale nawet niekończące się scrollowanie w mediach społecznościowych nie mogło oderwać myśli Tamsin od tajemniczego mężczyzny i cisa.

– OK, więc... powiedzmy, że zrzuciłam coś z balkonu – zaczęła. – Musielibyśmy zejść i to znaleźć. Prawda? I to wcale nie byłoby wymykanie się. Po prostu byśmy po to poszli.

Rumi podniósł wzrok znad telefonu i się uśmiechnął.

– Rozumiem... A co konkretnie zrzuciłaś z balkonu?

Tamsin wstała od stołu i pobiegła do ich pokoju, a Rumi za nią. Wzięła stary niebieski koc z łóżka i wyszła z nim na balkon. Jednym ruchem wyrzuciła go przez okno. Poleciał w dół, łopocząc na wietrze, aż do lasku pod blokiem.

– O nie, mój koc! – Tamsin zrobiła minę pełną udawanego przerażenia.

– Nie martw się, mała siostrzyczko, pójdę z tobą i będę cię ochraniał, gdy będziesz go szukała – powiedział Rumi głosem robota.

Tamsin wiedziała, że to, co robią, jest złe, ale wiedziała też, że nie ma mowy, żeby tej nocy zasnęła bez zbadania drzewa. Choć w jej umyśle kłębiły się wątpliwości, jej ciało już wkładało obszerny płaszcz, chwytało latarkę i klucze.

Zanim się zorientowała, wraz z Rumim byli już za drzwiami.

30 GRUDNIA, GODZINA 20.15

Dokoła panowały prawdziwe ciemności, a powietrze było mroźne. Gdy tylko wyszli bocznymi drzwiami i przeszli na tyły bloku, Tamsin poczuła, jak zimno szczypie ją w policzki. Lasek zaczynał się niemal natychmiast za budynkiem i za parkingiem.

Rodzeństwo w milczeniu ruszyło w stronę ścieżki wcinającej się w gęstwinę drzew. Tamsin szła obok Rumiego, świecąc latarką. Wkroczyli do lasu, a drzewa natychmiast stłumiły hałas miasta i rodzeństwo zostało pochłonięte przez cichą ciemność.

– Może to jednak był zły pomysł – powiedziała cicho dziewczynka.

– Boisz się, że Bestia wyskoczy i cię złapie? – Rumi chwycił siostrę i zaczął nią potrząsać.

– Nie! – odparła, strząsając jego rękę. – Po prostu sprawdźmy drzewo, zabierzmy mój koc i wracajmy do domu.

Przedzierali się przez mały lasek, kierując się w stronę polany.

– Bestia z Bedleywood to odrażające stworzenie z ostrymi zębami i ogromnymi pazurami – wyrecytował Rumi dramatycznym głosem. – Strzeże baśniowego drzewa, a każdy, kto odważy się do niego podejść, usłyszy jego przerażający wrzask, zanim...

– Przestań, Rumi!

Chłopiec roześmiał się głośno, a mgiełka pary z jego ust uniosła się w mroźnym powietrzu.

– Jak właściwie mamy się tam przedostać? – jęknął Rumi, gdy dotarli na polanę i podeszli do metalowego ogrodzenia.

– Jesteśmy wysocy. Nie umiesz skakać? – Dziewczynka się uśmiechnęła.

Podskoczyła i złapała za poręcz ogrodzenia. Przewiesiła się przez nią szybkim ruchem.

Kiedy Rumi gramolił się za nią, Tamsin oglądała ziemię obok koparek. Co ten człowiek tu robił tak późną nocą? Najprawdopodobniej wyciągnął coś ze swojego plecaka. Tylko co? Wszystko, co leżało wokół koparki, wyglądało jak śmieci.

– Puste opakowania po chipsach... spleśniały banan... – wyliczała z obrzydzeniem Tamsin. – Ludzie powinni bardziej dbać o lasy.

– Tak. Ale śmieci jednego człowieka mogą być skarbem dla innego – powiedział Rumi, podnosząc z ziemi czerwoną, ubrudzoną błotem bransoletkę z koralików. Spróbował wcisnąć ją siostrze na nadgarstek.

– Och, przestań, Rumi! – Tamsin odepchnęła go i przeszła na drugą stronę koparki. Jej wzrok przykuła czerwono-żółta etykieta, podarta na brzegach i rzucona na ziemię obok ogromnego koła. Tamsin zapaliła latarkę i przeczytała:

Niebezpieczeństwo: zagrożenie pożarem lub wybuchem.
Trzymać z daleka od źródła gorąca
Ekspl...

– To etykieta ostrzegawcza! Skąd się tu wzięła? – W głowie Tamsin kłębiły się możliwości. – To na pewno wskazówka. Założę się, że ostatni wyraz dotyczy eksplozji.

– Albo... to po prostu śmieć, jak wszystko inne tutaj – zadrwił Rumi.

Tamsin wiedziała, że brat poszedł z nią raczej z nudów niż z chęci sprawdzenia, co tajemniczy mężczyzna robił w lasku. A teraz znalazła ten skrawek papieru i wydało jej się to podejrzane. Po prostu to czuła.

Nagle usłyszeli szelest liści, a gdzieś w krzakach trzasnęła gałązka.

Tamsin i Rumi zamarli.

– Co to?

– Pssst – syknęła dziewczynka, uważnie wsłuchując się w odgłosy. Jej oddech przyspieszył. Czy ktoś ich obserwował? Z krzaków dobiegł głuchy warkot, po którym nastąpiło dudniące warczenie. W świetle latarki Tamsin widziała oczy Rumiego, szeroko otwarte ze strachu.

To nie ktoś ich obserwował. To było coś.

Tamsin wyłączyła latarkę i skinęła na brata, żeby poszedł za nią. Cicho, powoli podeszli do ogrodzenia. Warczenie przesuwało się teraz wzdłuż krzaków, pod stopami rodzeństwa trzeszczały gałązki i liście.

– Musimy znowu przeskoczyć przez ogrodzenie – szepnęła Tamsin. – Jak tylko będziemy po drugiej stronie, biegnij do domu tak szybko, jak się da.

– A co z kocem? – szepnął do niej Rumi, oglądając się przez ramię w kierunku warczenia.

– Zabierzemy go jutro. A teraz chodź.

Kiedy oboje znaleźli się na szczycie ogrodzenia, Rumi szeptem policzył:

– Raz... dwa... trzy. Biegniemy!

Zeskoczyli i pognali przed siebie tak szybko, jak tylko mogli.

Tamsin usłyszała brzęk metalu, a chwilę potem rozległ się najdziwniejszy dźwięk na świecie. To było coś na kształt wycia połączonego z płaczem dziecka lub syreną karetki. Cokolwiek to było, zasiało w sercu Tamzin jeszcze większy strach. Razem z Rumim pobiegła z powrotem do domu, nie oglądając się za siebie.

31 GRUDNIA, GODZINA 8.30

Sylwester. Po nieprzespanej nocy Tamsin siedziała na kanapie i jadła płatki śniadaniowe. Do pokoju wszedł jej brat.

– Rumi – zaczęła dziewczynka. – Zeszłej nocy... Co to było?

Po powrocie z lasu nie odezwali się do siebie ani słowem. Ale zanim Tamsin poszła do łóżka, schowała znalezioną etykietę do plecaka, pewna, że ten skrawek coś znaczy.

– Lis – powiedział szybko Rumi, nie patrząc na Tamsin. – Prawdopodobnie matka pilnująca swoich dzieci.

– To nie był lis – skrzywiła się Tamsin, uderzając miseczką z płatkami śniadaniowymi o stół. – Słyszeliśmy już lisy. To było jak... jak...

– Bestia? – Rumi spojrzał na nią uważnie. – Żebym dobrze zrozumiał... Ty nie tylko sądzisz, że badasz tajemnicę jakiegoś mężczyzny pod drzewem, ale teraz myślisz też, że Bestia istnieje? Jesteś bardziej niedojrzała, niż myślałem, siostro. – I chichocząc, wyszedł wolnym krokiem z pokoju.

Tamsin poczuła w brzuchu narastającą złość. Wiedziała, że Rumi udaje, że się nie boi. Ale to nie był lis. I ta etykieta też nie była zwykłym śmieciem. Ale co mogła zrobić? Miała szlaban i nie było mowy, żeby wyszła z domu, kiedy mama będzie w pobliżu.

31 GRUDNIA, GODZINA 13.30

Było dobrze po trzynastej, kiedy ich mama pojawiła się w drzwiach, z włosami splecionymi w warkocz i lśniącymi od oleju kokosowego. W dłoni trzymała torby na zakupy.

– Pójdziecie ze mną na targ. To pierwszy sylwester od dawna, podczas którego nie pracuję, więc zjemy miłą rodzinną kolację. Wspólnie.

Rynek był zaskakująco zatłoczony jak na sylwestra, a klienci musieli stawić czoła mroźnemu powietrzu, aby przed długim weekendem zaopatrzyć się w artykuły spożywcze. Mama skierowała się prosto do straganu z owocami i warzywami i zaczęła wybierać pomidory, sprawdzając ich skórkę.

Na rynku zawsze było głośno – sprzedawcy głośno zachwalali świeże ryby, okazyjne ceny bananów i KIEEEEŁ-BAAAASKIII. I tak przez cały czas. Ale dzisiaj było jeszcze głośniej. Grupa około dziesięciu osób stała przy stoliku i rozdawała ulotki przechodniom. Ze stolika zwisał plakat z napisem „Ratujmy drzewo!".

– Spójrz, Tam. Nie chcesz dołączyć do swoich kumpli, żeby uratować baśniowe drzewo? – Rumi zachichotał, wskazując na grupkę.

Tamsin przewróciła oczami i zignorowała brata, ale rozejrzała się po tłumie. Był tam też posterunkowy Kingsley. Stał obok mężczyzny w ekstrawaganckim garniturze. Ekstragarniak kłócił się z jednym z protestujących, blondynem ubranym w kolorową, ręcznie farbowaną koszulę i podarte dżinsy.

– Panie Reed, powinien pan wysłuchać naszych żądań, jest pan radnym! – krzyczał blondyn. – Nie liczy się pan z opinią publiczną!

Tamsin zmrużyła oczy. Więc Ekstragarniak był radnym.

– Zapewniam cię, Dylan, że bardzo liczymy się z opinią publiczną – odparł radny Reed, ocierając czoło chusteczką. – Ale cis jest niebezpieczny i toksyczny dla dzieci!

– TO KŁAMSTWO! – krzyknął przez megafon młody mężczyzna stojący na pudle. Też miał blond włosy, które próbował ułożyć w loki, oraz beżową kurtkę i czerwone koraliki modlitewne wokół nadgarstka.

– Czy on w ogóle zdaje sobie sprawę, że to są dwie zupełnie różne stylówki? – Rumi prychnął, patrząc na mężczyznę.

– I różne kultury. A on nie pochodzi z żadnej z nich. – Tamsin i jej mamę zawsze denerwowało, gdy ludzie nosili hinduskie ubrania, nie wiedząc, skąd one pochodzą.

Młody człowiek znowu zaczął krzyczeć przez megafon:

– Wszystko, na czym zależy radnemu Reedowi, to pieniądze! On zabija Ziemię!

Mężczyzna zeskoczył z pudła i ze złością podszedł do radnego. Posterunkowy Kingsley również wystąpił naprzód, stając twarzą w twarz z kolesiem od megafonu. Wyglądało na to, że zaraz coś się zacznie. Dylan, który wyglądał na przywódcę grupy, szybko interweniował, odciągając młodzieńca z megafonem.

– W porządku, Guy, wystarczy.

– Sorry, Dylan. Wiesz, jak łatwo mnie wyprowadzić z równowagi – odparł Guy, patrząc na Dylana szeroko otwartymi oczami. – Zrobiłbym wszystko dla ciebie i dla sprawy.

– Wiem. – Dylan poklepał Guya po ramieniu. – Lepiej idź rozdawać ulotki.

Koleś zasalutował Dylanowi, po czym chwycił ze złością stos ulotek i zaczął je rozdawać.

Radny Reed odchrząknął:

– Przykro mi, ale jutro rano cis zostanie wycięty. To ostateczna decyzja.

– Ten cis ma ponad tysiąc lat! Jak pan może?! – krzyknął Dylan.

– Tak! Jak pan może?! – wtrącił się Guy, szukając aprobaty u Dylana.

Ale radny Reed już odchodził, a tuż za nim posterunkowy Kingsley.

Tamsin poczuła, że nogi same ją niosą w kierunku protestujących. Chciała zadać im kilka pytań. Ten cały Dylan był ich przywódcą i nie wydawał się zadowolony z planów wycięcia drzewa. Czy to on mógł być mężczyzną, który skradał się w ciemności?

– Stój! – Tamsin usłyszała za sobą głos mamy i natychmiast się odwróciła. – Nie chcę, żebyś zbliżała się do tej grupy. Już i tak masz wystarczająco dużo kłopotów.

Mama chwyciła Tamsin i Rumiego za ramiona i zaprowadziła ich do stoiska sprzedawcy ryb.

– Poczekajcie tutaj i nie ruszajcie się – powiedziała, zanim dołączyła do długiej kolejki.

Tamsin i Rumi nadąsani stanęli obok stoiska.

– Co tu robicie? Spędzacie czas z mamą? – rozległ się czyjś pełen szyderstwa głos. Głos, który działał Tamsin na nerwy. Głos Harry'ego Brighama. Podszedł do nich wraz z innym chłopakiem z klasy Rumiego. Obaj mieli na sobie wielkie puchowe kurtki z kapturami nasuniętymi na głowy.

– Dzięki tobie jesteśmy uziemieni. – Rumi skrzyżował ręce na piersi.

– Po prostu zostaw nas w spokoju, Harry. Nie chcemy z tobą rozmawiać. – Tamsin, naśladując brata, skrzyżowała ramiona i przybrała surowy wyraz twarzy.

Harry cmoknął.

– Dajcie spokój, myślałem, że jesteśmy kumplami! W każdym razie może chcecie zobaczyć, co robimy dziś wieczorem?

Harry rozpiął puchówkę i błysnął w ich stronę czarno--złotą paczką. Oczy Tamsin się rozszerzyły.

– Fajerwerki? Co ty sobie myślisz, Harry?! To niebezpieczne. – Rumi próbował chwycić paczuszkę, ale Harry się odsunął.

– Będziemy się tylko dobrze bawić – uśmiechnął się Harry i spojrzał na swojego kumpla, który kiwnął głową.

Ale Tamsin zauważyła coś jeszcze. Etykietę na opakowaniu fajerwerków, czerwono-żółtą, taką samą jak ta, którą znalazła w pobliżu cisa. Wezbrał w niej gniew i rzuciła się w stronę Harry'ego.

– Wiem, co zrobiłeś, widziałam cię! – wściekała się, sama nie wiedząc dlaczego.

– Zwariowałaś?! – Harry wyglądał na zaniepokojonego. Zapiął puchówkę.

– Bawiliśmy się razem przy tym drzewie, kiedy byliśmy dziećmi, wszyscy! Teraz chcesz je wysadzić w powietrze?!

Dla zabawy?! – Tamsin położyła ręce na kurtce Harry'ego i potrząsnęła nim.

– Nie wiem, o co ci chodzi – wyjąkał chłopak, unosząc ręce.

– Tamsin Kamal, co ty, u licha, robisz?!

Dziewczynka zamarła. Mama znowu ją przyłapała. Tamzin opuściła ręce, a Harry i jego kumpel natychmiast uciekli. Dziewczynka odwróciła się i zobaczyła mamę z torbą pełną ryb i wzrokiem ciskającym piorunami. To nie był dobry znak.

– Czy to ten Harry, który wygłupiał się przy domu policjanta? – zapytała mama z poważną miną.

Rodzeństwo w milczeniu skinęło głowami.

– W takim razie niczego nie widziałam. Ale obym was znowu nie przyłapała na takim zachowaniu w miejscu publicznym.

Pomaszerowała przed siebie, zostawiając Tamsin i Rumiego wpatrujących się w siebie w zdumieniu. Przez całą drogę do domu trzymali się z tyłu za mamą.

31 GRUDNIA, GODZINA 23.50

Tamsin i Rumi siedzieli na składanych krzesłach na balkonie i wpatrywali się w nocne niebo. Wkrótce rozjarzy się setkami kolorowych wybuchów rozciągających się aż po horyzont. Razem z mamą zjedli swój „miłą rodzinną kolację" o dwudziestej, a teraz mama oglądała w telewizji koncert sylwestrowy.

– Naprawdę myślisz, że to Harry Brigham bawił się fajerwerkami pod cisem? – zapytał Rumi, patrząc gdzieś w przestrzeń.

– Może... Fajerwerki, które niósł, miały taką samą etykietę ostrzegawczą, jak ta, którą znalazłem przy koparce.

– Ale Harry robi niefajne rzeczy tylko po to, żeby się tym chwalić. Dlatego popisywał się na targu.

Tamsin westchnęła. Jej brat miał rację. To po prostu nie miało sensu, żeby Harry był tajemniczym gościem z lasu. Złość na to, że wpakował ich w kłopoty, zaciemniła jej wcześniejszy osąd.

– Pięć minut do fajerwerków! – krzyknęła mama z drugiego pokoju.

Tamsin wstała i przeczesała plecak w poszukiwaniu etykiety. Przyjrzała jej się uważnie, mając nadzieję, że dostrzeże jakąś wskazówkę.

– Nadal to masz? – zapytał Rumi, gdy dziewczynka wróciła na balkon z etykietą w dłoni.

– Dziesięć... dziewięć... osiem... siedem... sześć... – Mama zaczęła liczyć z drugiego pokoju.

– Wiesz co... ja też wciąż mam to... – Rumi wyciągnął z kieszeni bluzy czerwoną bransoletkę z koralików.

Tamsin gwałtownie wciągnęła powietrze.

– Pokaż mi to! – zawołała, chwytając ozdobę. To była bransoletka modlitewna. Zrobiona nie z drewna, lecz z czerwonych nasion. Zupełnie jak ta, którą widziała wcześniej...

– Szczęśliwego nowego roku! – Mama wpadła do ich pokoju z wysoko uniesionymi rękami.

Na zewnątrz dało się słyszeć kakofonię grzmotów i huków, a iskry rozświetliły nocne niebo feerią barw.

– Szczęśliwego nowego roku, mamo – odpowiedział Rumi, tuląc się do niej.

– Szczęśliwego nowego roku – mruknęła Tamsin, wpatrując się w koraliki w swojej dłoni.

Mama również przytuliła Tamsin, po czym pobiegła z powrotem do salonu, żeby posłuchać, jak jej ulubiona piosenkarka nuci *Auld Lang Syne*.

Gdy tylko wyszła, Tamsin zwróciła się do brata:

– Wiem, kim był ten facet w lesie! – wyszeptała, uważając, żeby mama jej nie usłyszała. – To był Guy.

– Jaki Guy? – zapytał zdezorientowany Rumi.

– No ten gość z grupy protestujących, ten, który desperacko chciał zaimponować ich przywódcy, Dylanowi. – Tamsin potrząsnęła dłonią. – Miał na sobie takie koraliki, pewnie ma ich setki. Nie pamiętasz, co powiedział Dylanowi? „Zrobiłbym dla ciebie wszystko". Może Guy podłożył ładunki wybuchowe?

– OK, przestańmy już gadać o tym gościu. – Chłopiec potarł twarz dłońmi. – Więc co chcesz zrobić? Donieść o tym posterunkowemu Kingsleyowi, który i tak już nas nie znosi? O! Albo powiedzieć mamie, że wymknęliśmy się z domu, kiedy mieliśmy szlaban?

Tamsin zwiesiła ramiona. Rumi miał rację. Nie mogła nic zrobić, jeśli nie chciała wpakować ich w kłopoty. Ale co się stanie, jeśli ktoś podłożył materiały wybuchowe gdzieś w pobliżu drzewa? Jutro rano miało być wykarczowane! Jeśli ładunki zostaną naruszone, komuś może stać się krzywda.

– Co możemy zrobić, Rumi? – zapytała cicho.

Chłopiec wzruszył ramionami i ziewnął.

– Nic. Idź spać i miej nadzieję, że jutro nic złego się nie wydarzy.

Na zewnątrz gasły fajerwerki, a przez otwarty balkon wpadał do ich pokoju zimny wiatr. Tamsin zadrżała i zamknęła drzwi, postanawiając pójść do łóżka i oczyścić głowę z natrętnych myśli. Ale była pewna, że gdy je zamykała, usłyszała w oddali ciche wycie.

1 STYCZNIA, GODZINA 6.00

Tamsin przez całą noc miała okropne sny. O warczących bestiach z ogromnymi łapami i ostrymi pazurami ścigających ją przez las, w którym rosły winorośle. W końcu się obudziła i podjęła decyzję. Podeszła do łóżka Rumiego i szturchnęła go.

– Musimy powiedzieć mamie – oznajmiła.

Rumi zamrugał i otworzył oczy.

– Co? Dlaczego?

– Ponieważ... tak należy. I choć to oznacza, że musimy się przyznać do złamania zakazu wychodzenia, możemy uratować komuś życie! – Tamsin czekała cierpliwie, wpatrując się w brata, aż w końcu się poddał.

– Uff, dobrze. Ale powiesz mamie, że to był twój pomysł, a ja poszedłem tylko w charakterze obstawy.

– Umowa stoi! – Dziewczynka wstała, ale brat złapał ją za ramię.

– Może poczekaj godzinę. Lepiej, żeby nie była śpiąca i zła. – Wzdrygnął się na tę myśl.

1 STYCZNIA, GODZINA 7.05

Tamsin wkradła się do pokoju mamy, niosąc kubek gorącej kawy. Gdy tylko Rumi zamknął za sobą i siostrą drzwi, mama zerwała się z łóżka.

– Co? Co się stało? – bełkotała, na wpół śpiąca.

– Eee... nic, mamo. No dobra, coś. Ale najpierw napij się kawy.

Gdy Tamsin opowiadała historię tajemniczej postaci i potencjalnej Bestii, na twarzy mamy pojawił się ciekawy wachlarz emocji: zdezorientowanie, wściekłość, szok i wreszcie zatroskanie. Kiedy Tamsin skończyła mówić, nie była pewna, jak mama zareaguje, ale była przygotowana na wszystko.

Mama wypiła trzy duże łyki kawy i postawiła kubek na stoliku nocnym. Potem zsunęła nogi z łóżka i wstała, żeby wyjąć ubranie z szafy.

– Po pierwsze, jestem na was absolutnie wściekła i macie szlaban na dodatkowy tydzień – powiedziała z dziwnym spokojem. – Po drugie, Rumi, jak śmiesz narażać siostrę na takie niebezpieczeństwo?

– Ale ja... – zaprotestował chłopiec, ale zamilkł, gdy mama podniosła rękę.

– A ty, Tamsin, wyrzuciłaś koc przez okno? To niedorzeczne! A teraz oboje idźcie się ubrać. Szybko.

Tamsin i Rumi stali i patrzyli na mamę zszokowani.

– Dokąd idziemy? – spytała cicho Tamsin.

Mama westchnęła dramatycznie.

– Powstrzymać robotników przed wysadzeniem wszystkiego w powietrze!

1 STYCZNIA, GODZINA 7.20

Rodzeństwo szło pospiesznie wąską ścieżką prowadzącą do lasu, podążając za mamą.

– W prawo, mamo. Na polanę! – zawołała Tamsin.

Jej żołądek bulgotał z nerwów i wiedziała, że Rumi czuje to samo. Obgryzał paznokcie przez całą jazdę windą.

Na polanie za metalowym płotem stało sześciu robotników w kaskach i kamizelkach odblaskowych.

Otoczyła ich grupa protestujących, którzy zaczęli wykrzykiwać rozmaite hasła, kiedy policja uniemożliwiła im wspięcie się na ogrodzenie. Posterunkowy Kingsley i radny Reed stali obok i wygłaszali oświadczenia dwóm reporterom relacjonującym całe zamieszanie.

Tamsin przeszukała wzrokiem grupę protestujących i zauważyła Guya, stojącego blisko Dylana. Wciąż nosił czerwoną bransoletkę. „Dobrze", pomyślała, trzymając w kieszeni znalezioną w nocy koralikową ozdobę. „Mogę je porównać i udowodnić, że mam rację".

Mama podeszła do posterunkowego Kingsleya i radnego Reeda z wysoko uniesioną głową.

– Przepraszam, ale wydaje mi się, że może istnieć zagrożenie, które wymaga interwencji. Moje dzieci znalazły w tym miejscu etykietę z materiałów wybuchowych i sądzą, że ktoś je tu gdzieś podłożył w ramach protestu.

Posterunkowy Kingsley przerwał wywiad, by popatrzeć na etykietę, którą mama trzymała w dłoni. Potem spojrzał na Tamsin i Rumiego.

– Tylko nie wy... Znowu. – Przewrócił oczami.

To zwróciło uwagę mamy.

– Być może moje dzieci nie mają najlepszych manier, ale na pewno nie kłamią. Znalazły tutaj tę etykietę, a biorąc pod uwagę całe zamieszanie związane z wycinką tego drzewa, chyba warto to zbadać, prawda?

Posterunkowy Kingsley spojrzał z góry na mamę, która była od niego niższa. Ona popatrzyła na niego, ale się nie cofnęła.

Posterunkowy zawołał Tamsin.

– W porządku. To gdzie znalazłaś tę etykietę?

– Tam. – Wskazała Tamsin. – Przy koparce.

Policjant przedarł się przez tłum protestujących i szepnął przez płot coś do jednego z robotników. Tamsin obserwowała, jak robotnik podchodzi do koparki, ogląda ją, a potem opada na kolana i zagląda pod pojazd. Nagle zbladł, poderwał się i zawołał:

– Coś tu jest! Wygląda jak plastikowa butelka wypełniona proszkiem! Tuż obok silnika.

– Bomba?! – wykrzyknął inny robotnik.

Tłum ucichł.

– Dobra, wszyscy odsunąć się na skraj polany! – polecił posterunkowy Kingsley.

Trzech innych policjantów odepchnęło zgromadzonych ludzi, jednocześnie zgłaszając całe zajście przez krótkofalówki.

Kiedy posterunkowy Kingsley sprawdzał spód koparki, Tamsin nie spuszczała oka z Guya, który zrobił się jaskrawoczerwony i ściszonym głosem rozmawiał z Dylanem. Zauważyła, że powoli oddala się od grupy i próbuje ukryć się za drzewami. Chce uciec! Teraz albo nigdy...

– HEJ! Zatrzymajcie go! – krzyknęła, wskazując na Guya. – To on podłożył materiały wybuchowe. I próbuje uciec!

Facet zamarł, a dziewczynka pomyślała, że może się podda, ale ten w ułamku sekundy rzucił się do ucieczki i zbiegł w gęstwinę lasu. Dwóch policjantów ruszyło za nim w pościg. Tamsin też chciała biec, ale Rumi ją powstrzymał.

– Policjanci go złapią, Tam. Odpuść!

Posterunkowy podszedł do Tamsin, a ona poczuła, że mama mocno ściska jej rękę.

– A właściwie to skąd wiesz, że on jest winny? – żachnął się policjant, patrząc na nią z powątpiewaniem.

Dylan, przywódca protestujących, też się do nich zbliżył, a na jego twarzy malowało się przerażenie.

– Cóż, pomijając fakt, że uciekł... – zaczęła niepewnie Tamsin, ale mama mocno ścisnęła jej dłoń. – Znalazłam to na miejscu zbrodni, tam gdzie etykietę. – Dziewczynka pokazała bransoletkę. – Jest taka sama jak ta, którą nosi Guy. Jestem pewna, że znajdziecie na niej jego DNA... czy coś takiego. No i wszyscy słyszeli, jak w czasie wiecu mówił: „Zrobiłbym dla ciebie wszystko". – Tamsin spojrzała znacząco na Dylana. – Nie wiedziałeś, że on to planuje?

Dylan szybko potrząsnął głową.

– To miał być pokojowy protest.

Właśnie wtedy w tłumie powstało zamieszanie: dwaj funkcjonariusze przyprowadzili zakutego w kajdanki Guya, który dyszał i płakał jednocześnie. A kiedy zauważył, że Dylan na niego patrzy, nagle wykrzyknął:

– Zrobiłem to dla nas! Dla drzewa! Czyny, nie słowa!

– Zamknij się, Guy! – wrzasnął Dylan.

„To tyle, jeśli chodzi o pokojowe intencje", pomyślała Tamsin.

Posterunkowy Kingsley odwrócił się, żeby wyjść, ponieważ policja nakazała wszystkim opuszczenie terenu, ale mama odchrząknęła:

– Funkcjonariuszu Kingsley! Nie zamierza pan podziękować moim dzieciom? – zapytała.

Policjant odwrócił się, na wpół roześmiany.

– Dlaczego miałbym to zrobić?

– Bo postąpiły słusznie. Zgłosiły się i rozwiązały sprawę za pana.

Mężczyzna milczał przez chwilę, a potem wymamrotał:

– Trzymajcie się z dala od kłopotów! – Po czym odszedł.

Mama przygryzła wargę.

– Dobra robota, dzieciaki. Ale nadal macie szlaban.

Kiedy leśną ścieżką wracali do swojego bloku, Tamsin poczuła w sobie lekkość. Nie musiała już niczego ukrywać, choć była też kompletnie wyczerpana. Mimo to coś przykuło jej uwagę. Biały błysk w krzakach po lewej stronie. Potem szelest liści i dziwne, niskie zawodzenie. Włosy niemal stanęły jej dęba.

– Co to było? – spytał Rumi, przeżuwając. Tylko on mógł zabrać ze sobą bułkę z kiełbasą w takiej sytuacji.

Zawodzenie rozległo się ponownie, choć tym razem brzmiało bardziej jak wycie. Tamsin ścierpła skóra.

– To Bestia z Bedleywood! – wrzasnęła. – Ona istnieje naprawdę!

Biały błysk wypadł z krzaków i wyskoczył im wprost pod nogi...

– To husky! – wykrzyknęła mama.

Pies stanął przed nimi, trzymając w pysku stary koc Tamsin, po czym podbiegł do Rumiego i usiadł.

– Bestia z Bedleywood nosi kocyk! – Chłopiec śmiał się w głos, ocierając z oczu łzy.

– Musiał wyczuć twoją bułkę z kiełbasą! Jest głodny. – Tamsin również nie mogła się powstrzymać od śmiechu, chociaż czuła się zmęczona, zdezorientowana i zdenerwowana. To wszystko było po prostu dziwne, a przecież minęła dopiero ósma rano w Nowy Rok.

– Chyba jest bezpański – powiedziała mama, oglądając sierść psa. – Biedactwo. Powinniśmy zabrać go do weterynarza.

Wyglądało na to, że mama była dzisiaj pełna niespodzianek. Wzięła stary koc Tamsin i owinęła nim psa.

– Mamo... jeśli zabierzemy go do weterynarza i nie znajdziemy właściciela... – zaryzykowała Tamsin. – Możemy go zatrzymać? – dokończyła pytanie razem z Rumim.

Mama wyprostowała się i otrzepała spodnie.

– Wiecie co... może odpowiedzialność jest właśnie tym, czego wam trzeba. Wiem, że często nie ma mnie w domu, a dzięki temu zwierzakowi przynajmniej będziecie mieli zajęcie. – Pogłaskała psa po głowie, a on polizał ją po dłoni. – Przypomina mi psa, którego mieliśmy, kiedy byłam mała... Dobrze, jeśli nie znajdziemy właściciela, możecie go zatrzymać. Ale to będzie wasz obowiązek.

Tamsin i Rumi zaczęli wiwatować, a to sprawiło, że pies znów głośno zawył.

– Dlaczego husky wyją jak jakieś bestie? – zapytała dziewczynka, gdy szli alejką.

– Nie wiem – odparł jej brat, karmiąc psa kawałkami bułki z kiełbasą, aby skłonić go do pójścia za nimi. – Ale to byłoby dobre imię. Bestia!

– Bestia! Podoba mi się – roześmiała się mama.

**BEDLEYLIFE.BLOG.UK, 7 STYCZNIA,
GODZINA 15.30**

Nowy rok przyniósł wiele niespodzianek dwójce młodych mieszkańców Bedley. Nie tylko zapobiegli zdetonowaniu domowej roboty bomby skonstruowanej z fajerwerków, ale także rozwiązali zagadkę Bestii z Bedleywood.

Bomba została podłożona w proteście przeciwko decyzji o wykarczowaniu starego cisa. A do jej wybuchu miała doprowadzić temperatura silnika koparki.

Radny Reed wydał wczoraj oświadczenie, że cis nie zostanie wykarczowany, jednocześnie wyrażając „zaniepokojenie brakiem terenów zielonych dla okolicznych mieszkańców". Chociaż wielu twierdzi, że to naciski grupy „Ratujmy Drzewo" skłoniły radnego do ustąpienia.

Jeśli chodzi o tak zwaną Bestię z Bedleywood, w rzeczywistości był to bezpański pies rasy husky, który od tej pory wraz z dwójką nastoletnich bohaterów będzie chronić jedenastego piętra pobliskiego wieżowca.

A mówią, że tu nic się nie dzieje.

Pełną relację z tych wydarzeń przeczytacie w kolejnych postach na blogu!

Szczęśliwego nowego roku!

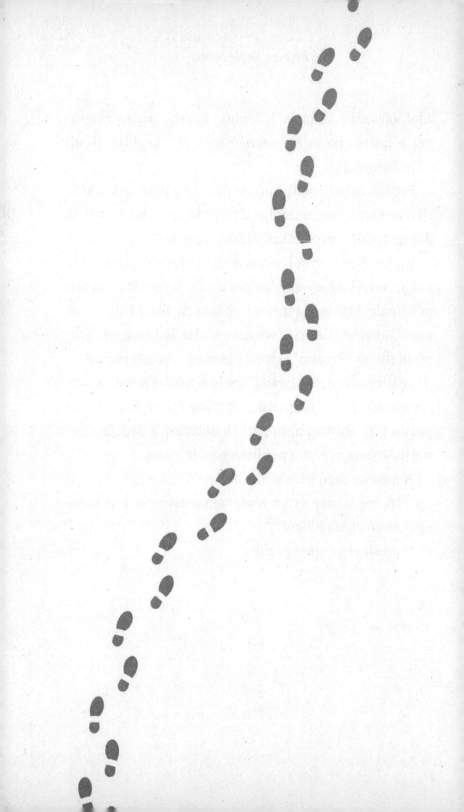

ABIOLA BELLO

ŚWIĄTECZNY NAPAD

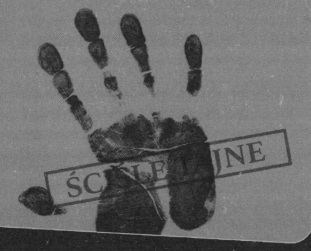

ŚCIŚLE TAJNE

ŚWIĄTECZNY NAPAD

Abiola Bello

KRADZIEŻ

Dwunastoletnia Roe uśmiechnęła się do publiczności, która zerwała się i na stojąco biła brawo. Roe ciężko oddychała i pociła się, ale czuła, że żyje, tańcząc na scenie wraz z grupą Maskarada. Rodzice machali maniakalnie, nagrywając jej występ, by pokazać go dziadkom. Ciężka praca grupy tanecznej i wszystkie próby po szkole były tego warte.

Ekipa Maskarady zeszła ze sceny, gratulując sobie nawzajem, kiedy Roe usłyszała, jak ktoś mówi:

– Łał, byliście beznadziejni.

To Sabrina Martez z grupy tanecznej Pakt. Sabrina i cały Pakt patrzyli na Maskaradę jak na coś obrzydliwego i śmierdzącego. Pakt wygrał konkurs „Zapodaj Rytm" dwa lata z rzędu, ale dzisiaj im nie poszło. Na szczęście Maskarada była rewelacyjna, a Roe wiedziała, że to będzie ich rok.

– Olej ją – rzucił bliźniak Roe, Roman.

– Podobała mi się twoja droga na scenę – zaśpiewała Roe, a Sabrina spiorunowała ją wzrokiem.

Jada, choreografka Maskarady i początkująca producentka muzyczna, która właśnie obchodziła swoje osiemnaste urodziny, skinęła na nich, by stanęli z boku sceny, gdzie jurorzy podejmowali ostateczną decyzję.

– Zwycięzcą jest... MASKARADA!

Członkowie grupy zaczęli podskakiwać, obejmując się nawzajem.

Jada dała im znak, aby ruszyli za nią, by odebrać nagrodę. Jasne światła rozświetliły jej brązową skórę. Nagle na środek wbiegł kierownik sceny i szepnął coś do Randy'ego J., prezentera. Nie uszedł uwadze Roe sposób, w jaki Randy J. otworzył usta, obrzucając spojrzeniem Maskaradę, po czym odwrócił się do nich plecami, ukrywając nagrodę przed ich wzrokiem.

– Co się dzieje? – zapytała Maria, drobna dziewczyna o oliwkowej cerze.

– Jestem pewna, że wszystko jest w porządku – uśmiechnęła się Jada.

Ale nie było.

Randy J., który przed chwilą się do nich uśmiechał, teraz wyglądał na zakłopotanego. Przyłożył mikrofon do ust i powiedział:

– Przykro mi to mówić, panie i panowie, ale Maskarada została zdyskwalifikowana.

Roe potrząsnęła głową, przekonana, że się przesłyszała.

– Co?! – krzyknęła Jada.

– Nie! – wrzasnął Roman.

Nawet publiczność zerwała się na równe nogi z krzykiem. I wtedy Roe zdała sobie sprawę, że Maskarada odpadła z zawodów.

– Przepraszam, muszę porozmawiać z Maskaradą w kulisach. – Randy J. skinął na ekipę taneczną.

Oszołomiona Roe oraz reszta jej kolegów z drużyny podążyła za nim. Dołączyli do nich Ada Adams, twórczyni całego show, oraz Ayo Bakare, choreograf Paktu.

– Ayo, co tu robisz? – zapytała Jada, ale Ayo nie odpowiedział.

Ada zdjęła okulary i pomasowała czoło.

– Przykro mi, Jada, ale wszystkie zarzuty musimy traktować poważnie – powiedziała.

– Zarzuty? – sapnęła Jada, jej orzechowe oczy się rozszerzyły. – Nie rozumiem.

Teraz głos zabrał Ayo.

– Celowo namieszaliście w naszej muzyce, bo wiedziałaś, że znowu wygramy. Dodano utwór, więc moja ekipa się pomyliła. To wasza wina. Maskarada nie zasługuje na wygraną. My tak.

– To kompletna bzdura! – Jada nigdy nie podnosiła głosu, co było jednym z powodów, dla których Roe uwielbiała się od niej uczyć. – Ada, Ayo poprosił mnie o zmianę jednego z podkładów muzycznych, które dla nich stworzyłam. Przygotowałam też cztery inne sety. Ayo to zatwierdził, więc nie wiem, jaką mieli ostatecznie wersję, ale nie moją.

Ayo zaprzeczył:

– Kłamiesz. Niczego nie zatwierdziłem i poprosiłem cię o przesłanie tego podkładu e-mailem do dźwiękowca.

– A ja chciałam się upewnić! Więc odesłałam go z powrotem na twój e-mail, a ty mi odpisałeś, że sam go wyślesz.

– Nie, nie – odpowiedział Ayo.

– TAK ZROBIŁEŚ! – ryknęła Jada i wszyscy podskoczyli. Jada potrząsnęła głową, jakby zdała sobie sprawę, gdzie się znajduje. Odwróciła się do Roe i ekipy Maskarady. – Przepraszam, że krzyczę. Czy możecie wrócić do szatni, a ja to załatwię, proszę?

Roe nie chciała wychodzić. Nic nie miało tu sensu. Ale prezenter zmusił ich do wyjścia.

– Nie rozumiem – szepnęła Roe do Romana, gdy wracali do szatni. – Jada jest najuczciwszą osobą na świecie.

Nie ma mowy, żeby zepsuła ścieżkę dźwiękową. Dlaczego Ayo miałby tak twierdzić?

– Wiem. To bez sensu – odparł Roman, odgarniając czarne loki z twarzy.

Po pełnym napięcia oczekiwaniu Roe i ekipy Jada wróciła do szatni ze łzami w oczach.

– Przykro mi, ale oni wierzą Paktowi i oddali im naszą nagrodę.

Wszyscy zaczęli się przekrzykiwać. W końcu nadszedł rok, w którym mogli wygrać, a Pakt to zrujnował.

Augusta, włosko-jamajska dziewczyna z kręconymi włosami do pasa, powiedziała:

– Będą z przyjemnością machać nam tym przed nosem podczas pokazu bożonarodzeniowego w przyszłym tygodniu.

W końcu w zespole zapadła przepełniona niedowierzaniem cisza.

Roe związała swoje długie loki w kok i wstała.

– Niedługo wrócę.

Roman ruszył, żeby pójść z nią, ale Roe potrząsnęła głową. Jej serce waliło. Mogła sobie tylko wyobrazić, jak zdezorientowani musieli być rodzice. Teraz na pewno nie będą mogli pokazać filmu dziadkom. Miała ochotę krzyczeć, jakie to niesprawiedliwe, i płakać, bo tak ciężko pracowali. Wyszła i oparła się o drzwi, oddychając ciężko. Miała zamiar dowiedzieć się prawdy.

PLAN

Rodzice Roe i Romana próbowali ich rozweselić w drodze do domu i zapewniali, że świetnie sobie poradzili. Ale Roe ledwo coś odmruknęła. Kolację zjadła w milczeniu. Kiedy rodzice w końcu zostawili Roe i Romana samych w kuchni, Roe powiedziała:

– Musimy odzyskać nagrodę.

– Jak? Nie możemy po prostu wejść do garderoby Paktu i jej zabrać – odparł Roman, jedząc ciastko.

Na twarzy Roe pojawił się uśmiech. Wpadła na pomysł.

– Ty geniuszu! Dokładnie to zrobimy.

Roman zakrztusił się herbatnikiem.

– Przecież żartowałem, Monroe!

Roman zwracał się do niej pełnym imieniem tylko wtedy, gdy był na nią zły. Ale Roe nie słuchała. Już układała plan.

Następnego dnia Roe wysłała pilną wiadomość do reszty grupy i wszyscy zebrali się w salonie jej i Romana. Ich matka uwielbiała piec, więc zostawiła im talerz pierników, które wszyscy pożarli niemal za jednym zamachem.

– Co to za pilna sprawa? Muszę odrobić pracę domową – zapytał Justin, wyciągając przed nimi swoje długie, chude nogi. Miał blond włosy i był najwyższy z grupy.

Roe wstała.

– Pakt ukradł wczoraj naszą nagrodę, i nie ma co do tego wątpliwości. Jada robi podkłady muzyczne od lat i nigdy nie dała ciała. Nie ma mowy, żeby to ona zrujnowała nasze szanse na wygraną.

– Zgadzam się – rzuciła Augusta, bawiąc się lokami. – Ale jak możemy to udowodnić?

– Na następnym koncercie zakradniemy się do ich garderoby podczas występu i zabierzemy naszą statuetkę – powiedziała Roe.

– Eee, nie, nie – zaprotestował Roman, pałaszując kolejny pierniczek, a Roe miała ochotę rzucić w niego talerzem.

– To był twój pomysł! – nie odpuszczała.

– Ale zaraz dodałem, że żartuję!

– Tylko dlaczego mieliby mieć tę nagrodę w garderobie? – zapytała Maria.

– Pamiętasz, jak Pakt wygrał w zeszłym roku „Zapodaj Rytm"? – przypomniała Roe, chodząc tam i z powrotem po pokoju. – Po każdym koncercie przynosili statuetkę tylko po to, żeby się popisywać i wrzucać zdjęcia do mediów społecznościowych. Mam nadzieję, że tym razem zrobią to samo.

– Ale przecież nie będziemy mogli się tym chwalić i mówić, że odzyskaliśmy nagrodę – powiedziała Maria.

– Chodzi o zasadę! – zaperzyła się Roe. – Nagroda jest nasza.

Cichy rudowłosy David, do tej pory głęboko zamyślony, oznajmił nagle:

– Będziemy potrzebowali innej statuetki.

– Dawid! – pisnęła Maria. – Nie mówisz poważnie.

– Może zamówimy tanią replikę przez Internet? – zasugerował Justin, a Roe westchnęła.

– Już szukałam. Ale musimy wymyślić, jak ją kupić.

– Dostałam od babci trochę pieniędzy na Gwiazdkę. Możemy je wykorzystać – zaproponowała Augusta.

Grupa wpatrywała się w nią, aż dziewczynka się zarumieniła.

– Roman, powiedz coś! – Maria zerwała się na równe nogi, czerwona na twarzy. – Jeśli to zrobimy, będziemy mieli kłopoty i już nigdy nie zatańczymy.

Roman wzruszył ramionami.

– Tylko jeśli nas złapią.

Roe pochwyciła jego spojrzenie, mrugnął do niej. Uśmiechnęła się. W końcu jej brat zawsze miał rację.

– Czy wy wszyscy postradaliście zmysły? Nadal nie ma dowodów, że muzyka nie została podmieniona. Nie mamy lap... – Maria urwała nagle.

– Laptop! – powiedziała Roe, a Maria schowała głowę w dłoniach. – Musimy do niego zajrzeć, żeby znaleźć korespondencję Jady z Ayo.

– Może piernikowego ludzika? – zapytał Roman, podając talerz Marii.

W odpowiedzi tylko prychnęła.

DOWÓD

Następnego dnia Roe poszła na próby z nową energią,
mimo że Maria wciąż upierała się, że to okropny pomysł.

– Hej, kochani – powitała ich smutno Jada. – Wiem,
że ostatni weekend nie poszedł tak, jak planowaliśmy, ale
wciąż mamy jeszcze jeden występ przed świętami Bożego
Narodzenia, więc rozwalmy system.

Roe wykrzyknęła radośnie razem ze wszystkimi, spoglądając na laptop podłączony do głośników.

– Okej, ustawcie się. Przećwiczmy numer – zaordyno-
wała Jada.

Dobrali się w pary. Roe stanęła naprzeciwko Davida.
Pasowali do siebie idealnie, bo byli podobnego wzrostu.

Zwycięzcy „Zapodaj Rytm" mogli zaprezentować swój
zwycięski set podczas gwiazdkowego koncertu, ale pozostali musieli wykonać jakiś taniec o tematyce bożonarodzeniowej. Na szczęście na wypadek przegranej Jada
nauczyła Maskaradę bożonarodzeniowego tańca opar-
tego na motywach balu maskowego, co miało nawiązy-
wać do nazwy ich grupy. Poprosiła nawet swoją mamę
krawcową, aby uszyła dla nich suknie balowe i garnitury,

które wyglądały na niezbyt wygodne do tańczenia, ale w rzeczywistości były całkiem okej. W połowie tańca mieli zrzucić stroje, aby w dresach bezpiecznie zrobić przewrót w tył.

Jada wręczyła każdemu z nich maskę. Roe pogłaskała swoją – różową, na której błyszczały w świetle sztuczne klejnoty. Wyglądała niesamowicie na tle jej ciemnobrązowej skóry.

– Poćwiczmy w maskach – zaproponowała Jada.

Roe przyjrzała się sobie w lustrze. Maska zakrywała większą część jej twarzy. Idealnie. Jada nacisnęła PLAY i zaczęli ćwiczyć numer. Część z walcem była w porządku, ponieważ David prowadził, ale potem muzyka zmieniła się w hip-hop i bity stawały się szybsze, a taniec wymagał ruchów na podłodze i licznych przewrotów. Roe niewiele widziała przez maskę, więc potknęła się, wykonując salto w tył. Kiedy skończyli, brakowało im tchu, ale Jada klaskała.

– Świetnie to wygląda – rzekła z uśmiechem. – Wiem, że musicie przyzwyczaić się do masek. Przećwiczmy to jeszcze raz. – Jada podeszła do swojego laptopa. Ale zanim zdążyła nacisnąć przycisk odtwarzania, Augusta krzyknęła:

– O nie! – I wylała wodę z butelki na podłogę.

– Niech nikt się nie rusza! Przyniosę chusteczki! – wykrzyknęła Jada i wybiegła z sali.

– Szybko – syknęła Augusta.

Roe pospieszyła do laptopa i zmniejszyła okienko z iTunes. Potem kliknęła Google Mail. Na szczęście skrzynka e-mailowa Jady była ustawiona domyślnie.

– Masz coś? – zapytał Roman.

– Jedna sekunda. – Roe wpisała w wyszukiwarce wiadomości imię „Ayo" i wyświetliła się strona z odpowiednimi e-mailami. Szybko przeczytała każdy z nich, ale nic tam nie było.

– Może je usunęła – zastanawiał się Roman, zerkając na drzwi. – Sprawdź kosz.

Roe kliknęła na ikonkę kosza i znalazła mnóstwo ścieżek dźwiękowych ze znanymi jej nazwami grup tanecznych.

Roman stuknął w ekran.

– Tutaj – powiedział podekscytowany.

Roe zobaczyła plik zatytułowany „Pakt: Zapodaj Rytm". Wysłała go sama do siebie, zanim przeniosła go z powrotem do kosza.

– Szybko, Jada wraca! – zawołała Maria od drzwi.

Roe zamknęła pocztę i przywróciła wcześniejsze okno iTunes. Pobiegła z powrotem na swoje miejsce w chwili, gdy Jada weszła do sali.

– Dobra, posprzątajmy ten bałagan.

Roe westchnęła z ulgą. Jada niczego nie podejrzewała.

KOLEŚ OD DŹWIĘKU

Zaraz po zakończeniu próby ekipa Maskarady stanęła za rogiem obok studia, żeby Jada ich nie zobaczyła. Po próbie mieli iść prosto do domu, ale chociaż było mroźno, Roe chciała, żeby posłuchali ścieżki dźwiękowej, którą przesłała do siebie e-mailem ze skrzynki Jady.

Nacisnęła PLAY na swoim telefonie. Pod koniec odsłuchiwania było już jasne, że to dokładnie ta sama ścieżka dźwiękowa, do której Pakt tańczył w czasie konkursu.

Roe poczuła falę frustracji.

– Jada powiedziała, że to nie jest jej wersja, ale przecież to jedyna ścieżka dźwiękowa Paktu na „Zapodaj Rytm", jaką udało mi się znaleźć.

– Jeśli Jada jest niewinna, to jak możemy to udowodnić? – zapytał Justin.

Wszyscy umilkli. Świąteczny sweter w renifery, w który ubrana była Augusta, świecił się co kilka sekund, rozpraszając ich uwagę.

– Przepraszam – powiedziała Augusta, szybko zapinając kurtkę. – Co teraz?

– A może po prostu przesłuchamy całą ścieżkę? – wypowiedział wolno Roman.

Roe przewróciła oczami. Serio?!

– Właśnie to zrobiliśmy – odparła jeszcze wolniej.

Roman spojrzał na nią.

– Chodziło mi o to, żeby posłuchać wersji przesłanej do kompilacji.

Roe zmarszczyła brwi. Czasami ta bliźniacza telepatia działała, ale teraz nie miała pojęcia, do czego zmierza Roman.

Roman wyglądał na podekscytowanego.

– Zwróciliście uwagę, że organizatorzy konkursu „Zapodaj Rytm" i koncertu gwiazdkowego korzystają z usług tego samego dźwiękowca? Taki duży gość z fajnymi tatuażami.

– I co z tego? – zapytała Roe.

Roman pstryknął ją w głowę.

– Auć!

– Będzie miał w swoim laptopie muzykę każdej grupy – wyjaśnił Roman.

– Och! Jada powiedziała, że Ayo sam miał wysłać ścieżkę dźwiękową. Więc możemy porównać tę wersję z tym, co Ayo przesłał e-mailem! – dokończyła Roe.

Roman przybił jej piątkę.

– Zajęło ci to chwilę, prawda? – zażartował, a Roe pokazała mu język.

– Okej, ale jak dostaniemy się do laptopa dźwiękowca, nie dając się przy tym złapać? – zapytał David i wsadził sobie ręce pod pachy, żeby je ogrzać.

– Będziemy musieli to zrobić podczas prób technicznych przed koncertem gwiazdkowym, bo gdy koncert się już zacznie, utkniemy w garderobie – przypomniała im Maria.

Augusta objęła ją ramieniem.

– Wreszcie dołączyłaś do spisku!

Maria zbyła koleżankę wzruszeniem ramion.

– Nie! Ja tylko zwracam uwagę na wszystkie wady waszego niedorzecznego planu.

– Wiem! – powiedziała Roe i wszyscy na nią spojrzeli. – Możemy odzyskać nagrodę i udowodnić, że Jada jest niewinna. Ale to wymaga współpracy nas wszystkich. – Popatrzyła na Marię. – Nawet ciebie. Wchodzisz w to czy nie?

Maria zrobiła się czerwona, bo wszystkie oczy skierowane były na nią. W końcu prychnęła:

– Dobra!

Skulili się i słuchali, jak Roe przedstawia plan.

NAGRODA

To była ostatnia próba przed występem. Wszystko wyglądało niesamowicie, maski zostały ujarzmione, a Roe udały się wszystkie przewroty w tył. Kiedy skończyli, ona i jej przyjaciele zebrali się za studiem, a Augusta wyjęła fałszywą złotą statuetkę. Roe podniosła tanią podróbkę i się uśmiechnęła.

David użył szkła powiększającego, żeby ją obejrzeć.

– Wygląda... doskonale – oznajmił w końcu.

– Mówiłam ci. – Augusta uśmiechnęła się z zadowoleniem.

– Na szczęście nie ma na niej wygrawerowanych imion – powiedziała Roe.

– Okej. Ujdzie nam to na sucho tylko pod warunkiem, że będziemy mieć alibi. Więc pamiętajcie, musimy zamienić statuetki w czasie naszego numeru.

– Zastanówmy się, kiedy są przerwy w muzyce – zasugerował Justin. – Wtedy możemy ustalić, kto dokona podmiany.

Roman odtworzył na swoim telefonie ścieżkę dźwiękową koncertu gwiazdkowego.

– Och, to będzie dobra okazja – powiedział podekscytowany. – W tym momencie wchodzi konferansjer. Światła gasną i następuje zmiana. Czy wszyscy biorą udział w tym numerze?

Skinęli głowami wszyscy oprócz Roe.

– Ja nie – powiedziała.

– Więc nie masz nic przeciwko, żeby zrobić podmiankę? – zapytał Roman.

Dziewczynka przytaknęła. Nie tylko nie miała nic przeciwko temu, była wręcz zachwycona. Pakt zostanie pokonany swoją własną bronią.

NAPAD

Nadszedł dzień świątecznego show i Maskarada przybyła do amfiteatru. Był ozdobiony świecidełkami, a w rogu stała dwumetrowa choinka. Nad sceną unosiły się piękne bajkowe światła. Gdy tylko Roe usiadła, wszedł Pakt. Ayo machał do wszystkich, niosąc czarną sportową torbę z białym „P" z przodu. Roe zauważyła błysk złota w jej wnętrzu. Statuetka! Spojrzała na resztę swoich przyjaciół i zrozumiała, że oni też to zauważyli. Jada nawet prychnęła. Justin wstał po cichu i wyszedł z audytorium. Plan wchodził w życie.

– Zaczynamy. – Jada wydała polecenie, a Roe aż się uśmiechnęła.

Wszystko było tak, jak przewidziała. Pakt, jako zwycięzca poprzedniego konkursu, występował na zakończenie koncertu, a Maskarada tuż przed nim.

– Czy mogę posłuchać ścieżki dźwiękowej? – zapytała Maria, a Jada podała jej telefon.

– Gdzie jest Justin? – Jada zaczęła się rozglądać.

– W toalecie – odparli wszyscy.

Jeden z uczestników poklepał Jadę. Nadszedł czas na próbę techniczną.

– Maria, skończyłaś już z tą muzyką? – zapytała Jada, wyciągając rękę. – Potrzebuję telefonu.

– Chwileczkę! – odkrzyknęła Maria, odwrócona do niej plecami.

W telefonie Roe piknęła wiadomość przesłana z telefonu Jady ze zaktualizowaną ścieżką dźwiękową Maskarady. Roe skinęła Marii głową i zobaczyła, jak ta wyłączyła telefon, zanim oddała go właścicielce.

– Padła ci bateria – powiedziała, wzruszając ramionami.

Jada jęknęła.

– Żartujesz! Telefon jest mi potrzebny na próbę. Jest na nim nasza muzyka...

– Ja ją mam – powiedziała Roe, zrywając się. – Pamiętasz? Wysłałaś mi ją.

Jada zmarszczyła brwi.

– Wysłałam?

– Tak, zaniosę ją do dźwiękowca. Pospieszę się – powiedziała Roe.

– Czy mogę iść do toalety? – zapytał Roman.

Jada westchnęła głośno.

– Tylko szybko, proszę! I dlaczego Justin jeszcze nie wrócił?

– Znajdę go – zaoferował Roman.

Roe i Roman wybiegli razem. Potem Roman podążył za siostrą do schodów prowadzących do kabiny dźwiękowca.

– Pewnie uda mi się odwrócić jego uwagę na kilka minut, ale pamiętaj, aby odłączyć kabel, zanim włączysz muzykę – ostrzegł Roman. – Albo wszyscy usłyszą, jak puszczasz ścieżkę dźwiękową Paktu.

Roe zatrzymała się w pół kroku, nagle zdenerwowana.

– Skąd mam wiedzieć, który kabel wyciągnąć?

Roman machnął ręką.

– To jest łatwe. Powinno być na nim napisane „aux".

– Rozumiem!

Dotarli do szczytu schodów. Na końcu korytarza zobaczyli Justina rozmawiającego z dźwiękowcem. Jeśli ktokolwiek mógł długo rozmawiać o muzyce i gadżetach, to właśnie Justin.

Dźwiękowiec był odwrócony do nich plecami, więc Roe z łatwością mogła wślizgnąć się do jego kabiny. Roman stał na straży, gotów szybko go czymś zająć, gdyby coś zauważył.

Nie licząc poświaty z laptopa, kabina technika była pogrążona w ciemności, więc nie odwracała uwagi od oświetlenia na scenie. Roe ostrożnie przeszła pośród kabli na podłodze. Ścieżki dźwiękowe były ułożone w kolejności na liście odtwarzania w laptopie. Większość choreografów wcześniej wysyłała swoją muzykę e-mailem, ale Jada wolała używać własnego telefonu, odkąd w jednym z programów stwierdzono, że e-mail z plikiem Maskarady jest uszkodzony, i to prawie uniemożliwiło im występ.

Roe zobaczyła podkład muzyczny Paktu na dole listy odtwarzania opisany jako Pakt: „Zapodaj Rytm".

Zanotowała czas ścieżki dźwiękowej. Miała taką samą długość jak ta, którą wysłała do siebie e-mailem z laptopa Jady. Szybko wstukała „konkurs Zapodaj Rytm" w wyszukiwarce skrzynki mailowej dźwiękowca.

– O, cześć, chyba się zgubiłem...

Głos Romana brzmiał, jakby się oddalał. To oznaczało, że próbował powstrzymać dźwiękowca przed wejściem do kabiny! Czas uciekał.

W jednym z załączników była ścieżka dźwiękowa „Pakt: Zapodaj Rytm", ale ta wersja była dłuższa. Trwała trzy minuty i piętnaście sekund. Wersja Jady trwała trzy minuty i pięć sekund – dziesięć sekund różnicy.

Czy Pakt wysłał niewłaściwą ścieżkę dźwiękową do „Zapodaj Rytm"? Organizatorzy konkursu nie pozwalali ekipom na samodzielne próby techniczne, może dlatego Pakt nie zdawał sobie sprawy, że to zła wersja?

Roe zmrużyła oczy, patrząc na podpis pod wiadomością – i aż zaparło jej dech.

To nie Ayo ani Jada przysłali muzykę. To była Sabrina!

Roe chciała przesłuchać ścieżkę dźwiękową i zgrać tę dłuższą wersję na swój telefon, ale było tam tyle splątanych kolorowych kabli, że nie mogła znaleźć tego z napisem „aux"! Ręce zaczęły jej się pocić.

To jest to! Trzeba zrobić zdjęcie, na którym byłoby widać, że to Sabrina przesłała e-mailem przerobioną muzykę, oraz wyraźną różnicę czasu w długości ścieżek dźwiękowych! Roe mogłaby pokazać to organizatorom i oczyścić imię Jady. Szybko wyjęła telefon, ale ten wyślizgnął się i z głośnym hukiem upadł na podłogę.

– Co to było? – zapytał dźwiękowiec przed kabiną.

– Ale co? – zapytał Roman piskliwym głosem, którego używał tylko wtedy, gdy był zdenerwowany.

Roe chwyciła telefon i zrobiła zdjęcia e-maila Sabriny oraz różnicy czasu ścieżek. Ale ponieważ jej ręce się trzęsły, zdjęcia wyszły rozmazane.

– No szybciej, szybciej... – mruknęła do siebie.

Spróbowała ponownie. Tym razem zdjęcia były wyraźne. Wysłała je e-mailem do Romana.

– Słuchaj, dzieciaku, muszę kończyć... Co ty tu robisz?

Roe podskoczyła. Dźwiękowiec stanął w drzwiach kabiny, wpatrując się w nią, a Roman nerwowo podrygiwał za nim.

– Och, cześć! Musimy odtworzyć ścieżkę dźwiękową Maskarady z mojego telefonu, proszę – wyjaśniła Roe, uśmiechając się słodko.

Dźwiękowiec chrząknął. Wyciągnął kabel ze złączem aux ze stosu kabli i podał go Roe, żeby podłączyła go do swojego telefonu.

– O mały włos – szepnął Roman do ucha Roe. Jego telefon zawibrował, więc spojrzał na wyświetlacz. – Mam e-mail od ciebie.

Zbiegli po schodach i stanęli na scenie na miejscu dla dźwiękowca.

– Wszystko w porządku? – zapytała Jada.

– Idealnie – odparła Roe, a reszta grupy odetchnęła z ulgą.

– Roe, po powrocie na scenę powinnaś być po przeciwnej stronie, więc teraz musisz przebiec tyłem, za sceną –
wyjaśniła Jada.

– Och, dobrze – odpowiedziała Roe, ale była spaniko-
wana. Plan był taki, żeby dostać się do garderoby, która
znajdowała się tuż za sceną, i zamienić statuetki. Ale bie-
ganie teraz po scenie zabierze im cenny czas.

– Przećwicz to podczas próby z muzyką – poinstruowa-
ła Jada. – Dobra, teraz, Justin...

– Co teraz? – Roman zapytał Roe.

Roe wyrzuciła ręce w powietrze.

– Nie mam pojęcia!

Muzyka grała, a oni ćwiczyli swój numer z oświetle-
niem. Obiegnięcie sceny z tyłu trwało zbyt długo – nie
było szans, aby Roe pobiegła do garderoby i wróciła na
scenę na czas. Pakt czekał w kulisach na swoją próbę. Ayo
też tam stał, trzymając swoją czarną torbę ze statuetką
w środku.

Roe wpadła na kolejny świetny pomysł.

– A jeśli Ayo zostanie w foyer? – zapytała Maria.

Ekipa Maskarady siedziała w garderobie. Wszystkie bilety na koncert zostały wyprzedane, więc jeśli Ayo nie ku-
pił biletu, będzie musiał oglądać transmisję na ekranie we
foyer lub w kulisach, jeśli będzie miejsce. Jada kupiła bilet.

– Nie jestem pewien – powiedziała zgodnie z prawdą Roe. – Ale wydaje mi się, że Ayo ogląda z bocznych kulis. Jeśli nadal ma tę torbę, mogę wtedy podmienić statuetki.

– Musimy się tylko upewnić, że Ayo na pewno tam jest, zanim zaczniemy występ – powiedział Roman. – Jeśli cały czas będzie w foyer, możemy pożegnać się z odzyskaniem naszej nagrody.

Roe przełknęła ślinę. Modliła się, aby ich plan się powiódł.

Przebrali się do występu. Roe wciąż upuszczała maskę, Roman nadepnął na sukienkę Marii, prawie ją rozdzierając, a Augusta nerwowo obgryzała paznokcie. Jedynie Jada była skupiona.

– Dobra, kochani, to ostatni taniec w tym roku – powiedziała. – Pamiętajcie, żeby się dobrze bawić!

Ale zdenerwowanie Maskarady nie dotyczyło tańca. Chcieli odzyskać swoją nagrodę i oczyścić imię swojej trenerki.

Jada zostawiła ich, by usiąść na widowni. Ekipa Maskarady czekała w kulisach. Byli następni w kolejce, po nich, w finale pokazu, miał wystąpić Pakt. David pokazał Roe kciuk w górę z przeciwnej strony sceny. Oznaczało to, że fałszywa statuetka znajdowała się pod sceną w torbie. Ale wtedy obok Davida pojawił się Justin, kręcąc głową.

– Ayo – wymamrotał.

Serce Roe zadudniło. To oznaczało, że Ayo nie było w kulisach. Powodzenie ich planu zależało od tego, że on będzie tam, a nie w foyer!

Grupa występująca przed Maskaradą właśnie rozpoczęła swój pokaz. Wszystkie występy trwały od trzech do czterech minut. Gdyby pobiegła...

– Zaraz wracam – rzuciła do Augusty, która stała obok niej.

– Roe! – zawołała Augusta, ale ona już wybiegła.

Tancerze szli właśnie korytarzem w stronę sceny. Z rozbawieniem patrzyli na Roe, która przebiegała obok w bufiastej różowej balowej sukni Maskarady.

W foyer było hałaśliwie i tłoczno od choreografów, którzy nie mieli biletów. Roe rozejrzała się w tłumie i zauważyła Ayo z drinkiem i czarną torbą z białym „P" z przodu.

– Przepraszam! – wykrzykiwała Roe, próbując przecisnąć się w swojej obszernej sukience przez tłum. Prawie zamarła, kiedy zauważyła Jadę wchodzącą z drinkiem. Gdyby Jada ją zobaczyła, zapytałaby, dlaczego nie jest w kulisach, a Roe nie miałaby pojęcia, co powiedzieć. Dziewczynka szybko podeszła do Ayo i poklepała go po ramieniu.

– Tak? – spytał niepewnie mężczyzna.

Roe otworzyła usta. Pustka. Zupełnie tego nie planowała.

Ayo zmarszczył brwi.

– Nic ci nie jest?

Wtedy Roe powiedziała pierwszą rzecz, jaka przyszła jej do głowy.

– Sabrina cię szuka. Jest w kulisach.

– Wszystko z nią w porządku? – zapytał zatroskany Ayo.

Roe potrząsnęła głową. No dalej! Ayo dopił swojego drinka i postawił szklankę na stoliku obok. Roe odwróciła się w stronę sceny. Obejrzała się przez ramię i zobaczyła, że Ayo podąża za nią z torbą. Uśmiechając się, rzuciła się do biegu. Wróciła do kulis bez tchu – i to w samą porę. Poprzednia grupa taneczna właśnie kłaniała się na scenie.

– Zaraz zwariuję! – powiedziała Augusta. – Czy on tu jest?

Ayo właśnie pojawił się w kulisach po drugiej stronie sceny. Położył swoją torbę na innej czarnej torbie, na krześle schowanym tuż za zasłonami, po czym skierował się w stronę Sabriny. Roe patrzyła, jak Sabrina kręci głową na to, co mówi Ayo. Ayo nie może teraz odejść – nie może!

Zobaczyła, że mężczyzna patrzy na scenę. Nie zamierzał się stamtąd ruszać. Roe odetchnęła z ulgą. Uznał, że obejrzy występ stąd. Światła zgasły, gdy poprzednia grupa schodziła ze sceny, a wchodziła Maskarada. Roe wzięła głęboki wdech. Byli tak blisko!

Światła się zapaliły i popłynęła muzyka. Roe i David rozpoczęli walca, dziewczynka dawała się prowadzić koledze. Muzykę klasyczną przerwał hip-hopowy rytm, Maskarada zaczęła tańczyć do energicznej choreografii, a publiczność ryknęła z zachwytu.

Światła zgasły, a salę wypełnił głos konferansjera. Wykorzystując swoją szansę, Roe zbiegła ze sceny. Maska utrudniała jej dostrzeżenie czegokolwiek w przyćmionym świetle, ale na szczęście wszyscy byli w kulisach z przodu sceny, więc na nikogo nie wpadła.

Po ciemku obmacywała przestrzeń przed sobą w poszukiwaniu torby Davida, aż w końcu wyciągnęła fałszywą statuetkę. Krzesło z torbą Ayo stało przed nią, ale obawiała się, że za bardzo rzuca się w oczy w swojej różowej błyszczącej sukience, by tam podejść. Zamiast przebrać się zgodnie z planem z tyłu sceny, teraz zdjęła sukienkę i zerwała maskę. Była cała na czarno i całkowicie wtopiona w tło. Pospieszyła do torby Ayo i otworzyła ją... ale torba okazała się pusta!

NIE!

Zostało trzydzieści sekund. Światła znów się zapaliły i Maskarada zaczęła tańczyć. Jej członkowie byli teraz ubrani na czarno, a ich kostiumy leżały z boku sceny.

Po ponownym włączeniu świateł Roe zauważyła, że na czarnej torbie leżącej na krześle nie było białego „P", a obok leżała inna czarna torba – widocznie musiała spaść.

Szybko spojrzała w prawo i zobaczyła członków Paktu zahipnotyzowanych tańcem Maskarady. Nikt nie zwracał na nią uwagi.

Otworzyła torbę i... była tam. Ich złota statuetka!

Roe szybko dokonała podmiany. Trzymała prawdziwą nagrodę blisko siebie. Potem chwyciła swoją różową sukienkę i maskę, przebiegła dookoła sceny, ukryła statuetkę w sukience, rzuciła wszystko obok innych kostiumów i wróciła na scenę... w samą porę na swoją kolej.

Mrugnęła do Romana.

Udało się!

Maskarada zakończyła swój występ pokazem breakdance, po czym tancerze ukłonili się przy aplauzie publiczności i pospiesznie zeszli ze sceny. Wzięli swoje ubrania, maski i statuetkę (ukrytą w sukience Roe) i poszli do garderoby.

– Popatrzcie! – wrzasnęła Roe i podniosła statuetkę, która zalśniła.

– Nie mogę uwierzyć, że to się udało! – Maria ją przytuliła. – Dobra robota, Roe!

– Szybko! Schowaj to do torby Jady, zanim przyjdzie – powiedział Justin.

Jada zaraz po koncercie jechała na lotnisko, żeby spędzić święta z tatą, a jej walizka znajdowała się w garderobie

Maskarady. Roe schowała trofeum do środka, pod ręcznik plażowy. Żałowała, że nie zobaczy miny Jady na widok statuetki!

Przebrali się z powrotem w swoje ubrania i czekali na choreografkę. W końcu Jada weszła do garderoby z szerokim uśmiechem.

– To było genialne, ludziska! – wykrzyknęła.

– Mamy ci coś do pokazania – powiedziała Roe, robiąc krok do przodu. – Wiedzieliśmy, że nie namieszałaś w ich muzyce i znaleźliśmy dowód. Roman?

Roman wyjął telefon. Jada spojrzała na ekran.

– Czyli to Sabrina wysłała niewłaściwą muzykę, a Ayo obwinił mnie? – Spojrzenie Jady stwardniało. – Och, wysyłam to e-mailem do organizatorów.

Ktoś zapukał do drzwi i choreografka otworzyła.

Ayo stał po drugiej stronie z uniesioną pięścią, jakby miał zamiar ponownie zapukać, trzymając czarną torbę z fałszywą statuetką w środku.

– Spokojnie – mruknęła Roe do swoich przyjaciół kącikiem ust.

– Ayo – syknęła lodowato Jada.

Mężczyzna się uśmiechnął.

– Och, chciałem tylko powiedzieć, że nie mam urazy w kwestii muzyki i tak dalej.

– Jestem pewna, że wszystko wyjaśni się szybciej, niż myślisz – powiedziała Jada.

Ayo zmrużył oczy.

– Co przez to rozumiesz?

Jada wzruszyła ramionami.

– A! – dodał Ayo. – Jedna z twoich tancerek powiedziała, że Sabrina o mnie pytała, ale wcale tego nie zrobiła.

– To byłam ja – przyznała Roe, podnosząc rękę. – Przepraszam, musiałam coś źle usłyszeć.

Zanim Ayo zdążył zareagować, Jada przypomniała:

– Mam samolot, ludziska!

Maskarada zebrała swoje rzeczy i wyszła za choreografką i jej walizką. Roe zerknęła na czarną torbę Ayo i na samego Ayo, który się na nią gapił.

– Wesołych świąt – powiedziała.

NAZAJUTRZ

Kolorowe światełka migotały, a z głośników leciała świąteczna muzyka. Roe, Roman, David, Augusta, Justin i Maria wytoczyli się ze śmiechem z kolorowych samochodzików na autodromie. Co roku przychodzili na jarmark bożonarodzeniowy z rodzicami, którzy teraz siedzieli na zewnątrz, przy grzejnikach.

– Frytki, na cito! – powiedział Justin.

– Umieram z głodu – dodała Augusta, chwytając się za brzuch dla podkreślenia swych słów.

Roe nie mogła się doczekać, kiedy będzie mogła zjeść serowe frytki unurzane w keczupie. Myśl o tym sprawiła, że jej żołądek zaczął głośno burczeć.

– Frytki! – powiedziała, wskazując przed siebie.

Pobiegli w stronę trybun, popychając się nawzajem, by dostać się do kolejki pierwsi.

Roe wzięła podwójną porcję – dla siebie i Romana. Gdy wszyscy już dostali swoje zamówienie, zaczęli snuć się po jarmarku, próbując załapać się na następną przejażdżkę. Roe wciąż wpadała na przechodniów, bo szła ze spuszczoną głową i jadła frytki, od czasu do czasu odpychając rękę Romana, żeby sama mogła zjeść więcej. Wszyscy byli w świątecznym nastroju. Roe i Roman mieli na sobie nawet takie same świąteczne swetry. Nagle Roman szturchnął siostrę. Podniosła wzrok znad jedzenia.

Sabrina z Paktu nadbiegała ku nim jak burza.

„Zapodaj Rytm" publicznie przeprosił Maskaradę w swoich mediach społecznościowych i ogłosił ich zwycięzcami.

Sabrina wyznała, że przez przypadek przesłała niewłaściwą wersję ścieżki dźwiękowej do występu Paktu i nie zdawała sobie z tego sprawy, dopóki muzyka nie została odtworzona w czasie konkursu. W ramach dodatkowych przeprosin „Zapodaj Rytm" miało zamiar podarować Maskaradzie nową statuetkę z wygrawerowaną nazwą.

Gdy Sabrina podeszła, Roe wyszczerzyła się, ukazując wszystkie zęby.

– Monroe! – warknęła Sabrina. – Wiem, że to byłaś ty! Podmieniłaś statuetkę, a po tym głupim uśmiechu na twojej twarzy mogę stwierdzić, że mam rację.

Roe uśmiechnęła się jeszcze szerzej.

– Tak się cieszę, że cię widzę, Sabs.

– Jesteś wielką, grubą kłamczuchą! – wrzasnęła Sabrina.

– Wow, uspokój się. – Roman zrobił krok do przodu. – Dlaczego myślisz, że podmieniliśmy statuetkę?

– Ponieważ musieliśmy ją oddać i okazało się, że to tania podróbka – syknęła Sabrina. – Organizatorzy zarzucili nam, że ją podmieniliśmy, żeby zachować oryginał. Teraz chcą, żebyśmy zapłacili! Zdobyliśmy puchar podczas pokazu. Przysięgam, że jeśli wzięłaś...

Roe się roześmiała.

– Tańczyliśmy, więc jak niby mieliśmy to zrobić?

– Nie jesteś nam przypadkiem winna przeprosin? – spytała Augusta, opierając ręce na biodrach. – To wszystko twoja wina.

– Nie chciałam wysłać niewłaściwej ścieżki dźwiękowej. Jada stworzyła cały nasz podkład, ale Ayo chciał usunąć ten utwór. Kiedy go przesłała, byłam już na e-mailach Paktu i pobrałam go. Myślałam, że wysłałam odpowiednią wersję. Ścieżka dźwiękowa, której użyliśmy podczas koncertu świątecznego, była poprawna – wyjaśniła Sabrina.

– Wciąż czekam na te przeprosiny! – powiedziała Augusta.

Sabrina poczerwieniała, odwróciła się na pięcie i wyszła. Kiedy zniknęła, wszyscy oprócz Marii wybuchnęli śmiechem.

– Myślicie, że nas widziała? – zapytała, przygryzając wargę.

– Nie ma mowy, byliśmy uważni. – Roe włożyła sobie do ust frytkę. – Mówiłam ci, że się uda.

– To wyjaśnia, dlaczego nie mogłaś znaleźć ścieżki dźwiękowej Jady w jej e-mailach. Nie było jej pod hasłem „Ayo". Była pod hasłem „Pakt" – powiedział Roman.

Justin prychnął:

– Założę się, że celowo wysłała niewłaściwą wersję, bo wiedziała, że nadszedł nasz czas na zwycięstwo.

Wszystkie ich telefony zabrzęczały jednocześnie. Roe pierwsza sięgnęła po swój i uniosła go tak, żeby wszyscy mogli zobaczyć.

Jada wysłała grupową wiadomość ze zdjęciem, na którym trzyma puchar na plaży. Wiadomość brzmiała: „Nawet nie wiem, jak to się stało, ale zobaczcie, co znalazłam!".

Teraz będziemy mieli dwa puchary. To najlepszy prezent na święta!

PATRICE LAWRENCE

WIATRAK DLA KOTA

ŚCIŚLE TAJNE

WIATRAK DLA KOTA

Patrice Lawrence

K ot mojej cioci nazywa się Młot. Młot bardzo frapuje Ulryka. Czasami mój młodszy brat jest jak lis, który znalazł skrzydełko z KFC, w którym wciąż jest więcej mięsa niż kości. Trzyma się tego kurczowo i nie zamierza puścić.

– Młot – mówi.

– Tak.

– Jak Kot Avenger.

– Co?

Odsuwa czapkę, jakby organizował swojemu mózgowi dodatkową przestrzeń do myślenia.

– Jeśli coś ma taką mocarną nazwę, musi być wyjątkowe. Jak Hulk.

– Albo jak Czarna Pantera czy Zielona Latarnia.

– Nie, tam są dwa wyrazy.

– Czasami Avengers zwracali się do niego po prostu „Bruce Banner" – mówię. – Może ten kot jest Młotem, bo ma ponurą minę?

– I trzonek?

Patrzymy na siebie i wybuchamy śmiechem. Nasze oddechy są jak trucizna Obcego. Jesteśmy w drodze, by nakarmić kota, którego nigdy wcześniej nie widzieliśmy. Młot jest kotem cioci Marii, ale ona nie jest naszą prawdziwą rodziną. Mama spotkała ją przed eleganckim sklepem „Whole Foods" przy Church Street. Obie w tej samej chwili dostrzegły cenę organicznego mango i wydały taki sam okrzyk. Skończyło się na rozmowie o tym, ile drzew mango mogłyby kupić w Trynidadzie lub Gujanie za cenę tego jednego owocu.

To mama miała karmić kota, gdy ciocia Maria spędza święta z rodzicami na Trynidadzie. Ale mama ma do ułożenia plan lekcji. Jest asystentką nauczyciela w szkole Ulryka. Kiedy w zeszłym roku zmarła moja babcia, mama była zestresowana, że marnuje sobie życie. Chce zostać prawdziwą nauczycielką, więc bierze na siebie mnóstwo dodatkowej pracy.

W czasie gdy mama pracuje, kotem miała zajmować się nasza starsza siostra Melody, ale było już prawie południe, a ona wciąż nie wychodziła ze swojego pokoju. Ja i Ulryk nie chcieliśmy, żeby Młot umarł z głodu, więc zwinęłam klucze do mieszkania cioci Marii z półki nad kaloryferem w korytarzu i powiedziałam mamie, że się tym zajmiemy.

I tutaj będę szczera, Melody mówi, że dom cioci Marii jest trochę dziwny. Więc oczywiście ja i Ulryk chcemy go zobaczyć.

Ciocia Maria mieszka około dwudziestu minut spacerem od nas.

Mamie jest łatwo, bo mieszkanie cioci znajduje się między naszym a szkołą Ulryka. Ulryk zwykle musi czekać na zewnątrz, podczas gdy mama nakłada karmę do miski. Jego zdaniem w środku jest jak w cudownym emporium pana Magorium, pełnym magicznych zabawek. A ja myślę, że ciocia Maria nie miała czasu na zrobienie porządku i za bardzo się wstydzi, żeby wpuścić do środka kogokolwiek poza mamą (mama wie, że Melody nie zauważyłaby żadnego bałaganu; mówi, że jej nogi wyginają się pod specjalnym kątem, żeby mogła przechodzić po wszystkich ubraniach leżących na podłodze swojej sypialni).

Skręcamy na tyłach sklepu z używaną odzieżą i przechodzimy przez wąską uliczkę między sklepem turystycznym „U Chłopaków" a salonem fryzjerskim „Boże, dopomóż". Aleja nie pachnie dobrze. Trochę tak, jakby ktoś nie dał rady zanieść śmieci kilka metrów dalej, by wrzucić je do kosza. Albo nie mógł poczekać, aż dotrze do toalety, żeby się wysikać. Wstrzymuję oddech, dopóki nie docieramy do końca alei.

I w tym momencie uderza we mnie wiatr. Ja i mama oglądałyśmy kiedyś, jak Simone Biles zdobywa złoto na Igrzyskach Olimpijskich w Rio de Janeiro. Mama zapytała mnie wtedy:

– Evie, nie chciałabyś tak samo?

Nieee. Ja na pewno nie. Moje ciało nie chce się poruszać w ten sposób, chociaż wiatr się z tym nie zgadza. Pcha mnie, żebym zrobiła mostek.

Chwytam się ściany. Ulryk wpada na mnie. Łapię go.

– Czy tutaj zawsze tak jest? – pytam go.

– Tak. Mama mówi, że tu jest tunel aerodynamiczny.

– Wierzę jej.

– Tunel aerodynamiczny jest wtedy, gdy budynek o kwadratowej krawędzi...

– Chodźmy nakarmić Młota.

Odsuwam się od ściany, zabierając ze sobą młodszego brata. Skręcamy w ulicę, przy której mieszka ciocia Maria.

To nie jest tak naprawdę ulica, raczej zaułek, w którym ludzie przetrzymują swoje śmietniki na kółkach i porzucają zepsute rowery. Po obu stronach są ogrodzenia z bramami. Trochę zazdroszczę, że ludzie mają tu ogródki. Ja, Ulryk i Melody bawimy się w naszym osiedlowym parku. Jest całkiem w porządku, zwłaszcza od kiedy zbudowano plac zabaw. Ale mieć własny ogród...

Ulryk popycha tylną bramę. Jestem trochę zaskoczona. Myślałam, że będzie zamknięta od środka. Ulryk mówi, że zasuwa pękła, więc brama jest po prostu zaklinowana tak, żeby wyglądała na zamkniętą. Potrzeba wspólnych sił naszych ramion. Jedno mocne pchnięcie i wtaczamy się do środka. Gdybym była Simone Biles, dodałabym szpagat w powietrzu i przewrót w bok.

– Mama na pewno tak tego nie zostawiła – zauważa Ulryk.

Tylne drzwi domu cioci Marii są otwarte. Nie szeroko otwarte, ale widać, że nie są zamknięte. Jak kiedy się trzaśnie drzwiami tak mocno, że znowu się otwierają (Melody tak robiła, kiedy dostawała szlaban od mamy po telefonie od nauczyciela, który narzekał na jej za długie rzęsy albo bronzer; potem chyba znudziło ją bycie wściekłą – w święta Bożego Narodzenia nakrzyczała na mnie tylko dwa razy).

Ulryk rusza w stronę domu. Drewniane drzwi mają szybkę w górnej części. Szybka przysłonięta jest zasłonką. W dwóch małych oknach po obu stronach mieszkania też są zasłony.

Melody ciągle mi powtarza, że mam syndrom średniego dziecka. Sprawdziłam to w Wikipedii i oni tam uważają, że coś takiego nie istnieje. Ale Melody mówi, że nie można wierzyć we wszystko, co czyta się w Internecie. Bo to musi być prawda. Mam ten syndrom. Najwyraźniej jestem zazdrosna o Ulryka, bo zajął moje miejsce najmłodszego dziecka w rodzinie, i wściekła na Melody za przywileje, których ja nie mam. Jak mogę być zazdrosna o Ulryka, skoro teraz za nim biegam?

– Zaczekaj! – krzyczę.

Odwraca się.

– Jestem tu najstarsza! – sapię. – Powinnam iść pierwsza.

– To tylko pomieszczenie gospodarcze – mówi Ulryk.

– Co to znaczy?

– No, na pralkę i takie tam.

– Pralka ma swój własny pokój?

Ja nie miałam własnego pokoju aż do zeszłego lata, kiedy w końcu przeprowadziliśmy się do nowego mieszkania.

– Patrz! – Ulryk kuca przy stopniu prowadzącym do drzwi. – To brokat!

– Może pralka urządziła imprezę – mówię.

Ulryk marszczy nos, przepycha się i wchodzi od razu. Ale...

Za rogiem może czaić się morderca z nożem.

Może tam być śmiertelna pułapka z niewidoczną żyłką i bombą.

W pułapce może być trup, ponieważ wpadł w nią morderca.

– Ulryk!

Jego twarz ponownie wychyla się zza drzwi.

– Musisz to zobaczyć.

Wchodzę do domu. Pomieszczenie gospodarcze otwiera się na coś w rodzaju kuchnio-jadalnio-barłogu. To trochę dziwne, że jest osobne pomieszczenie do prania, ale nie do gotowania. Nie widzę telewizora, ale na stole naprzeciw pustej ściany stoi projektor, jednak bez laptopa. I wtedy to dostrzegam. Pamiętacie, jak mówiłam, że ciocia Maria nie chce żadnych gości poza mamą, bo prawdopodobnie nie posprzątała? Cóż, chyba miałam rację.

Nie widzę podłogi. Jest pokryta pudełkami po pizzy i puszkami po coli. Nadeptuję na foliową torebkę, która mówi, że kiedyś w jej środku były pączuszki drożdżowe. Szuram nogami. Chciałam zażartować o pralkach żądnych imprez, ale to nie byłoby śmieszne. Ten rodzaj bałaganu nigdy nie jest zabawny. Wiem, bo mama sprzątała ludziom domy, zanim została asystentką. Zatrudniano ją po imprezach i musiała dotykać różnych paskudnych rzeczy, na które się natknęła. Nienawidziła tego, ale mogła pracować, kiedy my byliśmy w szkole.

Spotkałam ciocię Marię tylko kilka razy, ale nie wyglądała na osobę, która jada w tanich pizzeriach.

Ulryk podnosi pudełko. W środku został jeden kawałek. Wiem, że chłopak rośnie, ale przecież już zjadł śniadanie.

– Ulryk! Nawet o tym nie myśl!

– Nie myślę! Wiesz, że nie lubię szynki i ananasa! Naprawdę nic nie kumasz?

Kumam, że ciocia zamieniła swój pokój w wysypisko śmieci.

– Nie jest spleśniała – mówi Ulryk.

– Może ciocia zamawia bez pleśni.

– NIE! To znaczy, że to nie jej. Została zamówiona już po tym, jak ciocia wyjechała na wakacje.

– Jacyś ludzie się włamali i zamówili pizzę?

Ulryk delikatnie stawia pudełko na podłodze.

– Tak musieli zrobić.

Rozlega się mocne pukanie do drzwi wejściowych. Zamieramy oboje. Kolejne mocne pukanie.

– To może być kot – mówię. – Może właśnie dlatego ma na imię Młot.

Ulryk wzdycha.

– Koty nie potrafią zaciskać pięści, Evie. Otworzysz?

– Ja...

– Zamierzasz odezwać się tym swoim dziwnym głosem?

– Nie mam żadnego dziwnego głosu.

Ulryk chichocze. Czołgam się na górę. Ciocia Maria mieszka w jednym z tych dziwnych domów, gdzie tył jest na innym poziomie niż front. Schody są pomalowane na jaskrawą biel, nie widać na nich żadnego kurzu ani plam. Na ścianie w korytarzu wiszą płaszcze, po jednym na każdym wieszaku, żadnych stert kurtek czy bluz z kapturem, jak u nas.

Pod spodem jest półka pełna butów. Dostrzegam wysokie tenisówki. Para niebieskich i para brokatowych, Może stąd ten brokat na schodach.

Dzwonek i jeszcze mocniejsze pukanie w drzwi. Próbuję je otworzyć. Nawet nie drgną.

– Musisz je odblokować – mówi Ulryk.

– Wiem.

– A nie zrobiłaś tego, bo...

Wyciągam klucze z kieszeni. Ulryk patrzy, jak trzy razy próbuję znaleźć ten właściwy. Wreszcie!

Udało się. Kobieta na progu wygląda na Somalijkę. Ma kreskę na powiece tak idealną, jakby została zrobiona na komputerze. Kiedyś wyjęłam jeden z eyelinerów Melody z jej wielgachnej kosmetyczki i wypróbowałam. Skończyło się na tym, że wyglądałam, jakbym miała dwie pary brwi, a kolejne jeszcze pod okiem. Szminka kobiety jest ciemnoniebieska, jakby też eksperymentowała z kosmetykami Melody.

Kobieta patrzy na nas.

– Czy Maria wróciła?

– Obawiam się, że nie. – Dziwny głos! Naprawdę mówię dziwnym głosem przy drzwiach. – Ciocia Maria wróci z Trynidadu dopiero w piątek.

– Z Trynidadu? – Kobieta unosi brwi. – Pożyczyła moją puchową kurtkę. Moja siostra wspinała się w niej w górach. – Wzrusza ramionami. – Wy kim jesteście?

– Jestem Evangeline. Ulryk i ja przyszliśmy nakarmić Młota. Zwykle robi to nasza mama, ale teraz pracuje.

Kobieta kiwa głową.

– Widziałam ją. Mieszkam tam. – Wskazuje na dom po drugiej stronie ulicy. – Po prostu sprawdzam, czy wszystko w porządku. Zwłaszcza po tym, jak zeszłej nocy była tu policja.

– Policja? – Ja i Ulryk mówimy to razem.

– Hałas. – Kobieta powoli kręci głową. – Maria nie jest typem imprezowiczki. Nigdy nie była. A zeszłej nocy... głośna muzyka, dostawa fast foodów... Ktoś wezwał policję.

Ktoś. Żeby pasować do naszej rodziny, trzeba umieć na pierwszy rzut oka rozpoznać winę na czyjejś twarzy.

– Co się stało, kiedy przyjechała policja? – pytam.

– Nic. Sądzę, że ten, kto tu był, szybko uciekł tylnym wyjściem. Czy coś zginęło?

– Nie wiem – mówię. – Ale zostawili bałagan. Mój brat i ja właśnie mieliśmy zacząć sprzątać.

Zacząć sprzątać. Ulryk znów chichocze.

– Cóż, nie używajcie odkurzacza. Biedny kot nienawidzi głośnych dźwięków. Dlatego ja... Hmm... ktoś wezwał policję. Widzieliście dzisiaj Młota?

Ulryk i ja patrzymy na siebie. Uhm. Jeszcze nie.

– Cóż, lepiej sprawdźcie, czy nic mu nie jest. Marii pękłoby serce, gdyby straciła jeszcze jednego.

– Zrobimy to – mówię. – Dziękuję. – Zamykam drzwi.

– Mam nadzieję, że nie wystraszyli Młota – dodaje Ulryk.

– Sprawdzimy na górze?

Idziemy z Ulrykiem po schodach. W połowie drogi zaglądamy szybko do łazienki. Na samej górze są sypialnie, dwie z przodu domu i jedna na tyłach. Naciskam klamkę w jednej z przednich sypialni. Jakaś część mnie chciałaby, żeby była zamknięta. Wchodzenie bez pozwolenia jest niegrzeczne. Melody dobrze mnie wyszkoliła.

Drzwi otwierają się z łatwością, a ja zaglądam do środka.

Pomieszczenie jest tej samej wielkości co pokój Ulryka, z biurkiem, półką na książki, mapą na ścianie i wiatrakami.

Wiatraki? W sklepie „Wszystko za funta" jest duży kosz pełen plastikowych wiatraczków dla dzieci. Na półkach stoją modele wiatraków, takich, w których kiedyś robiono mąkę. Są różnej wielkości i z różnych materiałów – drewniane i plastikowe, jest nawet duża szklana bańka z ostrzami w środku. Chcę podejść i przyjrzeć się bliżej, ale drogę blokuje mi ogromny elektryczny wentylator. To model, który mają na stacjach metra, żeby personel nie musiał ściągać zbyt wielu omdlałych ludzi ze schodów ruchomych.

– Może to ciocia Maria jest jednym z Avengersów – mówię. – A nie Młot. I przeprowadza tu jakieś modyfikacje genetyczne.

Oczywiście żartuję, ale co, jeśli w drugim pokoju są szklane gabloty Tony'ego Starka zapełnione latającymi kombinezonami i bronią obcych? Zerkam na książki. Wszystkie dotyczą nauki. Jedyne nazwisko, które rozpoznaję, to William Kamkwamba. Jest wynalazcą z Malawi. Był bohaterem jednej z akademii w szkole podstawowej.

– Młota na pewno tu nie ma – mówię.

Zamykam drzwi, a Ulryk próbuje otworzyć następne.

– Zamknięte – stwierdza.

Nadal trzymam klucze w dłoni.

Ulryk na nie wskazuje.

– Hej! Spójrz, Evie!

Przyglądam się dokładnie swojej dłoni i kluczom. Znajdują się na nich drobinki srebrnego brokatu.

– I pizza z szynką i ananasem – mówi i kiwamy do siebie porozumiewawczo głowami.

Wszystko jasne. Tajemnica rozwiązana. Teraz musimy tylko znaleźć Młota. Otwieram drugie drzwi i Ulryk naciska na klamkę.

– O rany! – mówimy razem. Nie spodziewaliśmy się tego. I nie mam wcale na myśli latającego kombinezonu Iron Mana.

Są tam dwa metalowe drążki na ubrania. Żadnych latających kombinezonów ani niczego podobnego. Drążki zapchane są letnimi ubraniami, sukienkami, spódnicami i szortami. Na drążku na buty wiszą sandały i klapki. To Komnata Z Ubraniami, Które Zabierasz Na Wakacje Do Trynidadu, ale ciocia Maria zamknęła je, jakby popełniły przestępstwo.

Ulryk przegląda sukienki, podwija ich rąbki i zagląda pod spód.

Ulryk? To trochę dziwne.

– Młot może być gdzieś tutaj. Może tęskni za ciocią Marią.

– Koty nie są lojalne – mówię. – Poszukajmy w ostatnim pokoju.

Ponownie zamykam drzwi, na wypadek gdyby któreś szorty planowały ucieczkę.

Naciskam klamkę sypialni na tyłach. Jakaś część mnie chciałaby, żeby była zamknięta, bo to może być pokój cioci Marii. Drzwi się jednak otwierają – łóżko, szafy, półki, nic nadzwyczajnego. Nad posłaniem wisi obraz przedstawiający kota. Zupełnie jak te tandetne, które można kupić w sklepach z używanymi rzeczami.

Ulryk wydaje przeraźliwe dźwięki, które, jak przysięga, są zrozumiałe dla kotów. Ale nawet jeśli Młot naprawdę potrafi je zrozumieć, to nie odmiaukuje.

– Sprawdzę pod łóżkiem – mówi Ulryk.

Powinnam go powstrzymać, bo to wydaje się niegrzeczne. Ale byłoby jeszcze bardziej nieuprzejmie, gdyby ciocia Maria znalazła pod łóżkiem szkielet kota. Ulryk bierze mój telefon i świeci latarką. Znowu wstaje i kręci głową.

Bulgocze mi w żołądku. A jeśli Młot naprawdę zniknął? To nie nasza wina, ale jeśli my to odkryjemy, podejrzenia spadną na nas. Ulryk już maszeruje z powrotem na dół. Doganiam go przy drzwiach wejściowych.

– Może poprosimy sąsiadów, żeby sprawdzili swoje składziki? – proponuję.

– A co z tym tutaj?

To frontowy pokój na pierwszym piętrze (lub frontowy pokój na parterze, jeśli wejdzie się od przodu). Uchylam lekko drzwi i w tym momencie kometa z futra i wąsów wystrzeliwuje i śmiga w dół po schodach.

Podążamy za nią, wołając ją po imieniu, co sprawia, że brzmi to tak, jakbyśmy jej grozili. Zatrzymuje się w pomieszczeniu gospodarczym, siada i patrzy na nas. Jest czarną futrzastą kotką z wąsami tak długimi jak jej ciało oraz oczami, które mogą być równie dobrze zielone, jak i niebieskie.

Ulryk wyciąga do niej rękę. Nie zostaje podrapany, więc podnosi ją i chowa twarz w jej futrze.

– Pewnie jest głodna.

– Cóż, jeśli lubi pizzę, to po sprawie.

– Bardzo śmieszne.

Na podłodze obok suszarki stoi taca z pustym naczyniem na karmę i ogromną miską wody.

Idę i opłukuję naczynie na karmę. Kiedy wracam, Ulryk trzyma w jednej ręce pudełko chrupków łososiowych, a w drugiej mały elektryczny wentylator.

– Czy Młot życzy sobie, żeby jej śniadanie było wyjątkowo zimne? – pytam.

– To po prostu dziwne, że przy kociej karmie jest wentylator – mówi.

Myślę, że gdybyśmy rozbili się i wylądowali z Ulrykiem na bezludnej wyspie i uratowano by nas dopiero dziesięć lat później, i tak nie wystarczyłoby nam czasu, aby uzgodnić, co jest dziwne, a co nie. Wentylator w tej samej szafce co karma dla kotów? W naszym mieszkaniu wszystko jest na kupie. Nie mamy miejsca na grymaszenie.

Ulryk wsypuje chrupki do miski. Ma ten wyraz twarzy, wyraz twarzy lisa, który dorwał mięsiste skrzydełka kurczaka. Mija mnie, wchodząc po schodach.

– Poczekaj! – wołam za nim. – Musimy posprzątać!

Tup. Tup. Tup. Stop.

Wzdycham, podbiegam i dołączam do niego przy frontowych drzwiach. Wpatruje się w pokój, w którym znaleźliśmy Młota. Niewiele widzę. Zasłony są zaciągnięte. Zapalam światło i widzę kota na rowerze. Ma na sobie żółtą koszulkę i niebieskie szorty z lycry oraz srebrny kask, który zjechał do tyłu, więc futro na jego głowie owiewa wiatr. Jest pochylony do przodu i pazurami trzyma kierownicę. Nie jest sam. Za nim jest mnóstwo innych kotów ścigających się na rowerach.

Obraz wisi w honorowym miejscu nad kominkiem.

– To peleton – oznajmia Ulryk.

Przytakuję (mama nauczyła się tego słowa, kiedy miała obsesję na punkcie wyścigów kolarskich podczas Igrzysk Olimpijskich w Londynie w 2012 roku; teraz używa go nawet wtedy, gdy dwóch starych facetów na rowerach czeka, aż światła zmienią się na zielone). To niejedyna kocia rzecz w pokoju. Właściwie znajdują się tu wyłącznie kocie rzeczy. To jakby Kocie Królestwo z filmu „Powrót Kota" przeniknęło do świata cioci Marii. Jest mnóstwo figurek kotów, lampa z podstawką w kształcie pręgowanego kota, a na sofie poduszki w kształcie kocich pyszczków z trójwymiarowymi wąsami. I jest więcej dziwacznych obrazów. Paralotnia dla kota. Kot, który zawisł w powietrzu na spadochronie. Kot dmuchający...

– To eufonium – mówi Ulryk, podczas gdy mój mózg formuje raczej słowa „olbrzymi trąbkowaty puzon".

Na ścianie naprzeciwko okna są też różnej wielkości zdjęcia w ramkach.

– To ten sam kot – mówię. – Na wszystkich zdjęciach.

Podejrzewam, że przez większość życia nie umiałam odróżnić jednego pręgowanego kota od drugiego, ale nawet ja widzę, że wszystkie te koty mają takie same bardzo długie wąsy, a jedna z ich łap jest ciemnoszara. I nagle moje myśli wędrują ku mamie w pierwszych miesiącach po śmierci babci. Wracaliśmy do domu ze szkoły i widzieliśmy na stole w kuchni albumy pełne zdjęć z czasów, gdy mama była dzieckiem. Próbowała je ukryć, kiedy wchodziliśmy. Słyszałem, jak mówiła tacie, że nic nie może wypełnić pustki, którą babcia pozostawiła w jej sercu.

– Myślisz, że to kot, którego ciocia Maria miała przed Młotem? – pytam.

– Tak.

Wychodzimy, upewniając się, że cicho zamknęliśmy za sobą drzwi. Spoglądam na niego. Wciąż ma ten lisio-
-skrzydełkowy wyraz twarzy.

– Nie chcesz wiedzieć? – mówi Ulryk.

– Wiedzieć czego?

Oczywiście jest wiele rzeczy, które chciałabym wiedzieć, ale większość z nich to... cóż, nie będę o nie pytać młodszego brata.

– O wiatrakach i obrazach z kotami – mówi. – I zamkniętych w pokoju ubraniach.

Niby chcę, ale i nie chcę. Jestem ciekawa, owszem, ale głupio mi wtykać nos w sekrety cioci Marii.

– Muszę sprawdzić ogród – mówi Ulryk.

– Po co?

Ale już go nie ma. Zanim wychodzę na tył domu, Ulryk jest już pośrodku trawnika i wykonuje powolny obrót.

– Chodź, Evie! Też to zrób! – woła.

– NIE!

– Proszę!

Jeśli naprawdę syndrom średniego dziecka istnieje, to oznacza tyle, że masz zadowolić wszystkich.

– Musisz, Evie. No, powiedz mi, co widzisz.

Wzdycham. Mam nadzieję, że palce u stóp mi nie zamarzną. Idę i staję obok niego. Obracam się. Powoli. Co widzę? Płot. Brama. Duża drewniana skrzynia

na kompost. Klomby bez kwiatów. Liście i gałęzie. Suszar-
ka na pranie. Płot. Brama... Ulryk idzie i zagląda do kom-
postownika. Przestaję się obracać.

– Nie wiem, co cioci z tego wyrośnie – mówi.

Idę i zaglądam do skrzyni, po czym szybko się cofam.
Jeśli cokolwiek miałoby się złożyć w zbroję Iron Mana
z rękawicą, by złapać mnie za gardło, musiało być właśnie tam. Ciocia Maria kompostuje furę metalowych rzeczy. Może niektóre z nich to części samochodowe, chociaż
nie rozpoznałabym części do samochodu, nawet gdyby
przejechała mi po stopie. Są tam przedmioty, które wyglądają jak trzepaczka, metalowe wiosła, silniki i trybiki.
Wszystko jest dość zardzewiałe.

– Ciocia Maria jest kosmitką – mówię. – I buduje sta-
tek, który zabierze ją z powrotem do galaktyki Kosmiczna
Podkowa.

Ulryk kręci głową. Musiał już to poważnie przemyśleć.

– Czy zauważyłaś w ogrodzie coś jeszcze?

– Trawę. I rośliny.

– To dlatego, że to ogród, Evie. Widzisz to?

Patrzę w stronę, którą wskazuje Ulryk. Pod krzakiem
znajduje się drewniany znacznik, jest mały, więc łatwo
go przegapić. Podchodzimy i przyglądamy się. To niewielki wiatrak zaplątany w kilka roślin. Pozwoliłam Ulrykowi przykucnąć, żeby lepiej widział, a i tak jest już bliżej
ziemi.

– Tu jest napisane: „Tłok. Stracony 25 lipca 2019 roku. Przepraszam, że pozwoliłam ci paść".

Wiem, że ludzie mogą lubić sprzęty gospodarstwa domowego, ale czy na tyle, by urządzać im pogrzeb? A jak w ogóle można pozwolić paść tłokowi? On powinien spaść. Potem znowu pójść w górę. Potem w dół. Następnie...

Ulryk stuka mnie w ramię.

– Myślę, że teraz rozumiem – mówi.

– Rozumiesz co?

Miałam słowa w głowie. Moje usta były otwarte, gotowe, ale żaden dźwięk z nich nie wyszedł. Ten głos należał do mamy. I właśnie w tej sekundzie tylna brama gwałtownie się otwiera, po czym bardzo szybko pojawiają się w niej mama i Melody. Siostra wygląda, jakby była gotowa zakopać mnie i Ulryka pod krzakiem obok tłoka. Szczerze mówiąc, mama nie wygląda inaczej.

– Co tak długo?! – woła. – Martwiłam się o was!

– Byliśmy... – Patrzę na Ulryka w poszukiwaniu inspiracji. On wciąż wpatruje się w grób pod krzewem.

Melody klepie mamę w ramię.

– Teraz, gdy wiemy, że nic wam nie jest, możecie wracać z mamą do domu. – Patrzy groźnie na mnie i Ulryka. – Zostanę i upewnię się, że z kotką wszystko w porządku.

– Nakarmiłem ją – uśmiecha się Ulryk. – Wszystko z nią okej. Ale prawdopodobnie będziesz musiała posprzątać cały ten pizzowy syf, Melody.

Cisza. Nawet tunel aerodynamiczny wstrzymuje oddech.

Potem mama mija nas i podąża w kierunku pizzowego dywanu. Melody jakby unosi się za nią. Słyszymy, jak mama głośno przeklina. Słychać ją nawet z zewnątrz.

– Melody Jacklean Ramsey! Chodź tu natychmiast!

Wezwanie pełnym imieniem i nazwiskiem. To oznacza konfiskatę telefonu i uziemienie. Melody obrzuca nas wściekłym spojrzeniem. Hej, laska, to nie my napychaliśmy się tutaj obrzydliwą pizzą z ananasem, prawda? Powinnaś była posprzątać!

Ja i Ulryk idziemy za nimi w bezpiecznej odległości. Nie chcemy tego przegapić.

Mama trzyma w ręce torebkę po drożdżowych pączuszkach.

– Co tu się, u diabła, stało?

Z bliska wciąż mogę dostrzec brokatową linię na brwi Mel. Stało się to, że moja siostra i jej kumple postanowili spotkać się w pustym domu cioci Marii. Grany był też makijaż. Melody się teraz nie odzywa. Mama składa puste pudełka po pizzy.

– Przynieś mi worki na śmieci, Ulryku! Leżą obok pralki.

Ulryk przemyka obok mnie do pomieszczenia gospodarczego.

– Sprowadziłaś tu swoich przyjaciół, Melody?

Mama mówi to tak, jakby od razu zakładała, że odpowiedź „nie" nie wchodzi w grę.

Przez głowę Melody przelatuje myśl (dzieliłam z nią pokój na tyle długo, żeby poznać jej mimikę, nawet gdy myśli przelatują tak szybko, że zostawiają tylko dym). To myśl o okłamaniu mamy, która eksploduje jednak cicho w jakiejś bezpiecznej części głowy, ponieważ Melody mówi:

– Tak jakby.

Mama nieruchomieje. Wyprostowana. Z rękami na biodrach.

– Tak jakby? Kto tu był?

Policzek Melody drży.

– Kamasi.

– Brat Jordana?

– Tak.

Jeśli tak, to mama może odetchnąć. Kamasi jest starszy, ale rozsądny. Od lat opiekuje się młodszymi braćmi i siostrami, ponieważ jego rodzice nie są w tym zbyt dobrzy. Ale policzek Melody wciąż drży. Więc było ich więcej.

– I Michael.

Och. To najlepszy przyjaciel Kamasiego. Ma piętnaście lat i jeździ na jednym z tych skuterów. Bez kasku. Bez odblasków. Bez kultury, według mamy.

– Ktoś jeszcze? – pyta mama.

– I Joy. – Policzek Melody się rozluźnia.

Joy urodziła się w tym samym szpitalu co Melody, na łóżku obok. Zawsze były przyjaciółkami.

– Więc co się stało? – Mama macha ręką w stronę pudełek po pizzy. – Poza tym.

Policzek Melody znów się porusza.

– Melody? – Głos mamy sugeruje uziemienie, ale nie takie zwyczajne. To uziemienie, które będzie trwać aż do czasu, gdy nastąpi zjazd rodzinny wszystkich wnuków bohaterów serialu „Przyjaciele".

Melody przełyka ślinę. Potem wyjmuje telefon. Grzebie w nim przez chwilę i podaje mamie.

– Obiecaliśmy nikomu nie pokazywać – mówi cicho.

Mama wpatruje się w ekran. Melody ją obserwuje. Żadna z nich nic nie mówi. Potem Ulryk wraca z workami na śmieci. Wyrywa telefon z ręki mamy.

– Ulryk! – wrzeszczy Melody, próbując odebrać mu telefon.

Ulryk spogląda to na nią, to na mamę, i z powrotem na nią.

– Laska! – mówi. – Ty to zrobiłaś?

Melody nie do końca umie ukryć uśmiech. Kiwa głową.

– Musisz pokazać Evie!

Melody wzdycha, po czym oddaje telefon Ulrykowi, który mi go przynosi. Przewijam zdjęcia, a potem patrzę na Melody. Posyła mi lekki uśmiech. Odwzajemniam go. Widzę, co się stało. Kamasi i Michael siedzieli i pozwalali Melody robić sobie makijaż. Nie tylko usta i brwi, Kamasi zamienił się w Kamaji ze „Spirited Away". Melody wykonturowała mu twarz, więc jego głowa jest spiczasta. Namalowała okulary takie, jakie ma Kamaji, a nawet brodę. A Michael to Ryuk, bóg śmierci z „Death Note", moja ulubiona postać. Z Joy Melody zrobiła Harley Quinn, i to z dodatkiem brokatu.

– Nie wiedziałam, że tak potrafisz, Melody!

– Nigdy nie pytałaś.

OK. Zwykła Melody powróciła. Szczególnie że mama wyciąga rękę, by wziąć ode mnie telefon, po czym wsuwa go do kieszeni.

– Mamo!

– Jesteś bardzo utalentowana, Melody. Ale nadal też bardzo uziemiona. Jeśli możesz, wykrzesz z siebie trochę entuzjazmu, żeby to szybciej posprzątać. Może wtedy częściowo ci daruję.

Melody zabiera Ulrykowi rolkę worków na śmieci i odrywa jeden.

– Mamo?

Spoglądam na Ulryka. Daję mu znaki brwiami. Mówię mu bezgłośnie „nie!", bo kiedy powie „mamo" tym swoim tonem, to wszystko, co następuje później, wiąże się z czymś wybuchem zażenowania. Ulryk mnie ignoruje.

– Mamo?

– Tak, Ulryku.

Mama jest zbyt zajęta wpychaniem nieżywych pudełek po pizzy do worków, żeby zwrócić uwagę na jego ton.

– Czy ciocia Maria buduje maszynę do chłodzenia kotów?

Melody śmieje się głośno. Mama nie. Moje brwi unoszą się i pozostają w górze.

– Miała kota o imieniu Tłok, prawda?

Och! Teraz to ma sens. Tak jakby. Młot i Tłok. Może zaczynała tworzyć ligę zapaśniczą dla kotów. Chociaż zwykle zapaśników nie chowa się w swoim ogrodzie.

Mama kiwa głową.

– Tak. Zmarł kilka lat temu.

– W najgorętszy dzień w roku – mówi Ulryk.

25 lipca! Teraz to pamiętam! Szkoła dopiero co się skończyła, zaczęły się wakacje, ale mama nie chciała nas wypuścić z domu. Powiedziała, że ani krem z wysokim filtrem, ani nasza naturalna melanina nie ochronią nas przed takimi promieniami.

Mama znowu kiwa głową.

– Maria poszła z przyjaciółmi na piknik nad stawy w Hampstead Heath. Została dłużej, niż zamierzała. Biedny kot nie mógł schronić się w cieniu, bo klapa w drzwiach była ustawiona tylko na wyjście.

Mama odwraca się od nas i zgniata ostatnią z serwetek. Melody otwiera worek, żeby mogła wrzucić je do środka.

– Tak naprawdę nie pojechała do Trynidadu – mówi Ulryk.

– Powiedziała mi, że jedzie do Trynidadu – mówi cicho mama. – Nie zamierzałam jej wypytywać. To nie moja sprawa.

– Poszliśmy na górę... – mówi Ulryk.

– Żeby szukać Młota – dodaję szybko.

Skrzywiona twarz mamy się rozluźnia.

– W jej gabinecie jest mapa – mówi Ulryk. – To nie Trynidad. To inny kształt.

– To Szetlandy – mówi Melody.

Wszyscy na nią patrzymy. Melody nie słynie z umiejętności rozpoznawania wysp. Wzrusza ramionami.

– Ja też szukałam kotki. Trochę mnie jednak przeraziły te wszystkie wiatraki.

– Widziałaś jej książki? – mówię. – Jest jedna autorstwa Williama Kamkwamby. – I kiedy to mówię, wszystko zaczyna wskakiwać na swoje miejsce. – Zbudował dla swojej rodziny turbinę wiatrową ze starych części samochodowych.

Mama wygląda teraz na naprawdę zdezorientowaną.

– A wszystkie letnie ubrania cioci Marii są zamknięte w innym pokoju – mówi Ulryk.

– I jest kot na rowerze – mówię.

– Przestańcie! – Mama rozkłada ręce, jakby była Doktorem Strange'em, który wyczarowuje portal, a ja nagle mam ochotę wpaść w dziurę i być gdzie indziej, bo mama ma rację. To nie jest nasza sprawa. Ręce mamy opadają na boki. – Nie wiedziałam, co ze sobą zrobić, kiedy zmarła moja mama.

Ja i Melody spoglądamy na siebie. Mama była wtedy dużo bardziej krzykliwa, ale czasami zakładała słuchawki, słuchała muzyki i ignorowała nas wszystkich.

– Jest to szczególnie trudne, ponieważ tak naprawdę jej nie znaliście. Była tak daleko.

Zdaję sobie sprawę, że ja, Ulryk i Melody podeszliśmy bliżej mamy.

– Nie mówiłam o tym – tłumaczy mama – bo nie chciałam patrzeć na reakcje innych. Tak trudno jest myśleć o tym, że ktoś, kogo się kochało, po prostu odszedł. Ja tak się czułam, bo umarła moja mama, ale co, jeśli umiera zwierzak?

– Mama zwierzak? – pyta Ulryk.

Szturcham go delikatnie w plecy. Ale mama śmieje się głośno i obejmuje go ramieniem. Całuje czubek jego głowy.

– Ludzie nie zawsze traktują śmierć zwierząt poważnie – dodaje. – Maria była bardzo poruszona tym, co stało się z Tłokiem, zwłaszcza że winiła siebie. Teraz jest bardzo opiekuńcza w stosunku do Młota, ale trochę się tego wstydzi.

– Ta kotka jest naprawdę futrzasta – mówi Melody. – Mogłaby się łatwo przegrzać.

Ja i Ulryk kiwamy głowami.

– Nie wszyscy są tak wyrozumiali jak wasza trójka – uśmiecha się mama. – Przypuszczam, że łatwiej było powiedzieć, że wyjechała odwiedzić rodzinę w Trynidadzie, niż... Mama drapie się po głowie. – Szetlandy? Dlaczego Szetlandy?

Wyciągam telefon i sprawdzam.

– To jedno z najbardziej wietrznych miejsc w Wielkiej Brytanii.

Ulryk kiwa głową, jakby mocno wbijał sobie ten fakt w pamięć.

– I to wszystko dla ciebie – mówi mama.

Rozglądam się. Młot weszła do pokoju. Trudno stwierdzić, czy jej futrzasty pyszczek jest szczęśliwy, ale wiem, że ma pełny brzuch i może wreszcie chodzić po podłodze, nie przyklejając się do resztek ciasta. Owija się wokół stóp Ulryka. On ją podnosi, a ona mruczy tak potężnie, że nie zdziwiłabym się, gdyby Ulryk zaczął wibrować. Tulimy się wszyscy do siebie tylko na kilka sekund, po czym mama się odsuwa.

– Jeśli potajemnie nie wynalazłaś maszyny do sprzątania, Melody, to lepiej idź i znajdź szufelkę i szczotkę.

Melody kiwa głową, ale ja, ona i Ulryk wymieniamy spojrzenia.

– To która z nas jest bardziej podobna do babci? – pytam.

Mama uśmiecha się szczerze, co sprawia, że jej twarz promienieje.

– Cóż – mówi. – Niech no się przyjrzę...

PS Właściwie wiem, dlaczego Młot nazywa się Młot. To dlatego, że była największa z miotu i lubiła deptać po swoich braciach i siostrach. Mama mówi, że nie możemy jeszcze powiedzieć tego Ulrykowi, żeby nie zniszczyć jego niewinności.

MAISIE CHAN

TRZEBA ZŁODZIEJA NA ZŁODZIEJA

ŚCIŚLE TAJNE

WŁASNOŚĆ KLUBU ŚWIĄTECZNYCH ZBRODNI

TRZEBA ZŁODZIEJA NA ZŁODZIEJA

Maisie Chan

W tym roku nie mogłam doczekać się normalnych świąt. Miało być zupełnie inaczej niż w zeszłym roku, kiedy to mama kazała mi przebrać się za elfa i namówiła babcię So Kim, żeby zabrała mnie na kolędowanie do najbogatszej dzielnicy miasta. Nie wiedziałam, że miałam prowadzić dywersję. Prawdopodobnie powinnam śpiewać „Chwała na wysokości, chwała na wysokości... niech u was lepszy system ochrony zagości". To dlatego, że... i nie jest łatwo to powiedzieć... moja mama była najlepszą i owianą najgorszą sławą włamywaczką w mieście. Była złodziejką zwaną Białym Królikiem, ale porzuciła to ze względu na mnie.

Kłóciłyśmy się cały czas, ponieważ nie wolno mi było zapraszać do siebie przyjaciół, żeby przypadkiem nie znaleźli jej skrytki. I zawsze nocowałam u babci

So Kim, kiedy mama była w pracy, czyli w zasadzie wtedy, gdy kradła klejnoty ludziom, których nazywała „obrzydliwie bogatymi". Nie wiem, jak bardzo byli „obrzydliwi". Chciałam tylko, żeby w tym roku mama nie pracowała i nie ukrywała się przed policją, tylko abyśmy były razem.

– Dlaczego nie możesz być bardziej podobna do mamy Jade? – błagałam ją przed szkołą kilka miesięcy temu. Mama przyjechała po mnie swoim wypasionym mercedesem benz. Mama Jade jeździła volvo, zdaniem Jade, najbezpieczniejszym samochodem, jaki można kupić.

Moja mama zerknęła na mamę Jade i prychnęła.

– Do mamy Jade! Żartujesz? – spytała, odrzucając swoje długie czarne włosy na plecy. – Mama Jade pracuje jako miejska policjantka. Ten mundur przyprawiłby mnie o pokrzywkę. Wyobrażasz mnie sobie w tym poliestrowym koszmarze?'

Wzruszyłam ramionami, bo nie wyobrażałam sobie. Widzicie, mama była trochę glam, i miała czterdzieści czarnych obcisłych dizajnerskich kostiumów, które nosiła do pracy. Pewnie zastanawiacie się, dlaczego w takim razie nazywano ją Białym Królikiem. Cóż, tak się nazywają jej ulubione chińskie słodycze. Są mleczne i pyszne. I nie są czarne jak jej stroje. Powiedziała mi:

– Almo, kocham cię. Ale uwielbiam też być najsławniejszą włamywaczką w mieście, to wszystko, co potrafię. Uwielbiam słuchać klikania zamków, czuć ekscytację i dreszczyk emocji! I jestem w tym najlepsza. Jest ktoś, kto usiłuje wejść mi w drogę, ale nie ma mowy, żeby był lepszy ode mnie. Jak mogłabym z tego zrezygnować?

Nałożyła porcję fantazyjnego kawioru wielkości piłki golfowej na swoje krakersy Ryvita i zaczęła je przeżuwać. Zrobiłam sobie kanapkę z masłem orzechowym. Mama lubiła piękne rzeczy i zawsze jęczała, że mogę sobie kupić ubrania i dodatki, jakie tylko chcę, zamiast chodzić cały czas w ogrodniczkach i siedzieć z nosem w książkach. Ale to właśnie lubiłam robić.

Jednak w końcu porzuciła dla mnie swoje wspaniałe przestępcze życie i powiedziała, że na pewno odda swoją błyszczącą kasetkę. Co sprawiło, że zmieniła zdanie? Cóż, powiedziałam jej:

– Nie chcę, żebyś siedziała w więzieniu. Dorastałaś, nie widując się zbyt często z tatą, ponieważ co rusz był w więzieniu. Nie chcę skończyć tak samo.

Uściskała mnie mocno i skinęła głową.

– No, skoro tak to ujęłaś – powiedziała, ocierając łzę z oka – poświęcę dla ciebie wszystko!

Tydzień później mama dostała pracę jako ślusarz (miała różne umiejętności), a nawet pomagała na kiermaszu tortów organizowanym przez radę rodziców. Tak między nami, była znacznie lepsza w otwieraniu zamków niż w pieczeniu. Ale wspaniale było mieć ją częściej w pobliżu.

Wychodziła na prostą dopiero od dwóch miesięcy, ale szło jej dobrze. A potem w Wigilię wszystko się zmieniło i była to wina Claude'a Van Twixa (do niego przejdziemy później).

Babcia So Kim i ja zrobiłyśmy w ostatniej chwili świąteczne zakupy i tuż po porze lunchu wróciłyśmy do mieszkania, które wydawało się niesamowicie ciche. Mama miała być w domu i wieszać świecidełka, ale tego nie zrobiła. Zwykle słuchała najnowszych przebojów przez radio lub fałszowała pod nosem k-popowe piosenki, ale kiedy otworzyłyśmy świetnie zabezpieczone drzwi frontowe za pomocą naszych czterech kluczy, skanera siatkówki i rozpoznawania odcisków palców – nie rozległo się charakterystyczne „piip". Było zbyt cicho.

– Może wyszła kupić więcej jedzenia na jutrzejszą świąteczną ucztę w stylu azjatyckiej kuchni fusion? – snuła domysły babcia So Kim. Brzmiało to jednak mało prawdopodobnie.

– Myślisz, że wróciła do pracy? – zapytałam.

Moje gardło nagle zrobiło się suche. Czy mama wróciła do przestępczego życia? Ogarnęło mnie znajome uczucie strachu, które towarzyszyło mi w każdą Wigilię. Mama była poza domem przez całą noc, działając odwrotnie niż Święty Mikołaj, bo nie zostawiała prezentów, ale je kradła, aby dać mi je później, w Boże Narodzenie. W zeszłym roku dostałam wysadzaną diamentami grzechotkę dla niemowląt. To, czego naprawdę wtedy chciałam, to zestaw nowych zeszytów i trochę długopisów żelowych.

– Nie, nie zrobiłaby tego, Almo. Ona się zmieniła – powiedziała babcia So Kim, przytulając mnie mocno.

– Mówią, że kto się złodziejem urodził, złodziejem zostanie, prawda?

– Kto tak mówi, do diaska? Ludzie mogą się zmienić, zaufaj mi, wiem to. – Babcia So Kim spojrzała na mnie i uśmiechnęła się. – Pójdę zobaczyć w łazience. Może mama się kąpie. Albo ma jak zwykle zaparcie, więc wyszła kupić trochę soku śliwkowego. – Babcia ruszyła korytarzem, chichocząc do siebie.

Nie byłam tego taka pewna. Coś było nie tak. Włosy na karku stanęły mi dęba. W mieszkaniu było zimno, mimo że miałam na sobie granatową budrysówkę. Po moim kręgosłupie przeszedł dreszcz.

– Mamo?! – zawołałam, kładąc torby na sofie. Chwyciłam rolkę świątecznego papieru i podniosłam ją jak kij bejsbolowy. Potem na palcach ruszyłam w stronę sypialni mamy. Drzwi balkonowe były szeroko otwarte, zimny przeciąg sprawiał, że firanki łopotały. Zobaczyłam kilka przewróconych doniczek z naszymi wiecznie zielonymi roślinami. – Mamo, jesteś tutaj?

W jej sypialni panował bałagan. Mama była demonem schludności, więc to zdecydowanie nie było normalne. Rozejrzałam się po jej fioletowo-złotej sypialni, próbując zrozumieć, co się dzieje. Potem zauważyłam, że jedna z jej szpilek jest wbita w ścianę. Tu toczyła się jakaś walka! Może policja ustaliła, kim jest? Musi być w więzieniu! To był moment, którego bałam się przez całe życie.

Wyszłam na korytarz, żeby znaleźć babcię So Kim i powiedzieć jej, co widziałam.

Wtedy usłyszałam westchnienie.

Babcia So Kim wystawiła głowę zza drzwi łazienki. Wyglądała bardzo blado.

– Almo, chodź szybko, spójrz na tę wiadomość w lustrze, zanim zniknie!

Kran z ciepłą wodą wciąż był odkręcony, w łazience było pełno gorącej pary. Prawie nic nie widziałam – rozwiałam białą mgłę i podeszłam do lustra. Babcia So Kim zakręciła kran i otworzyła okno, a para zaczęła znikać. Zobaczyłam to. Jedno słowo. POMOCY!

Fakty były takie: mama zaginęła, napisała POMOCY!, doszło do walki. To oznaczało tylko jedno. Ktoś porwał moją mamę! Zabrał Białego Królika!

Pobiegłam do telefonu w salonie i rzuciłam papier na sofę.

– Musimy wezwać policję! – nalegałam. – Mama została porwana przez innego włamywacza!

Ale kiedy podniosłam słuchawkę, podbiegła do mnie babcia, delikatnie wyjęła mi telefon z ręki i potrząsnęła głową.

– Almo, twoja mama nie chciałaby, żebyśmy wezwały policję. Wiesz, jak bardzo nie lubi mamy Jade, mimo że jest urocza. Nie, twoja mama chciałaby, żebyśmy same się tym zajęły. Musimy myśleć jak złodziej, żeby złapać złodzieja. Musimy być jak ona. Wykradniemy ją z powrotem! – Babcia So Kim wyglądała na prawie podekscytowaną. – Ale najpierw potrzebuję filiżanki herbaty.

– Ale od czego zaczniemy?! – wykrzyknęłam.

Babcia So Kim i ja nie byliśmy przebiegłymi złodziejami. Ja zawsze jestem rozmarzona, ona – zbyt przytulaśna i zapominalska. Odłożyłam telefon i usiadłam na sofie. Czy naprawdę potrafiłybyśmy same odzyskać mamę? No i kto ją porwał?

Wysilałam mózg, myśląc o mamie – co ona by zrobiła? Co potrafiła?

Ja zawsze trzymałam nos w książce, nie tak jak mama. Ona była spostrzegawcza, zawsze rozglądała się za tylnymi wyjściami lub kamerami. Zaczęłaby od oceny miejsca zbrodni. Więc ja też to zrobiłam. Rozejrzałam się wokół, żeby sprawdzić, czy z naszym mieszkaniem jest coś nie tak. Salon nie był zabałaganiony tak samo jak sypialnia mamy. Wróciłam więc do jej pokoju, żeby poszukać wskazówek. Ktokolwiek ją porwał, musiał być wyższy od mamy, ponieważ wystający ze ściany but Jimmy Choo był wbity dość wysoko – to oznaczało, że celowała w kogoś wysokiego. Ten ktoś czegoś szukał, bo wszystkie szuflady były otwarte. Potem doszło do jakiejś walki – łóżko było w nieładzie. Czyżby porywacz chciał odnaleźć błyszczącą kasetkę mamy, bo nie wiedział, że ją oddała? Ale po co porywać mamę, skoro nie posiadała niczego wartościowego? Nic z tego nie miało sensu. Coś przy stoliku nocnym przykuło moją uwagę. Dostrzegłam jakąś złotą błyszczącą folię z czerwonym napisem – opakowanie po batonikach Twix. Podniosłam je. To było dziwne. Mama nigdy nie pozwalała mi jeść w sypialni i nigdy nie kupowałyśmy twixów.

– Sprawdziłam frontowe drzwi. Nie zostały wyważone... więc może mama znała porywacza? Znalazłaś tu coś ciekawego? – zapytała babcia. W ręku trzymała swoją kwiecistą LISTĘ RZECZY DO ZROBIENIA, którą zwykle chowała w torbie razem z miętówkami i robótkami na drutach. – Nie mam już takiej pamięci jak kiedyś. Zrobię notatki ze wszystkiego, co znajdziemy – zapowiedziała.

– Mama tego nie jada – stwierdziłam.

Babcia So Kim wzięła ode mnie opakowanie. Zmarszczyła brwi, a potem jej oczy rozszerzyły się jak u buldoga francuskiego, który zobaczył smaczny kąsek.

– Wiem, kto to jest! – wykrzyknęła i zapisała wielkimi literami w notatniku: „PODEJRZANY – CLAUDE VAN TWIX!". – To on! Jest drugim najsłynniejszym włamywaczem w mieście, zaraz po twojej mamie! Nikt nie wie, jak on wygląda. To on ją porwał! Psiakrew! – Babcia So Kim wyglądała tak, jakby chciała wytarmosić Claude'a Van Twixa za uszy za to, że porwał jej córkę. – Jest całkiem nowy w tej okolicy, a mówi się, że lubi słodycze, stąd takie przezwisko.

– To takie głupie. Przestępca, którego ksywa pochodzi od batonów, naprawdę? – rzuciłam sceptycznie.

Babcia So Kim odchrząknęła:

– Ekhem! Twoja mama nadała sobie przezwisko na cześć cukierków Biały Królik, a więc to nie jest takie głupie, prawda?

Gdy tak to ujęła, nie mogłam się spierać.

– Zostawia opakowanie po słodyczach jak wizytówkę – wyjaśniła babcia So Kim. Powąchała papierek i podniosła go do światła. Zapisała wskazówkę. – Jedno opakowanie po czekoladzie.

Pomyślałam, że pozostawienie wizytówki na miejscu zbrodni to głupota.

Claude Van Twix wszystko zepsuł. I zaśmiecił. To jeszcze bardziej mnie złościło. Chciałam po prostu normalnego Bożego Narodzenia, a teraz mama zniknęła. Mogłam zapomnieć o rodzinnych świętach, o których marzyłam. Wzięłam głęboki wdech. Potem zobaczyłam zdjęcie moje, mamy i babci So Kim podczas wakacji w Disneylandzie w Hongkongu.

Tęskniłam za mamą. Mimo że byłyśmy zupełnymi przeciwieństwami.

– Dobra, odzyskamy mamę i BĘDZIEMY mieć wspaniałe święta! – oznajmiłam. – Nie pozwolę, by jakiś drugorzędny przestępca zrujnował nam Gwiazdkę!

– To się nazywa charakter, Almo! – wykrzyknęła babcia So Kim.

Oparłam ręce na biodrach i jeszcze trochę się rozejrzałam.

– Wiemy, że nie wszedł frontowymi drzwiami, bo system zabezpieczeń jest zaawansowany, a my użyłyśmy naszych kluczy, więc musiał wejść przez drzwi balkonowe w sypialni mamy – powiedziałam.

Drzwi były szeroko otwarte, w sypialni zrobiło się zimno. Wyszłyśmy na balkon.

– Spójrz tam! – powiedziałam. – Ta roślina została przewrócona, ziemia się wysypała. Claude Van Twix musiał w nią wdepnąć, a spójrz tutaj... – wskazałam – ... zostawił odcisk buta! Szybko, babciu, daj mi coś do mierzenia!

Babcia So Kim pogrzebała w swojej torbie. Podniosłam rękę, czekając na linijkę lub taśmę mierniczą.

– Mam tylko to – powiedziała babcia, a ja poczułam w dłoni łaskoczący kawałek tęczowej wełny.

– To będzie musiało wystarczyć – westchnęłam. Użyłam wełny do zmierzenia śladu stopy. Był długi. – Masz nożyczki? – zapytałam.

Babcia podała mi nożyczki ze swojej torby.

– Masz tam dużo rzeczy – stwierdziłam, ucinając wełnę we właściwym miejscu.

– Nigdy nie wiesz, kiedy możesz czegoś potrzebować – roześmiała się.

Położyłam wełnę obok własnej stopy. Moja miała rozmiar pięć. Złodziej miał stopy jak olbrzym.

– O ho, ho, ho, cóż za wielką stopę tu mamy – mruknęła zdziwiona babcia So Kim. – Powiedziałabym, sądząc po rozmiarze tego śladu... że to rozmiar dwanaście. A może trzynaście? Znam sklep w mieście, w którym sprzedają buty w wyjątkowo dużych rozmiarach. Od tego powinnyśmy zacząć, ale musimy się pospieszyć!

– Coś mnie jednak niepokoi – zauważyłam. – Jesteśmy na wysokości trzeciego piętra. Jakim cudem on się tu dostał?

Wychyliłam się, żeby zajrzeć za róg budynku, i zobaczyłam klatkę do mycia okien na wysokości, sterowaną za pomocą specjalnej elektrycznej wciągarki. Teraz klatka stała na ziemi. Ale to musiało być to. Odpowiedź jest taka prosta!

– Myślę, że musimy odwiedzić sklep obuwniczy, zanim zostanie zamknięty – ponagliła babcia So Kim. – Przebierzmy się, bo to jeden z tych eleganckich sklepów dla bogatych. Chodźmy zajrzeć do szafy twojej mamy.

Znalazłyśmy kilka idealnych stylizacji. Ja włożyłam melonik oraz czarny garnitur z krawatem i przykleiłam sztuczny wąsik. A babcia So Kim przebrała się za dostawcę – miała kask motocyklowy i dużą kwadratową torbę na plecach.

– Spakowałam tam swoje robótki, na wypadek gdybym się po drodze nudziła – wyjaśniła. – I kilka babeczek budyniowych.

Przybiłyśmy piątkę. Byłyśmy gotowe złapać złodzieja.

Wskoczyłyśmy do autobusu jadącego do centrum miasta. Babcia So Kim przeciskała się między siedzeniami, aż kilka osób zmierzyło ją nieprzyjemnymi spojrzeniami, ponieważ jej ogromna torba obijała się o ludzi. Jakiś mężczyzna krzyknął: „Człowieku, uważaj!", ale wtedy babcia So Kim poczęstowała go jedną ze swoich babeczek, a on się uśmiechnął. Jeśli chodzi o mnie, to strasznie łaskotały mnie wąsy.

Gdy dotarłyśmy do centrum, wszędzie wciąż było pełno klientów robiących świąteczne zakupy. Przedarłyśmy się przez tłum i dotarłyśmy do sklepu obuwniczego oferującego duże rozmiary: EMPORIUM DUŻYCH BUTÓW DLA PANÓW.

Kiedy otworzyłam drzwi sklepu, wewnątrz zadźwięczał złoty dzwoneczek. Poprawiłam sztuczne wąsy, które wciąż mi się zsuwały.

– Dzień dobry – spróbowałam odezwać się męskim głosem.

– Witam pana! W czym mogę pomóc? – powiedział na to mężczyzna o okrągłej piegowatej twarzy, w okularach w rogowej oprawie. Ubrany był w granatowy garnitur i miał bardzo duże stopy. Może to był Claude Van Twix? Musiałabym zmierzyć jego stopy, żeby się przekonać.

– Eee, nie... nie... tylko oglądam. – Zauważyłam, że mężczyzna przypatruje się moim czarnym butom, które należały do mamy. Wypchałam je skarpetkami w okolicy palców. Sprzedawca najwyraźniej dostrzegł, że wcale nie mam zbyt dużych stóp.

Po chwili babcia So Kim weszła za mną do środka.

– Nie zamawialiśmy jedzenia – zakomunikował mężczyzna, wpatrując się w nią.

Ale ona podeszła do bocznej części sklepu, stanęła przy oknie i zaczęła rozprawiać o tym, że nie może cofnąć zamówienia na budyniowe babeczki. Ja z kolei zaczęłam dotykać ogromnych butów na wystawie, nie spuszczając oka z babci So Kim. Nasz plan był taki, że ona, przy pomocy babeczek, odwróci uwagę mężczyzny – na jego piersi przypięta była plakietka z napisem: HUBERT – podczas gdy ja będę próbowała zmierzyć jego stopy tęczową włóczką.

Babcia So Kim zaproponowała mu błyszczący smakołyk.

– Te babeczki to prezent od przyjaciela... Proszę pozwolić, że znajdę wizytówkę.

Podała mu pudełko i zaczęła udawać, że szuka w przepastnej klockowatej torbie wyimaginowanej wizytówki.

Hubert otworzył białe kartonowe pudełko. Zauważył, że jednej babeczki brakuje, ponieważ na dnie leżała biała pusta papilotka. Babcia dała ją przecież facetowi w autobusie.

– Zjadłeś jedną? – zapytał.

Uklękłam na podłodze obok niego. Babcia So Kim potrząsnęła głową i uśmiechnęła się.

– Ja? Nigdy... Jestem niezawodnym dostawcą. Nigdy nie zjadłbym dostawy klienta... ale są pyszne prawda? – zapytała.

Hubert wziął kęs i przymknął oczy z zachwytu – babeczki rzeczywiście były wyśmienite. Okruchy spadły mi na głowę. Udało mi się przeciągnąć kawałek włóczki wzdłuż jego stóp. Wprawdzie były duże, ale włóczka okazała się od nich dłuższa. A więc to nie był Claude Van Twix. Odczołgałam się po cichu. Tak samo pewnie poruszała się mama, kiedy przedostawała się pod wiązkami lasera. Uśmiechnęłam się sama do siebie – to było całkiem zabawne.

– Umm, są bardzo dobre – rzekł Hubert. Spojrzał na babcię So Kim i wyciągnął rękę. – Gdzie jest wizytówka? Chcę wiedzieć, kto je przysłał.

Babcia była trochę zdenerwowana. Szybko pobiegłam do lady, znalazłam kawałek zwykłego papieru i zapisałam go.

– Ach, może tego pan szuka – powiedziałam i wręczyłam mu skrawek. Spojrzał i od razu się zdenerwował.

– Ehm... Claude Van Twix? Nigdy o nim nie słyszałem. – Najwyraźniej kłamał, bo jego akcent mocno się zmienił. Z naprawdę eleganckiego przeszedł w akcent kogoś, kto pracuje na straganie na East Endzie. – Chodzi mi o to, że nigdy nie słyszałem o tym konkretnym dżentelmenie – zapewnił sztucznie wytwornym głosem. Otarł kropelkę potu, która powoli spływała mu po twarzy. – Tu jest naprawdę gorąco – dodał, podbiegł do drzwi i je otworzył. – W każdym razie możesz już odejść – powiedział do babci So Kim.

Poszła powoli w stronę wyjścia, a ja dostrzegłam, że po drodze kiwnęła głową w stronę lady, na której leżała otwarta książka adresowa. Gdy Hubert uchylał przed babcią drzwi, ja podbiegłam do książki. Może uda mi się znaleźć tam adres Claude'a! Przerzucałam strony, ale nigdzie nie znalazłam jego imienia.

Hubert odwrócił głowę w idealnym momencie, by z przerażeniem dostrzec, jak moje wąsy odpadają i przyklejają się do czubka buta. Gdy zdał sobie sprawę, co się dzieje, na jego twarzy odmalowała się wściekłość! Puścił drzwi i zaczął biec w moją stronę. Już miał mnie złapać, kiedy babcia So Kim podstawiła mu nogę, a on wylądował na regale z butami. Obuwie wielkości kajaków spadło na podłogę. Babcia rzuciła się na Huberta i usiadła na nim jak zapaśnik. Wyjęła z torby włóczkę i owinęła ją ciasno wokół jego nadgarstków i kostek. Potem wyciągnęła parę długich drutów.

Pospiesznie przejrzałam pozostałe strony książki adresowej, ale nigdzie nie było wzmianki o Claudzie.

– Będziesz gadał! Wiem, że wiesz, gdzie mieszka Claude Van Twix! – wykrzyknęła babcia So Kim. Nigdy wcześniej jej takiej nie widziałam! Co zamierzała zrobić z tymi drutami? – To jedyny sklep obuwniczy z dużymi rozmiarami w promieniu stu mil.

– Nigdy go nie znajdziesz! – wrzasnął Hubert, purpurowiejąc na twarzy. – On jest jak duch!

– Ha! A więc znasz go! – zawołałam, podbiegając do sprzedawcy. – Musimy go znaleźć!

– Zmuszę cię do mówienia! – Babcia So Kim oznajmiła to z wyrazem prawdziwej determinacji na twarzy i podniosła druty. Mogłabym przysiąc, że dobrze się bawiła!

Hubert zadarł brodę.

– Moi klienci współpracują ze mną, ponieważ jestem strażnikiem ich tajemnic. Moje usta są zasznurowane. Nigdy nie zmusisz mnie do mówienia!

– Almo, zdejmij mu buty i skarpetki – nakazała babcia So Kim. – Czas na „Ł"!

– Co ona ma zamiar zrobić? – wycedził przerażony Hubert. – Jestem odporny na tortury, ale, proszę, nie rańcie mi twarzy!

Zrobiłam tak, jak kazała babcia So Kim, i ściągnęłam mu buty. Smród jego przepoconych skarpet przyprawił mnie o mdłości.

– Powiedz nam, gdzie jest Claude Van Twix, albo poczujesz to na swoich stopach! – krzyczała babcia. Druty do dziergania trzymała w rękach jak pałeczki. Uświadomiłam sobie, co zamierza zrobić, i nie mogłam powstrzymać uśmiechu.

– Nigdy, ty stara babo! – odwrzasnął Hubert.

Babcia So Kim zaczęła czubkami drutów kręcić kółeczka na jego stopach. Znów i znów, potem ósemki. Sprzedawca na początku zaciskał usta i próbował się nie śmiać, ale łaskotki stawały się coraz bardziej intensywne.

– Mów! – krzyknęła babcia So Kim.

– NIE... NIE... niech ją ktoś powstrzyma... ha, ha, ha! – Hubert miotał się po podłodze, usiłując się nie śmiać ani nie wygadać.

– Gdzie jest Claude Van Twix? Powiedz nam! – zażądałam. – Ona może cię tak łaskotać przez cały dzień.

Ekspedient wybuchnął głośnym śmiechem. Jego ciało wiło się i skręcało na podłodze. Tego było dla niego zdecydowanie zbyt wiele. A babcia So Kim łaskotała go jeszcze bardziej.

– Okej! WYSTARCZY! Nie wytrzymam dłużej, zaraz się posikam! Powiem wam, gdzie go znaleźć! – wyjęczał ze łzami w oczach. – Mieszka nad sklepem „Wszystko za funta" przy Fennel Street. To przykrywka dla jego wystawnego stylu życia. Ale nigdy nie uda wam się tam wejść, nie nabierzecie go na żadne sztuczki, on nikomu nie ufa.

– Widzisz, wiedziałam, że „Ł" zadziała! – oznajmiła babcia So Kim z zadowoleniem i przestała łaskotać sprzedawcę. – Pospiesz się. Idziemy.

– A ja? – spytał Hubert. – Nie zamierzacie mnie rozwiązać?

– Nie – odparłam. – Zadzwonimy do sklepu obok, kiedy dotrzemy do domu Claude'a Van Twixa. Nie chcemy, żebyś go przed nami ostrzegł.

Odwróciłyśmy tabliczkę na drzwiach tak, aby od zewnątrz widniał napis ZAMKNIĘTE, i wyszłyśmy ze sklepu. Podniosłam rękę, a babcia So Kim przybiła mi piątkę. Tworzyłyśmy niezły zespół.

Jakieś trzydzieści minut później dotarłyśmy pod sklep „Wszystko za funta". Boczne drzwi były metalowe i miały trzy zamki.

– Co zrobiłaby twoja mama? – zapytała babcia So Kim.

– Otworzyłaby jakoś te zamki – powiedziałam. – Ale żadna z nas tego nie potrafi.

– No tak... ale możemy spróbować. Może tym?

Babcia So Kim podała mi niewielkie szydełko, które wyjęła ze swojej torby, oraz wsuwkę, po którą sięgnęła do koka na głowie. Oba te przedmioty włożyłam do dziurki od klucza i zaczęłam nimi poruszać. Nie bardzo wiedziałam, co robię. Nie działało.

– Wiem, jak ona to robiła, ale ja nie potrafię. To nie ma sensu. Szkoda, że nie ma tu mamy. Mogłaby się sama uratować. – Wstałam. Nie nadawałam się na złodziejkę. Nie uda nam się sprowadzić mamy z powrotem na Boże Narodzenie. – Myślę, że powinnyśmy powiedzieć o wszystkim mamie Jade – oznajmiłam.

– Jeszcze nie. Nie możemy się tak łatwo poddać. Mama cię kocha, a ty kochasz ją. Jesteś taka jak ona, Almo, chociaż w to nie wierzysz – stwierdziła babcia So Kim.

Przypomniałam sobie, jak mama za nic nie chciała zrezygnować z bycia najsławniejszą włamywaczką. Jak kochała tę całą ekscytację oraz słuchanie dźwięku klikających zamków... Moment. Klikanie zamków...

– Wiem, jak to zrobić! Mama słuchała zamków! Potrzebujemy szklanki, żebym mogła słyszeć, co dzieje się w środku!

Babcia So Kim rozpromieniła się i podbiegła do pary jedzącej romantyczną kolację przed bistro obok. Chwyciła szklankę i szybko z nią wróciła. Mężczyzna i kobieta przy stoliku siedzieli z otwartymi ustami, a potem wzruszyli ramionami i wrócili do gapienia się na siebie.

Babcia podała mi szklankę, a ja przytknęłam ją do metalowych drzwi i przysunęłam ucho. Do dziurki znów wsunęłam szydełko i wsuwkę, i zaczęłam słuchać. Obróciłam moje narzędzia w jedną, potem w drugą stronę. Klik. Klik. Klik. I nagle poczułam, że coś się rusza. Drzwi się otworzyły! Udało się!

Babcia So Kim przytuliła mnie mocno.

Weszłyśmy na palcach do zaciemnionej klatki schodowej. U szczytu schodów znajdował się korytarz, zaś na jego końcu widać było duże dębowe drzwi, lekko uchylone.

– Więc to tutaj mieszka ten miejski geniusz? – szepnęłam.

– Ten korytarz nie jest zbyt wyszukany – stwierdziła babcia So Kim. – To włamywacz drugiej kategorii!

Poczułam ucisk w brzuchu. Byłyśmy tak blisko odbicia mamy z rąk parszywego Claude'a Van Twixa. Teraz musiałyśmy tylko ją znaleźć i wykraść!

Szłyśmy na palcach ciemnym korytarzem. Trzymałam babcię So Kim za rękę, bo trochę się bałam. Może jednak nie nadawałam się do tego złodziejskiego biznesu? Wślizgnęłyśmy się przez otwarte drzwi. Wewnątrz wszystko było pokryte złoto-czerwoną tapetą (kolory opakowań twixów – ten gość miał obsesję!), na ścianach wisiały dzieła sztuki, na środku stał stolik kawowy, a na nim złote pudełko z setkami batoników Twix. Nawet powietrze miało tu kosztowny zapach. W kącie pomieszczenia stał fortepian, a nad kominkiem wisiał obraz z napisem „Nie dotykać Moneta!".

To z pewnością było mieszkanie Claude'a Van Twixa. Kiedy Hubert powiedział, że sklep „Wszystko za funta" to przykrywka, miał rację. Usłyszałyśmy odgłosy w jednym z przylegających pokoi. Była tam ubrana na czarno postać, otwierająca właśnie szafę. Babcia So Kim wyjęła swój kłębek włóczki, a ja chwyciłam zestaw kryształowych jabłek, którymi mogłabym rzucać, gdyby zaszła taka potrzeba. Claude Van Twix dostanie za swoje!

– Mamy cię! – zawołała babcia So Kim, chwytając złodzieja, po czym odwróciła go w naszą stronę. W końcu złapałyśmy...

– Mama? – wydyszałam.

Mama spojrzała na nas z grymasem.

– Co wy tu robicie? – zapytała, wyraźnie poirytowana. – Jestem w pracy! – wykrzyknęła i natychmiast zakryła usta dłonią.

– Więc nie zostałaś porwana? – zapytała babcia So Kim. Wyglądała na okropnie wściekłą. – Martwiłyśmy się przez całe popołudnie. Przez ciebie niemal załaskotałyśmy pewnego nieszczęśnika. Jesteś nam winna wyjaśnienie.

– Przyznaję, że upozorowałam porwanie. Napisałam POMOCY! na lustrze. Nie chciałam wam powiedzieć, że...

Ale zanim zdążyła dokończyć, usłyszałyśmy dźwięk otwierania drzwi frontowych, a powietrze wypełnił zapach czekolady. To był Claude Van Twix!

– Szybko! – szepnęła mama.

Wszystkie trzy wczołgałyśmy się pod złociste łóżko jak żołnierze podczas ćwiczeń na poligonie. Claude Van Twix wszedł do sypialni, zdjął ogromne buty i rzucił się na posłanie.

– Ach, kto jest najlepszym włamywaczem w mieście? Ja! – śmiał się sam do siebie. – Biały Królik nawet nie wie, jak to się stało. Zabrałem jej słynną błyszczącą szkatułkę, teraz jestem najlepszy! – chichotał.

Babcia So Kim i ja spojrzałyśmy na mamę. A więc wcale nie oddała swojej szkatułki! Coś się we mnie zagotowało. Wyczołgałam się spod łóżka i wstałam.

– To jest niedorzeczne! Jesteś śmieszny! – powiedziałam do Claude'a Van Twixa.

Mama też się wyczołgała. Wyglądała na bardzo zakłopotaną.

– A ty, mamo, jak mogłaś? Po tym, jak powiedziałaś, że zrezygnujesz dla mnie ze swojego przestępczego życia?

Claude Van Twix zupełnie się nie zorientował, że to, co widzi, jest ważną chwilą między matką i córką. Wykrzyknął zadziwiony:

– Biały Królik tutaj? W moim mieszkaniu? Nikt wcześniej nie znalazł mojej kryjówki.

Mama wycelowała w niego swoje fioletowe szpony.

– Chcę z powrotem moje rzeczy! – zażądała.

Claude Van Twix się uśmiechnął.

– Wszędzie szukałaś, nieprawdaż? I wciąż nie znalazłaś swoich klejnocików. Musisz przyznać, że jestem najlepszym włamywaczem w mieście.

Babcia So Kim wysunęła się spod łóżka i wyciągnęła druty. Claude Van Twix podniósł ręce w geście kapitulacji.

– Przyznaję. Nie mogłam tutaj znaleźć mojej szkatułki – powiedziała mama, po czym odwróciła się do mnie. – Przepraszam, Almo, czy wszystko okej?

– Czy mam go połaskotać? – zapytała babcia So Kim.

Zrobiłam krok, żeby powiedzieć jej, żeby odłożyła druty, i przypadkowo stuknęłam stopą w jeden z butów Claude'a. Wydawał się ciężki i prawie się nie poruszył.

Podniosłam but. Spojrzałam na stopy Claude'a na łóżku i wyjęłam kawałek włóczki, żeby je zmierzyć. Były przeciętnej długości. Dlaczego więc nosił takie duże buty? Obejrzałam but dokładniej.

– Wiem! Wiem, gdzie trzyma klejnoty! – wykrzyknęłam. – Ma je w swoich za dużych butach w rozmiarze trzynaście. Patrzcie!

Chwyciłam jeden z drutów babci So Kim i rozprułam czubek buta Claude'a Van Twixa. Otworzył się jak ostryga. Wewnątrz znajdowało się mnóstwo diamentów, rubinów i szmaragdów. Wyjęłam je i podałam mamie.

– Mój błyszczący zapasik! – westchnęła zachwycona. Odwróciła się do Claude'a. – A ty, jak śmiesz zabierać moje rzeczy! Dlaczego to zrobiłeś?

Claude Van Twix się uśmiechnął.

– Kiedy usłyszałem, że przeszłaś na emeryturę, pomyślałem, że to musi być jakiś głupi żart. Biały Królik to najlepsza włamywaczka wszech czasów! Musiałem się upewnić, czy to prawda. Obserwowałem cię przez jakiś czas. Udawałaś zwykłą matkę i pracowałaś w tej swojej firmie ślusarskiej. Ale pewnego dnia, kiedy myłem twoje okna, zobaczyłem, że wciąż masz swoje klejnoty. Musiałem być najlepszy, a mogłem się taki stać tylko w jeden sposób, czyli kradnąc coś najlepszemu – wyjaśnił.

– Myślisz, że jestem najlepsza? – zapytała mama, wyraźnie połechtana. – Sądziłam, że to siebie uważasz za najlepszego włamywacza w mieście.

– Na początku tak było – przyznał Claude Van Twix. – Ale potem zobaczyłem, jak wiele posiadasz. Nie mam na myśli klejnotów, tylko ludzi wokół ciebie. Masz tych, którzy cię kochają i chcą, żebyś wyszła na prostą. Ja tego nie mam. Więc po prostu chciałem być blisko kogoś, kto mógłby mnie zrozumieć. – Zamrugał zawstydzony. – Właściwie to miałem nadzieję, że mnie zdemaskujesz, rozpoznasz... Nie mam żadnych bliskich. Chciałem po prostu być taki jak ty i mieć to, co ty. Rodzinę.

Babcia So Kim przetarła oczy. Zrobiło jej się żal tego faceta. Poklepała go po ramieniu.

– Dość tych głupot – zarządziła. – Przyjdziesz jutro na świąteczny obiad. Mamy wystarczająco dużo jedzenia, aby wykarmić drużynę piłkarską, i nie chcemy, aby ktokolwiek czuł się samotny w Boże Narodzenie.

– A to wraca do swoich prawowitych właścicieli – powiedziałam, wyjmując klejnoty z rąk mamy i wkładając je do torby z robótkami babci So Kim. – Oboje – dodałam, wskazując na Claude'a i mamę – zmienicie swoje postępowanie. Spędzimy fantastyczne święta, a waszym noworocznym postanowieniem będzie uczciwe życie.

Mama i Claude pokiwali głowami.

– Tak naprawdę mam na imię Barry. Miło mi was poznać – rzekł drugi najsłynniejszy włamywacz w mieście.

– I mnie jest miło cię poznać – odparła mama. – Ja jestem Charlotte, wcześniej znana jako Biały Królik. – Mrugnęła do mnie.

Następnego dnia było Boże Narodzenie. Barry przyszedł, ale tym razem skorzystał z frontowych drzwi, a nie klatki do mycia okien. Na stole stał tradycyjny świąteczny indyk ze wszystkimi dodatkami, ale dodaliśmy też to, co najbardziej lubimy jeść, na przykład deser z czerwonej fasoli, ciastka mochi z zielonej herbaty, a brukselkę zastąpiliśmy kapustą pak choi smażoną z czosnkiem. Barry przyniósł pudełko świątecznych wybuchających cukierków, w których zamiast plastikowych zabawek znajdowały się fantazyjne klejnoty. Mama i Barry całkiem nieźle się dogadywali i dobrze rozumieli. Barry opowiedział jej, jak poszedł w ślady swojego taty, który również był włamywaczem. On i mama mieli ze sobą wiele wspólnego.

W czasie tej świątecznej kolacji w azjatyckim stylu zapchaliśmy buzie pysznym jedzeniem i na chwilę zapomnieliśmy o wszelkich zmartwieniach. W końcu usiedliśmy razem na kanapie, żeby obejrzeć bożonarodzeniowy film. Ale na ekranie zamiast niego pojawiła się wiadomość.

Z OSTATNIEJ CHWILI!

Przepraszamy, że burzymy świąteczny nastrój, ale we wczesnych godzinach porannych wydarzyło się coś strasznego. Podczas gdy dzieci na całym świecie otwierały prezenty od Świętego Mikołaja, z londyńskiej twierdzy Tower skradziono klejnoty koronne.

Mama i Barry spojrzeli na siebie, potem na mnie i wzruszyli ramionami.

– To nie my! – zastrzegła mama. – Daję słowo.

Policja szuka podejrzanego, którego nazwano SZYDEŁKOWYM ZŁODZIEJEM, ponieważ – aby obejść najlepszy na świecie system zabezpieczeń – użył specjalnego szydełka.

Spojrzeliśmy jednocześnie na babcię So Kim, która spokojnie siorbała swoją zieloną herbatę.

– Co? – spytała, a wyglądała przy tym bardzo niewinnie.

– Babciu! – wykrzyknęłam.

DOMINIQUE VALENTE

WIECZNOMROZIE

ŚCIŚLE TAJNE

WŁASNOŚĆ KLUBU ŚWIĄTECZNYCH ZBRODNI

WIECZNOMROZIE

Dominique Valente

J eśli to się powtórzy, karą będzie powieszenie. Wszystkie plemiona Wiecznomrozian zgromadziły się w sercu ogromnego zamarzniętego lasu, aby wysłuchać ostrzeżenia Starego Mędrca. Niewielu odważyło się spojrzeć na płonące węgle, które zdawały się zastępować staremu oczy, podobne jak u czarnego niedźwiedzia o postrzępionym futrze.

– Ktoś złamał Mroźne Prawo i teraz bestia się budzi – powiedział. – Kiedy znajdziemy sprawcę, zostanie ukarany.

– Słuchamy! Słuchamy!

– Nie bez powodu hołdujemy tu staremu prawu!

Gdy wiatr zaczął wyć, kilka osób zrobiło znak szadzi, rzucając niewidzialną szczyptę soli przez ramię dla ochrony. Ale nie trzynastoletnia Frostine. Ciemne włosy opadły jej na twarz, kiedy próbowała poprawić Godmora, protezę nogi. Jego część przywarła do oblodzonej kłody, na której go postawiła, i teraz szczypała ją skóra

wokół kolana. Oczy Starego Mędrca odnalazły jej spojrzenie i przestała się wiercić, mimo że bolało. Pospiesznie
zrobiła znak, więc mógł mówić dalej. Kiedy w końcu to
zrobił, szarpnęła nogę i odetchnęła z ulgą.

Jej młodsza siostra, dziewięcioletnia Iclyn, popatrzyła
na nią psotnymi zielonymi oczami.

– Spójrz na Januarę Avery – szepnęła. – Zdradzają ją
uszy. Jest winna.

Frostine zerknęła na kulącą się przed nią kobietę. Koń-
cówki uszu January były rubinowoczerwone.

– Najwyraźniej we wtorek obcięła włosy Whitowi –
westchnęła Iclyn.

Frostine zauważyła, że Whit ukradkiem unosi sękatą
brązową dłoń, by zakryć kark. Musiała zagryźć wargę,
żeby powstrzymać śmiech.

Ale to nie było śmieszne.

Na Wiecznomroziu przesądy były prawem, a złamanie
prawa wiązało się z konsekwencjami. Takimi, które kosz-
tują życie. Wszyscy wiedzieli, że złamanie więcej niż trzech
zasad w ciągu roku może wyciągnąć Zimną Bestię spod zamarzniętego jeziora. Ostatnim razem, gdy zdarzyło się to
czterdzieści lat temu, zabrała troje dzieci, po jednym z każdego plemienia – w tym córkę Starego Mędrca, Eirę.

Eira za dwa dni obchodziłaby urodziny. Frostine wiedziała o tym, ponieważ miała urodziny tego samego dnia.
Nigdy nie pozwolą jej o tym zapomnieć.

Odkąd Zimna Bestia zabrała dzieci, zasady, podobnie jak przesądy, tylko się mnożyły.

Jeśli złożyłeś komuś życzenia urodzinowe dzień wcześniej, postawiłeś nowe buty na stole, ostrzygłeś się we wtorek, nie zapłaciłeś za nóż lub złamałeś którykolwiek z siedemdziesięciu przesądów znanych jako Mroźne Prawo, możesz obudzić Bestię. A jeśli złamałeś trzy, Bestia przyjdzie po dziecko.

– Lód... – oznajmił złowrogo Stary Mędrzec – ...zaczął pękać.

Zewsząd rozległy się westchnienia.

– Ale jest za wcześnie!

– Jesteśmy całe miesiące od Święta Przebłagania.

Frostine zmarszczyła brwi. To nie była jeszcze Fałszywa Wiosna, podczas której lód z jeziora zaczynał śpiewać i pękać, gdy Bestia budziła się ze snu. Odkąd pamiętała, w Wiecznomroziu nie było prawdziwych lat, wiosen ani jesieni, tylko zima, która nie mijała od ponad dwustu lat. Dzięki Świętu Przebłagania, które Wiecznomrozianie obchodzili co roku o tej porze, lodowe pęknięcia znikały, a Bestia znów zasypiała. Wieczna zima wydawała się Frostine niewielką ceną za zapewnienie dzieciom bezpieczeństwa.

Spojrzała na największą, najstarszą sosnę w lesie. Pośrodku ogromnego pnia wydrapana była Lodowa Danina – opłata za złamanie Mroźnego Prawa. Według legendy, to ponoć sama Zimna Bestia wyrzeźbiła te znaki, dlatego tak ogniście świeciły. Za każdym razem, gdy ktoś łamał którąś regułę Mroźnego Prawa, znak zmieniał się jak za dotknięciem czarodziejskiej różdżki. W tej chwili na zlodowaciałej korze płonęła ognista cyfra „2". Była to najwyższa opłata od czterdziestu lat. Ostatnim razem, gdy zapłonęło „3", zniknęło troje dzieci.

– Jeśli dojdzie do kolejnego przestępstwa, będzie powieszenie. Stawką jest życie naszych dzieci – syknął Stary Mędrzec.

Rozległy się posapywania i posępne pomruki.

Noel, siedzący z tyłu mężczyzna o siwych włosach, ubrany w zmierzwione brązowe futro, potrząsnął głową.

– Dlaczego powieszenie? Jeśli Zimna Bestia zabierze kolejne dziecko, będzie to oznaczało dwie śmierci zamiast jednej.

Stary Mędrzec zwrócił swoje płonące oczy na Noela. Mężczyzna się wzdrygnął.

– Ponieważ druga śmierć będzie zapłatą za spowodowanie pierwszej – szepnął Stary Mędrzec. Powiedział to cicho, ale efekt był taki, jakby krzyknął. – Przykład musi być, żeby nikt nie musiał cierpieć tak jak my.

Nikt nie odważył się zaprotestować. Właściwie większość zdawała się zgadzać.

– Przykład musi być – mruknął ktoś.

Większości wystarczyło spojrzeć na sędziwych rodziców zaginionych dzieci, którzy siedzieli z przodu –

wątpliwy zaszczyt. Byli już starzy, naznaczeni smutkiem. Niektórzy z nich mogli być dziadkami, ale nimi nie byli.

Zimna Bestia im to odebrała.

Frostine i Iclyn spoważniały, gdy na nich popatrzyły.

Potem, jak zawsze, Wiecznomrozianie wymienili imiona zaginionych. To po części modlitwa, po części obietnica, aby upewnić się, że nikt ponownie nie pogwałci praw.

– Eira, Lumi, North – rozległ się cichy śpiew.

Stary Mędrzec skinął głową, zadowolony.

– Przypominam, że wiek nie jest żadnym usprawiedliwieniem – powiedział. – Matki i ojcowie, wy musicie być przykładem, ale w przeciwieństwie do Bestii nie będziemy zabijać dzieci. Niemniej jednak, jeśli Mroźne Prawo zostanie złamane, ktoś za to zapłaci. Więc strzeżcie się, dzieci: wasi rodzice odpowiedzą za wasze zbrodnie.

Frostine przełknęła ślinę. To było coś nowego. Spojrzała w stronę Iclyn, żeby zobaczyć, co myśli jej siostra, ale już jej tam nie było. Kilka miejsc dalej podziwiała kuszę chłopca z innego plemienia.

– Jutro zaczniemy przygotowania do święta – powiedział Stary Mędrzec i odprawił wszystkich.

W drodze do domu Frostine sprawdziła swoje pułapki. W nocy w jednej z nich zamarzł mały zając, miał białe futro w szare paski. Wyjęła go delikatnie, dziękując zimowym duchom, jak to miała w zwyczaju. Futro doskonale nada się na nowe buty, a z mięsa będzie wspaniały gulasz. Mimo to z żalem dotknęła futra, dziękując zwierzęciu za ofiarowane życie.

Za nią sapała Iclyn, brnąc przez sięgający jej do pasa śnieg.

– Pewnie trzeba będzie go oddać na Święto Pojednania – mruknęła.

Frostine westchnęła, po czym skinęła głową.

– Masz rację.

Na Wiecznomroziu trudno było się wyżywić, nawet jeśli nie oddawało się strawy Zimnej Bestii. Prawie nic tu nie rosło, a polowanie w zamarzniętym lesie było niebezpieczne. W czasie Fałszywej Wiosny przynajmniej ziemia była bardziej miękka i odsłaniała nieco więcej roślinności, dzięki czemu wokół było też więcej zwierzyny. Teraz, w czasie Prawdziwej Zimy, wszystkiego było tak mało, że – nie wspominając o chorobie Fara – wyżywić się było jeszcze trudniej. Większość polowań spadła na nią. Iclyn była po prostu za młoda.

Iclyn, jakby czytając w myślach Frostine, powiedziała:

– Tym razem dam radę. – Chwyciła łuk i kołczan ze strzałami, przewieszone przez ramię jej siostry. – Jestem coraz lepsza, spójrz! – Szybko wystrzeliła strzałę pod wiatr w stronę stada śnieżnych gęsi, które akurat wzbiło się w niebo. Chybiła co najmniej o sto metrów, a gęsi jedynie zasyczały.

– Aleś im pokazała – prychnęła Frostine.

– Wiatr wiał mi w oczy – tłumaczyła się Iclyn.

– Weź procę.

Iclyn się skrzywiła.

– Proca jest dla dzieci.

Frostine schyliła się i wyciągnęła myśliwską procę z małej przegródki przyczepionej do Godmora. Przez lata wielokrotnie udoskonalała swoją nogę: znalazło się na niej miejsce na kilka szpikulców do lodu, nóż i procę. Godmor zawsze był za duży, więc Frostine pomyślała, że można przynajmniej jak najlepiej wykorzystać jego powierzchnię. Kiedy szły przez zamarznięty las, Frostine, z przygotowaną procą, uważnie obserwowała horyzont. Dziesięć minut później rozległo się lekkie uderzenie i padł kolejny zając.

– Proca nie jest dla dzieci – stwierdziła z uśmiechem. – Teraz jednego możemy zatrzymać dla siebie.

Iclyn przewróciła oczami. Widziała, że jej siostra często używa procy, żeby zrobić na niej wrażenie.

– Powalić całego jelenia... To dopiero byłoby imponujące – powiedziała. – Tego właśnie chcę się nauczyć.

– W końcu ci się uda – odparła Frostine. – Proca jest dobra na drobną zwierzynę, łatwiej z nią uciec przed zwierzęciem, które może się na ciebie rzucić, jeśli chybisz.

Iclyn prychnęła.

– Ale ty nie możesz biegać.

Oczy Frostine się rozszerzyły.

– Mogę. Po prostu nie biegam. To pewna różnica. Poza tym, w przeciwieństwie do innych, ja nigdy nie chybiam.

Następnie pobiegła, aby udowodnić, że ma rację. Iclyn rzuciła się za nią i wepchnęła ją w świeży śnieg, gdzie stoczyły bitwę na śnieżki, chichocząc jak szalone.

– Kiedyś będę tak dobra jak ty, zobaczysz – obiecała.

Frostine skinęła głową z poważną miną.

– Będziesz. Będziesz tak dobra jak ja teraz – powiedziała, a Iclyn wyglądała na zadowoloną, dopóki Frostine nie wyszczerzyła zębów w wilczym uśmiechu i nie dodała: – Ale ponieważ jestem starsza, więc wtedy ja będę jeszcze lepsza, a ty nigdy mi nie dorównasz.

– Zrobię to! – wrzasnęła Iclyn.

Frostine znów zaczęła biec, mimo że Godmor znowu ją obcierał. Niektóre rzeczy były jednak warte trochę bólu, na przykład pokonanie młodszej siostry.

Niektórzy z Wiecznomrozian mówili ojcu Frostine, że to niemożliwe, żeby dziewczyna taka jak ona została łowczynią, ale Far i tak ją tego nauczył. Powiedział:

– Najpierw tylko przypuszczamy, że coś jest możliwe, dopiero potem się dowiadujemy, że tak jest naprawdę.

To niesamowite, jak często coś okazuje się możliwe, jeśli tylko się tego spróbuje. Dwieście lat temu, zanim Zimna Bestia zamieniła las w lód, nikt by nie pomyślał, że przetrwanie tutaj w wiecznej zimie będzie możliwe, ale nam się to udało. Z tobą będzie tak samo.

Miał rację.

Frostine nie była tak szybka jak inni. Może z lepszą protezą, stworzoną specjalnie dla niej, byłaby... a może nie. Nie lubiła się zastanawiać, co by było gdyby. Wolała być przygotowana. Jeśli nie mogła być szybka, musiała być sprytna.

Ale spryt wymaga ćwiczeń. Szybko odrobiła tę lekcję, gdy zasadziła się na dzika i chybiła. Udało jej się uciec tylko dlatego, że Far odwrócił uwagę zwierza. Zdała sobie wtedy sprawę, że jeśli chce przeżyć, musi zrezygnować z łuku i mierzyć czymś mniejszym i mniej niebezpiecznym lub stać się tak dobrą, żeby nigdy nie chybiać. Wybrała to drugie i ćwiczyła przy każdej nadarzającej się okazji.

W wieku trzynastu lat potrafiła upolować dorosłego jelenia z odległości, którą większość myśliwych uważała za niemożliwą. To był jeden z powodów, dla których Iclyn pragnęła nauczyć się polować na większą zwierzynę tak jak jej siostra. Ale Frostine chciała, żeby siostra najpierw nauczyła się posługiwać procą, zanim sięgnie po potężniejszą broń. Niestety, Iclyn miała na ten temat inne zdanie i była niecierpliwa.

W nocy obudziła Fara, żeby dać mu gulaszu. Nadal wyglądał na rozgorączkowanego i zmartwionego.

– Czy to prawda, że przesuwają Święto Przebłagania?

Frostine skinęła głową.

– Lodowa Danina osiągnęła „2".

Far zbladł. Spróbował wstać i zaczął okropnie kaszleć.

– Muszę pomóc.

Frostine pchnęła go z powrotem na łóżko.

– Możesz pomóc – powiedziała. – Odpoczywając.

Tego wieczoru Frostine i Iclyn szyły nowe buty przy świetle kominka. Iclyn westchnęła, robiąc dziurę w skórze.

– Po prostu tego nie rozumiem – powiedziała.

– Potrzebuję nowej pary, ponieważ moje zaczynają się rozpadać – wyjaśniła Frostine.

Iclyn przewróciła oczami.

– Nie buty. Miałam na myśli Mroźne Prawo i święto. Robimy to wszystko każdego roku, aby ułagodzić Bestię, której nigdy nie widzieliśmy. A jeśli to wszystko na nic?

Frostine zamarła.

– Co masz na myśli?

– Cóż, zgodnie z historią minęło dwieście lat, odkąd Zimna Bestia zaczęła nękać nasze ziemie, wywołując Długą Zimę i sprawiając, że żyjemy lub umieramy z powodu Lodowej Daniny – zaczęła Iclyn. – Czasami zastanawiam się, czy my wszyscy nie jesteśmy... Nie wiem... – Zmarszczyła brwi, przebijając skórę. – ...głupi.

Frostine zamrugała.

– Głupi? Zginęło troje dzieci, Iclyn. Pomyśl o tych wszystkich rodzinach, które straciły bliskich.

Iclyn nie wyglądała na przekonaną.

– Myślę. To, że nikt nie znalazł tych dzieci, nie oznacza, że zabrała je jakaś mityczna bestia. A jeśli ona w ogóle nie istnieje? Myślę, że ktoś powinien ponownie złamać Mroźne Prawo, celowo zwiększyć liczbę ofiar do trzech, żeby to sprawdzić.

– Co sprawdzić?!

– Czy ona istnieje! – zawołała Iclyn.

Frostine była w szoku.

– Jeśli istnieje, zabierze dziecko. Sprawdzenie tego nie jest warte ryzyka – oznajmiła, kładąc nowe buty na podłodze. – Czas do łóżka.

I zdmuchnęła pochodnię, co sprawiło, że nie dostrzegła determinacji malującej się na twarzy siostry.

Ktoś krzyczał.

Frostine dotknęła brzegu posłania, szukając Godmora, ale tam go nie było. Rozejrzała się po całym łóżku. Wskoczyła do kuchni. To, co zobaczyła, zmroziło ją.

Godmor leżał na stole w jednym z nowych butów.

Mroźne Prawo zostało złamane.

Ale nie to sprawiło, że jej serce łomotało, a ona czuła, że za chwilę się rozpadnie. Chodziło o ślad krwi, otwarte drzwi i widok jej krzyczącej siostry ciągniętej w oddali przez coś ogromnego i potwornego.

Zimna Bestia.

Z pokoju Fara dobiegł cichy krzyk:

– Co to jest?! Co się stało?!

Frostine spojrzała z kuchni na pusty korytarz. W tej sekundzie podjęła decyzję.

– Nic. Wracaj do łóżka.

– Na pewno wszystko jest w porządku?

Frostine włożyła Godmora, a potem sięgnęła po swój płaszcz i broń myśliwską.

– Będzie – powiedziała.

Potem zamknęła za sobą drzwi i ruszyła śladem krwi siostry.

Frostine planowała polowanie tego ranka. Po prostu nie sądziła, że będzie polować na coś tak wielkiego.

Jeśli nie odzyska siostry z rąk Zimnej Bestii, przyjdą po Fara. Mimo że to Iclyn położyła Godmora i nowy but na stole, łamiąc w ten sposób Mroźne Prawo, to Far, jako dorosły, poniesie karę. Far zostanie powieszony za głupotę Iclyn.

Frostine była wściekła. Jeśli kiedykolwiek uda jej się odzyskać siostrę z rąk tej kreatury, będzie nią potrząsnąć, aż mała się rozpłacze, a potem przytuli ją tak mocno, że pękną jej kości.

Nad jej głową tańczyło nocne niebo. Drogę oświetlały wiry zielonego i fioletowego światła. Była północ. Wokół nie było nikogo, nawet najbardziej doświadczonych myśliwych. Miała nadzieję, że będzie miała wystarczająco dużo czasu, by znaleźć Bestię i siostrę, zanim Wiecznomrozianie się obudzą i podążą śladem krwi do ich chaty.

Ruszyła w stronę zamarzniętego jeziora, na którego dnie żyła Zimna Bestia.

Zza jej pleców dobiegł cichy krzyk. Frostine się odwróciła i zobaczyła niebieską iskierkę, jakby poświatę lampy naftowej. Gdy tylko tam spojrzała, iskierka przemknęła za drzewami. Dziewczynka czuła, że coś ją śledzi. Naciągnęła na głowę futrzany kaptur i ruszyła tak szybko, jak tylko mogła.

Po godzinie dotarła nad jezioro. Pośrodku znajdował się duży nieregularny otwór, od którego odchodziły liczne pęknięcia. Będzie musiała iść ostrożnie. „Z liną", pomyślała. Nie wiedziała, jak daleko sięga dziura i czy po zanurzeniu się w niej nie będzie czekała ją śmierć.

Kolejny cichy krzyk sprawił, że znów się odwróciła.

Za nią stał skrzat o lodowych ustach, oszronionej skórze i szafirowych włosach.

Frostine nigdy wcześniej takiego nie widziała. Według legend, zanim zapanowała Długa Zima, skrzaty były bladozielone i przynosiły wiosnę, sprawiając, że rzeki płynęły, a kwiat kwitły. Ale gdy świat zamarzł, one też zaczęły się zmieniać. Ich skóra stała się twardsza, na tyle twarda, że ich cienkie palce mogły wywiercić dziury w ziemi, rozłupać lód i pozwolić rosnąć niektórym zamarzniętym pędom. Wielu wierzyło, że to dzięki lodowym skrzatom cokolwiek w ogóle rosło na Wiecznomroziu. Dlatego zawsze dziękowano im nie tylko za to, że pozwalały przeżyć zwierzętom, ale także za każde upolowane zwierzę.

Frostine spojrzała na skrzata i poczuła potrzebę wyjaśnienia.

– Muszę tam iść. Zabrała moją siostrę.

Skrzat po prostu patrzył, mrugając bladymi, świecącymi oczami.

Frostine zmarszczyła brwi. „Po co się tu zjawił ten magiczny skrzat, jeśli nie zamierzał nic zrobić?"

Wyjęła szpikulec do lodu z przegródki w Godmorze. Skrzat się wzdrygnął.

– Wbiję go w lód, zawiążę wokół niego linę i zejdę na dół – wyjaśniła. – Czy mógłbyś mi pomóc? To może ułatwić sprawę.

Skrzat tylko się gapił.

– Potraktuję to jako odmowę – westchnęła i zaczęła powoli opuszczać się w lodowy tunel.

Skrzat wyszeptał:

– Trzask.

– Będę ostrożna – odpowiedziała mu, nieco łagodniejąc.

Skrzat potrząsnął głową i wskazał na pęknięcia.

– Właśnie – powiedziała Frostine. Być może skrzaty w ciągu tych wszystkich lat straciły umiejętność mowy. – Cóż, życz mi powodzenia. Zaczęła schodzić, zapierając się nogami o lodowe ściany.

– Trzask! – zawołał skrzat z góry.

„Stuknięty", pomyślała Frostine, schodząc po linie. Znajdowała się około dwóch metrów pod powierzchnią, kiedy zrozumiała swój błąd. Potrzebowała dłuższej liny. Przełknęła ślinę, rozluźniła uchwyt i spróbowała opuścić się, wbijając w ścianę drugi szpikulec do lodu wyciągnięty z Godmora i żałując, że nie ma tego pierwszego, który został wbity na powierzchni. Gdyby tak skrzat mógł pomóc i przynieść jej tamten! Zeszła metr głębiej, zanim szpikulec, który trzymała, ześlizgnął się. Zaczęła z krzykiem spadać przez zamarznięty tunel.

Zobaczyła pod sobą coś niebieskawego, a potem mocno uderzyła w dno, lądując na nadgarstku. Usłyszała chrupnięcie. Ból sprawił, że łzy pociekły jej z oczu. Znowu usłyszała cichy dźwięk i odwróciła się. Skrzat patrzył na nią.

– Byłeś obok! – warknęła Frostine. – Nie mogłeś pomóc?

– Trzask – powiedział skrzat, wpatrując się w nią.

Tu na dole było ciemno, nawet przy słabej poświacie skrzata. Frostine spojrzała gniewnie na stwora, zastanawiając się, czy chciał, aby się zraniła. Ale po chwili zdała sobie sprawę, że on nie patrzy na nią, ale na coś w oddali. Wskazał palcem na coś, co wyglądało jak duży odległy pałac.

Frostine zamrugała. Pałac? Tu, na dole?

Dostrzegła krew na ziemi. Znowu zaczęła podążać jej śladem – szła wzdłuż długiego oblodzonego korytarza, przyciskając rękę do piersi. Wkrótce zaczęła słyszeć głosy z oddali.

Głosy były dobrym znakiem.

Iclyn wciąż żyła.

Frostine szła, aż dotarła do schodów prowadzących do wielkiej sali. Na końcu znajdowało się duże podwyższenie, na którym na złotym tronie siedziała Zimna Bestia, monstrualnie wielka i cała z lodu. Miała rogi jak u jelenia, czerwone świecące oczy i długie szpony na końcach oszronionych łap. U jej stóp siedziała związana Iclyn.

– Iclyn! – krzyknęła Frostine, osuwając się na kolana i chwytając ciało siostry. Odetchnęła z ulgą, gdy zobaczyła, jak pierś Iclyn unosi się i opada. Dziewczynka po prostu spała.

Bestia wyglądała na zaskoczoną i trochę rozbawioną.

– Dziecko? Samo dobrowolnie weszło do mojego królestwa? Co za szczęście!

– Puść moją siostrę! – wrzasnęła Frostine, bezskutecznie próbując pozbyć się lodowych więzów na kończynach siostry.

Bestia zdawała się uśmiechać. Na pewno miała dużo zębów.

– A dlaczego miałabym to zrobić?

Frostine chwiejnie wstała i sięgnęła za plecy. Naciągnęła strzałę w swoim łuku mimo bólu nadgarstka.

– Bo jeśli tego nie zrobisz, zabiję cię.

– Ty? – spytała Bestia ze zdumieniem. Wzięła głęboki wdech.

Przez chwilę Frostine zdawało się, że Bestia wącha nie tylko powietrze, ale też coś jeszcze. Potem jej wzrok spoczął na Godmorze i przesunął się po zranionym nadgarstku dziewczynki. Bestia się roześmiała.

– Od dwóch wieków jestem najbardziej przerażającym stworzeniem w całym Wiecznomrozie – powiedziała. – To ja zamieniam las w lód. Ja przepędzam lato, wiosnę i jesień. Ja zmieniam skrzaty. Ja zabijam ludzi, którzy chcą mnie powalić, niektórych wielkości niedźwiedzi... a ty, mała i słaba, myślisz, że możesz mnie zabić? Obraziłabym się, gdyby to nie było takie zabawne. – Bestia odczekała chwilę, a potem zmarszczyła brwi. – Powiedziałam, że to było zabawne.

Rozległ się wymuszony śmiech.

Ludzki śmiech.

Z cienia wyłoniło się troje ludzi, których nogi były skute lodem. Ich ciała okrywały postrzępione łachmany. Dwóch miało długie brody, a trzecia niemal całkowicie białe włosy.

– Poznaj moje sługi – mruknęła Bestia. – Bardzo użyteczni, jak widzisz, pomocni w budowaniu tego pałacu i zaspokajaniu moich potrzeb. Niestety, w przeciwieństwie do mnie ludzie żyją tak krótko. Potrzebuję więc nowych, zwykle mniej więcej co czterdzieści do sześćdziesięciu lat. Cudowne, że właśnie ktoś taki nadszedł we właściwym czasie, nie sądzisz, Eiro?

Białowłosa kobieta tępo skinęła głową, nie patrząc Frostine w oczy.

Frostine zmarszczyła brwi.

– Eira?

Zaginione dziecko Starego Mędrca?

Wzrok Eiry spoczął na Frostine. Jej oczy płonęły jak węgiel.

Frostine zamrugała. Przeniosła wzrok z kobiety na dwóch starców i zdała sobie sprawę, kim oni są.

– North? Lumi?

Mężczyźni pochylili głowy.

– Byliście tu przez cały czas? – spytała. – Żywi?

Kiwnęli żałośnie głowami.

– Widzisz, mimo mego imienia nie jestem potworem – odezwała się Bestia, przekrzywiając lodowy łeb. – Wolę cię zatrzymać jako sługę, jak innych, niż cię pożreć.

Frostine ponownie uniosła łuk.

– Nie będę twoją sługą!

Bestia stuknęła swoimi długimi, czarnymi szponami i zewsząd zaczęły pojawiać się setki lodowych skrzatów. W kilka sekund otoczyły Frostine, próbując odebrać jej broń. Dziewczynka dostrzegła skrzata, który towarzyszył jej w drodze do pałacu. Ciągnął jej procę.

– Ty! – syknęła, wyrywając mu swoją broń. Poczuła się zdradzona.

Skrzat potrząsnął głową, po czym wyszeptał:

– Trzask.

– Biedne stworzenia – powiedziała Bestia. – Z biegiem lat, gdy powoli zamieniały się w lód, straciły mowę. To wszystko, co potrafią teraz powiedzieć. To jedno bezsensowne słowo.

Jakby w porozumieniu wszystkie lodowe skrzaty powiedziały razem:

– Trzask.

Frostine wpadła w gniew. Chwyciła skrzata, który ją oszukał, wepchnęła go w procę i wystrzeliła w Bestię. Rozległ się dźwięk uderzenia. Skrzat zsunął się z masywnego, zamarzniętego brzucha i pogroził dziewczynce.

– Trzask – wysyczał.

Bestia zachichotała. A Frostine, ku swojemu przerażeniu, zobaczyła, że Bestia puchnie i staje się jeszcze większa. A może jej się tylko zdawało? Zdjęła but i rzuciła nim w potwora. Kolejny dźwięk uderzenia. Bestia wciąż rosła na jej oczach. Najwyraźniej uważała też, że to bardzo zabawne.

– Rób tak dalej, dziecko, na wszystkie sposoby! – zaśmiała się.

Frostine się zawahała. Jeśli Bestia rosła za każdym razem, gdy ona próbowała ją zranić, czy to oznaczało, że nie mogła jej zabić?

Jakby czytając w myślach Frostine, Bestia skinęła głową.

– Obawiam się, że nie możesz mnie zabić. A przynajmniej nie przy pomocy broni. To czyni mnie tylko silniejszą. – Pstryknęła szponami i lodowe skrzaty zgromadziły się wokół niej. – Myślę, że wystarczy gadania na dziś – powiedziała. – Zabierzcie dzieci. Jutro zacznie się ich nowe życie.

Skrzaty znów zaroiły się wokół Frostine.

– Zaczekaj! – zawołała dziewczynka.

Bestia westchnęła.

– Tak?

Przestraszona Frostine próbowała coś powiedzieć, cokolwiek, żeby powstrzymać Bestię. Nagle wpadła na pomysł.

– Dotrzymujesz słowa, prawda?

Bestia wyglądała na zaintrygowaną.

– Dlaczego pytasz?

– Przez ponad dwieście lat dotrzymywałaś słowa – kontynuowała Frostine. – Jeśli Wiecznomrozianie przygotują ucztę i nie złamią Mroźnego Prawa, nie zabierzesz im dzieci. Prawda?

Bestia się uśmiechnęła.

– Właściwie można powiedzieć, że jestem bardzo pobłażliwą bestią. Masz dwie szanse, ale kiedy Lodowa Danina dojdzie do „trójki", mam prawo zabrać dziecko... lub dwoje.

– A więc – ciągnęła Frostine, myśląc szybko. – Nie przyszłabyś po dzieci, chyba że ktoś trzykrotnie złamałby Mroźne Prawo?

– Nie mogłabym.

Frostine zmarszczyła brwi. Bestia nie powiedziała, że by nie przyszła, lecz że nie mogłaby. Czyżby przestrzegała zasad tak samo jak oni?

– Nie mogłabyś – powtórzyła. – Dlaczego?

Lodowe skrzaty wrzasnęły:

– Trzask!

Frostine wolałaby, żeby przestały wciąż mówić o trzaskach. Mogłaby wtedy pomyśleć w spokoju. Zamrugała. Zaraz. Czy chciały jej coś powiedzieć?

– Dopóki ktoś nie złamie Mroźnego Prawa, nie możesz stąd wyjść? – powiedziała.

Bestia skinęła głową.

– Wszystko, co wy, ludzie, musicie zrobić, to trzymać się zasad, a będziecie bezpieczni.

Pstryknęła szponami i skrzaty znów się zaroiły, gotowe zabrać dziewczynkę.

– Zaczekaj! – zawołała ponownie Frostine. – Chcę negocjować.

Bestia zachichotała.

– Dlaczego miałabym zgodzić się na negocjacje? Mam wszystko, czego potrzebuję.

Frostine potrząsnęła głową.

– Nie, nie masz. Nie według zasad.

Bestia pochyliła się, zaintrygowana.

– Kontynuuj.

Frostine wzięła głęboki wdech.

– Zasady mówią, że możesz zabrać dziecko, ale tylko wtedy, jeśli Mroźne Prawo zostanie złamane. Tak?

– Tak.

– Cóż, mnie nie zabrałaś – zauważyła Frostine. – Zabrałaś moją siostrę, kiedy złamała regułę. Masz do tego prawo.

233

Bestia skinęła głową, teraz wydawała się zniecierpliwiona. Jej uśmiech zniknął.

– Ja jednak nie złamałam Mroźnego Prawa – kontynuowała Frostine. – Nie przyszłaś po mnie. Sama tu przybyłam. – Spojrzała na Bestię i mogłaby przysiąc, że ta skurczyła się nieznacznie. – Więc jeśli mnie uwięzisz... – ciągnęła dalej – ...złamiesz zasady.

Bestia zamrugała, a potem... tak... znów się skurczyła. Frostine była pewna, że jest teraz takiej samej wielkości jak wtedy, gdy zobaczyła ją po raz pierwszy. Bestia nie wyglądała na zadowoloną.

– A więc moja oferta jest taka, że zostanę z własnej woli – zaproponowała Frostine – jeśli odpowiesz na jedno moje pytanie.

Bestia zasyczała, a z jej płaskich nozdrzy buchnęła para.

– W zamian mogę dać ci bogactwo i mnóstwo jedzenia.

– Nie chcę bogactwa ani jedzenia. Chcę odpowiedzi na pytanie.

Przez dłuższą chwilę Bestia po prostu się w nią wpatrywała.

– Jakie jest twoje pytanie?

– Powiem ci, ale najpierw musisz zgodzić się na udzielenie odpowiedzi – odparła.

– Bardzo dobrze, chociaż mam też swoje warunki.

To wydawało się sprawiedliwe. Frostine kiwnęła głową na znak zgody.

– Jakie brzmi twoje pytanie? – zapytała Bestia.

– Jak zabić Zimną Bestię?

Frostine ujrzała błysk gniewu w oczach Bestii, po czym usłyszała:

– Zadam ci pewną zagadkę. Aby pojąć, jak umieram, musisz zrozumieć, jak się rodzę. Możesz zadać trzy pytania. Potem zostaniesz ze mną.

Frostine przełknęła ślinę, po czym znów skinęła głową. Bestia wyglądała na zadowoloną.

Dziewczynka wpatrywała się w Bestię i intensywnie myślała. Każdego roku Wiecznomrozianie polowali i zbierali żywność na Święto Przebłagania, aby Bestia wróciła do swojego snu i zostawiła ich dzieci w spokoju. Wcześniej Bestia zaproponowała jej mnóstwo jedzenia. Jedzenie było taką rzadkością na Wiecznomroziu i było tak trudne do zdobycia w ich zamarzniętym świecie, że ta propozycja wydała się Frostine dziwna. Dlaczego Bestia miałaby oferować jedzenie tak hojnie, skoro było go tak mało? Coś jej mówiło, że jedzenie jest ważne. Ale dlaczego?

– Umarłabyś, gdybyśmy nie przynieśli ci jedzenia? – zapytała Forstine.

– Czy to twoje pierwsze pytanie?

Frostine skinęła głową.

Bestia się uśmiechnęła.

– NIE. Zimna Bestia nie potrzebuje zwykłego pożywienia. Mogę żyć wiecznie bez ani jednego kęsa i ani jednego łyka w ustach.

Frostine zmarszczyła brwi. Nie potrzebuje jedzenia. Czyżby w ogóle nie jadła? Powiedziała, że nie potrzebuje normalnego pożywienia... więc coś innego ją karmi? O ile wiadomo, różni się od wszystkich innych ziemskich stworzeń. A wszystkie potrzebują jedzenia, żeby żyć. Dlaczego nie Bestia?

Frostine zamrugała. Bestia powiedziała, że może żyć wiecznie bez jedzenia. Być może więc nie istnieje żadna określona długość życia, taka jak w przypadku większości ziemskich stworzeń...

„Jak więc zabić coś, co nie jest z tego świata i może żyć wiecznie?", zastanawiała się Frostine. „I co miało z tym wspólnego przestrzeganie Mroźnego Prawa?"

– Czy umarłabyś, gdyby nikt nigdy nie złamał Mroźnego Prawa? – zgadywała.

Bestia zdawała się na to uśmiechać.

– O nie, nie, nie. To nigdy nie mogłoby mnie zabić. Zostało jeszcze tylko jedno pytanie.

Frostine była zdezorientowana. Dlaczego to nigdy nie mogłoby jej zabić? I po co istniało Mroźne Prawo? Wszystkie te przesądy, w które wierzyli Wiecznomrozianie: obcinanie włosów w niewłaściwy dzień, upuszczanie noża, przechodzenie pod drabiną... Ludzie bali się, że jeśli to zrobią, stanie się coś złego... a na Wiecznomroziu ten strach wiązał się z przybyciem Zimnej Bestii.

Chodziła tam i z powrotem, intensywnie myśląc.

Zmarszczyła brwi. Bestia nie potrzebowała jedzenia. Broń czyniła ją silniejszą, a nie słabszą. Sprawiała, że się powiększała, rosła. Frostine zamrugała, miała to pod powiekami i na końcu języka.

Bestia wzdrygnęła się, kiedy Frostine zwróciła jej uwagę, że nie przestrzega zasad. I nawet gdyby nikt nigdy nie złamał Mroźnego Prawa, ona nadal by żyła... Dlaczego? Co sprawiało, że żyła?

Frostine pomyślała o zagadce: „Aby pojąć, jak umieram, musisz wiedzieć, jak się rodzę".

Odpowiedź nadeszła w pośpiechu i niespodziewanie.

Strach.

To strach podtrzymywał ją przy życiu! Kiedy Wiecznomrozianie przestrzegali Mroźnego Prawa, ich strach przed tym, co się może z nimi stać, utrzymywał ją przy życiu.

– Jeśli przestaniemy w ciebie wierzyć, przestaniemy się ciebie bać. Wtedy umrzesz.

Bestia roześmiała się zaskoczona.

– Prawie, prawie – powiedziała. – Jesteś sprytna, muszę przyznać. Mądrzejsza niż większość. Ale wciąż nie dość sprytna. – Przez chwilę wyglądała, jakby jej było żal Frostine. Potem pstryknęła szponami i skrzaty znów zaczęły się roić wokół niej.

– Teraz zostaniesz ze mną.

Frostine była zdumiona.

– Przecież zgadłam! Musisz dotrzymać słowa!

– Technicznie rzecz biorąc, masz rację tylko w połowie. I tego się trzymam – odpowiedziała Bestia. – Uzgodniłyśmy: masz trzy pytania, potem zostaniesz ze mną. Nic nie było o wypuszczeniu cię, jeśli zgadniesz. Język, moja droga, jest bardzo ważny.

Dziewczynka zamknęła oczy z przerażenia, gdy zdała sobie sprawę ze swojego błędu.

– Czekaj!

– Nie, nie, koniec z czekaniem.

– Trzask – powiedziały desperacko skrzaty.

W końcu Frostine zrozumiała. Chciały, żeby zrobiła pęknięcie w lodzie.

– Gdy ktoś łamie Mroźne Prawo, pojawiają się pęknięcia! – zawołała. – Jeśli nadal będziemy je łamać, zginiesz!

Bestia zmrużyła oczy.

– Miałaś czas na pytania. Teraz nadszedł czas, abyś została moją poddaną.

Frostine potrząsnęła głową. Miała rację, wiedziała o tym! Musiała złamać regułę, tak jak zrobiła to Iclyn: celowo. Iclyn nie był głupia... była geniuszką. Będzie nie do zniesienia, kiedy Frostine jej to powie. Dziewczynka prawie się uśmiechnęła na tę myśl.

Co mogła teraz zrobić? Nie miała drabiny ani parasola...

Przebiegła wzrokiem po wielkiej komorze lodowej od zamarzniętego podwyższenia do wysokiego filaru, na którym czekali North, Lumi i Eira. I padło na Eirę. Następnego dnia miały być urodziny Eiry. Tak jak jej.

– Wszystkiego najlepszego, Eiro! – zawołała Frostine. O jeden dzień za wcześnie.

– Nie! – zawołała Bestia i zaczęła się kurczyć.

Skrzaty skakały z radości w górę i w dół, gdy nagle w lodzie pojawiła się wielka szczelina.

– Trzask! – krzyknęły radośnie.

Bestia skurczyła się jeszcze bardziej. To działało!

– Łapcie dziewczynę! – zawołała wściekła.

Ale lodowe skrzaty potrząsnęły głowami. Być może jej czary nad nimi słabły.

Nagle Frostine usłyszała głosy i tupot butów. Kilku uzbrojonych w kusze Wiecznomrozian, w tym Far oraz Whit ze świeżo ostrzyżonymi włosami, wpadło jak burza do lodowego pałacu ze Starym Mędrcem na czele.

– Zobaczyliśmy linę i zdaliśmy sobie sprawę, że musiałaś udać się w pościg za Bestią, Frostine – powiedział Stary Mędrzec. Odwrócił się do pozostałych i krzyknął:

– Ognia!

– Zaczekaj! – krzyknęła Frostine, gdy strzała pomknęła prosto w Bestię. – NIE!

– To nie czas na słabości, dziewczyno! – powiedział Stary Mędrzec. – Bestia powinna umrzeć za to, co zrobiła. Miałaś rację, idąc za nią. Czas skończyć z nią raz na zawsze.

– Ale nie umrze! – krzyknęła Frostine.

– Zabijemy ją. Strzelać!

I zanim Frostine zdążyła cokolwiek powiedzieć, dziesięć strzał trafiło w Bestię.

Ta roześmiała się tylko i zaczęła rosnąć. Urosła nawet bardziej niż wtedy, gdy Frostine przybyła do pałacu.

– Och, tego potrzebowałam, dziękuję – mruknęła.

– Co się dzieje?! – zawołał zdezorientowany Stary Mędrzec.

– Przemoc i strach sprawiają, że ona rośnie – wyjaśniła z rozpaczą Frostine. – Ale wiem, jak ją zabić. Musisz mi zaufać.

– Nie robiłabym tego na twoim miejscu – odezwała się Bestia niemal jowialnie. – Podstępna bestyjka z tego dziecka.

Pęknięcia zaczęły znikać.

Frostine przełknęła ślinę. Potem zobaczyła nóż schowany z boku pasa Whita.

– Whit – powiedziała – czy możesz mi dać swój nóż?

Whit zmarszczył brwi, ale zrobił to, o co poprosiła. Potem wyciągnął rękę po pensa, którego powinien dostać w zamian.

– Nie mam ani grosza – odrzekła Frostine.

Far szybko wyjął monetę z kieszeni, żeby podać ją Whitowi.

– Jesteśmy z tego samego domu, to wciąż się liczy – powiedział.

Frostine potrząsnęła głową.

– Nie, Far. Whit, zaufaj mi teraz. Nie bierz tego grosza.

Whit wciąż się wahał. Stary Mędrzec go ponaglał:

– Weź go, Whit! Takie jest Mroźne Prawo! Czy chcesz, aby Bestia BARDZIEJ urosła?

– Nie zrobi tego – powiedziała Frostine. – Zaufaj mi.

Whit się zawahał. Far zbliżył się do Whita, zamierzając włożyć grosz do jego ręki.

– Eira! – zawołała Frostine. – North! Lumi!

Stary Mędrzec i Far odwrócili się i popatrzyli na ludzi stojących cicho obok Bestii. Eira podeszła do ojca.

– Ty żyjesz?! – krzyknął Stary Mędrzec, dotykając postarzałej twarzy córki, jej oszronionych ust. Z jego oczu zaczęły płynąć łzy.

Eira skinęła głową, po czym dotknęła swojego serca i wskazała na Frostine. Stary Mędrzec zamrugał.

– Chcesz, żebym jej zaufał?

Jego córka skinęła głową.

Ręka Whita zawisła. Chłopak nie przyjął monety w zamian za nóż. Kolejna zasada został złamana.

– Nie! – zawołała Bestia, która znów zaczęła się kurczyć.

W lodzie pojawiło się nowe pęknięcie. Nagle jedna z lodowych kolumn runęła.

– Za każdym razem, gdy łamiemy Mroźne Prawo, osłabiamy Bestię! – krzyknęła Frostine. – Uformujcie drabinę, skrzaty!

Lodowe skrzaty skoczyły, by wykonać polecenie Frostine.

– Teraz pod nią przejdziemy – powiedziała Frostine do Wiecznomrozian. – Zaufajcie mi!

– Zróbmy to! – zawołał Stary Mędrzec, który w końcu uwierzył.

Tak wielu Wiecznomrozian przeszło pod skrzacią drabiną, że w lodzie pojawiło się kolejne pęknięcie. Podwyższenie rozpadło się na dwie części tuż obok Iclyn, która zaczęła się budzić. Więzy pękły, gdy Bestia skurczyła się do rozmiarów niedźwiedzia. I rzuciła się na Frostine.

– Puść moją siostrę! – krzyknęła całkiem już rozbudzona Iclyn. Doskoczyła do Bestii i Frostine.

Frostine intensywnie myślała, rozglądając się dokoła. Zobaczyła mały stolik w rogu lodowej komnaty. To powinno zadziałać! Zaczęła potrząsać Godmorem, aż się poluzował. Kiedy jej proteza upadła na ziemię, krzyknęła:

– Połóż Godmora i mój but na stole, Iclyn!

– NIE! – ryknęła Bestia.

– Co? – zapytała Iclyn, a jej twarz pobladła ze strachu.

– Cały czas miałaś rację. Musimy złamać Mroźne Prawo!

– Nie ma mowy...! – Mimo wszystko Iclyn się uśmiechała.

– Iclyn!

– Przepraszam, masz rację.

Iclyn podbiegła do stołu i umieściła na nim Godmora. Nowy but na stole.

Na ramionach Bestii pojawiło się pęknięcie. Kolejne można było dostrzec na jej nogach, brzuchu i pysku. W szczelinach błysnęło światło, gdy jeszcze bardziej się skurczyła.

Frostine upadła na podłogę. Spojrzała w oczy Bestii. Nie było tam już nic. Nie świeciły. Nawet jej jelenie rogi zaczynały znikać.

– Jesteś potworem... – Odetchnęła Frostine. – Wytworem naszej wyobraźni. Czymś, co żyje tylko dzięki naszym lękom.

Bestia zamrugała pustymi oczami. Skrzaty zaczęły topnieć, ich barwa zmieniała się z niebieskiej na bladozieloną.

– Nie przestawaj – powiedział skrzat, ten sam, który podążał za Frostine tunelem. Wreszcie odzyskał głos.

Zimna Bestia była teraz nie większa od kota. Nie było się czego bać.

– Już nie wierzę – szepnęła Frostine.

– Ani ja – powiedziała Iclyn.

– My też nie – dodała reszta Wiecznomrozian, również ci, których Bestia wcześniej porwała.

– Dobranoc – syknęły skrzaty.

Rozległ się dźwięk, jakby ze starego balonu uleciało powietrze. Bestia rozpłynęła się w nicość, a światło słoneczne wdarło się do pałacu, topiąc lód. Woda zaczęła płynąć po raz pierwszy od dwustu lat. Nastała wiosna. Nie fałszywa. Nareszcie prawdziwa wiosna.

NIZRANA FAROOK

SCRABBLE I MORDERSTWO

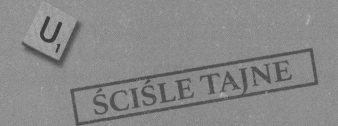

ŚCIŚLE TAJNE

SCRABBLE
I MORDERSTWO

Nizrana Farook

K iedy to się stało, był pierwszy dzień świąt Bożego Narodzenia, a my jechaliśmy właśnie do
babci. Obudziłam się nagle. Dokoła panował
głuchy bezruch i zdałam sobie sprawę, że sto-
imy. Zamrugałam i przetarłam oczy. Przytknęłam dłonie do
twarzy i wyjrzałam przez szybę auta w mrok. O co chodzi?

– Dlaczego się zatrzymaliśmy? – zapytałam, zerkając
na godzinę w telefonie. Szósta. Wyglądając na zewnątrz,
można by pomyśleć, że to środek nocy.

Mama siedziała za kierownicą i w skupieniu wymachiwała swoim telefonem, próbując złapać zasięg. Taty
nie było na miejscu pasażera, a Jam, czyli mój pięcioletni
brat Jameel, wysmyknął się z fotelika i teraz kucał obok
mnie, wiercąc się na wszystkie strony, żeby zobaczyć coś
przez tylną szybę. Na zewnątrz wirował śnieg, barwiąc
świat na niebieskawo.

Nagle tata wsiadł do samochodu, wpuszczając za sobą podmuch zimnego powietrza. Zatrzasnął drzwi, a wycie na zewnątrz ucichło. Jego ramiona, broda i rondo kapelusza były białe od śniegu. Potrząsnął głową, spoglądając na mamę.

– Nic z tego – powiedział. – Droga jest nieprzejezdna.

– Co to znaczy? – zapytał Jam piskliwym, radosnym głosem.

– Że będziemy musieli zatrzymać się tutaj na noc, Jameel – wyjaśnił tata.

– Tylko nie kolejny postój! – jęknęłam, rozbudzając się na dobre. – Kiedy ta podróż się wreszcie skończy? – Miałam już dosyć.

– Od babci dzieli nas mniej więcej godzina drogi – odparła mama. Odpięła pas bezpieczeństwa, a on z trzaskiem wsunął się na swoje miejsce.

– Niedaleko jest hotel. – Tata zbierał swoje rzeczy. – Zadzwoniłem tam i rozmawiałem z właścicielem, mają dla nas pokój.

– Brawo! – zawołał Jam, gramoląc się w poszukiwaniu butów. – Brzmi zabawnie!

Mama nasunęła kaptur i wyskoczyła na zewnątrz.

– Chodź, Saba, weź bagaże.

Z jękiem wygramoliłam się z samochodu i trzasnęłam drzwiami. Sięgnęłam po swoją walizkę, którą mama wyjęła właśnie z bagażnika.

– Poczekaj na mnie, Saba! – krzyknął Jam, ale zdążyłam już odmaszerować za tatą.

Śnieg padał mi obficie na szyję i oczy. Ledwo mogłam cokolwiek dostrzec, więc zmieniłam zdanie i zaczekałam na brata, a on zatrzasnął drzwi samochodu i przybiegł do mnie. Chwyciłam jego ubrudzoną dłoń i ruszyłam za kulącym się w śniegu tatą. Za nami podążała mama. Poprzez mrok i szalejącą zamieć mogłam dojrzeć masywny, rozpadający się dom, położony na jakimś ogromnym terenie. Przeszliśmy przez mały parking. Stało tam kilka dużych brył, co do których można było przypuszczać, że są samochodami.

W rozświetlonych drzwiach domu między dwiema białymi kolumienkami stał starszy mężczyzna i zapraszał nas do środka. Wbiegliśmy z Jamem przez drzwi i znaleźliśmy się w cudownie jasnym świetle. Dom wyglądał na stary, ale my byliśmy w środku i było ciepło, więc czułam, że nie będzie źle.

Kiedy tupaliśmy, żeby strząsnąć z butów śnieg, mężczyzna zamknął za nami drzwi.

– No, nie stójcie tak! Wchodźcie! – warknął z irytacją.

Wszedł na korytarz i zniknął w pokoju po prawej stronie. Mama skrzywiła się do taty, a on wzruszył ramionami, po czym ponownie podniósł swoją torbę i plecak Jama. Poszliśmy za mężczyzną.

– Ale tu jest niesamowicie! – powiedział Jam, jakby to było najfajniejsze miejsce, jakie widział w życiu. – Czy tu nie jest super, Sabo?

Jęknęłam. Przechodziliśmy po wytartym dywanie z przepastnego korytarza do jasnego salonu. W porównaniu z pogodą na zewnątrz temperatura tutaj wydawała się tropikalna. Wokół stały podniszczone meble, a we wszelkich możliwych zakamarkach leżały resztki świecidełek. W kącie stała choinka, jej lampki włączały się i wyłączały. Na końcu salonu znajdowały się drzwi prowadzące do mniejszego pomieszczenia.

Mężczyzna westchnął głośno zza drewnianego kontuaru, który wyglądał, jakby był jednocześnie barem i recepcją.

– Meldujemy was dzisiaj czy nie? – zapytał.

– Och... eee... tak. Dziękuję, Bob – powiedział tata.

Kiedy tata załatwiał sprawy z Bobem, ja rzuciłam okiem na parę w średnim wieku, siedzącą w wytartych fotelach obok choinki. Spoglądali na nas surowo i przypominali postacie ze starego przerażającego obrazu.

Po drugiej stronie pokoju siedziały dwie czarnoskóre damy, które wesoło pomachały do mamy, więc podeszła z Jamem, żeby zamienić z nimi kilka słów. Z ich głośnej rozmowy wywnioskowałam, że to dwie turystki o imionach Kayla i Chenti: matka i córka. Były tak atletyczne i wysportowane, że nie mogłam rozróżnić, która jest która. I kto w ogóle wybiera się zimą na wyprawę z plecakiem?

Na krześle obok kominka siedział schludnie ubrany mężczyzna i czytał książkę. Kayla przedstawiła go mamie jako pana Shoto.

– Macie szczęście, że mam wolny pokój – powiedział Bob zza lady. Otworzył dużą księgę i poprosił tatę, żeby długopisem wpisał nazwisko. Jak w epoce kamienia łupanego.

– Margie! – wrzasnął w stronę drzwi, po czym dodał tytułem wyjaśnienia: – To gospodyni.

Tata wpisał nazwisko w odpowiedniej rubryce – Ahmed Hassan. Dodał swój numer telefonu i oddał długopis.

– Dziękuję. To szczęśliwy zbieg okoliczności, że stanęliśmy akurat tutaj. – Rozejrzał się zdezorientowany po pokoju. – Czyli macie komplet?

Dokładnie o tym samym pomyślałam. Jak na tak duże miejsce gości było tu niewielu.

– Technicznie rzecz biorąc – powiedział Bob, stukając się pomarszczonym palcem w nos – w ogóle nie powinniśmy przyjmować gości.

– Och! Dlaczego? – zapytał tata.

– Przez tego wścibskiego inspektora hotelowego: „Hotel wymaga modernizacji. To kwestia zdrowia i bezpieczeństwa". – Łups! Bob wręczył tacie zardzewiały klucz, który wyglądał, jakby miał sto lat. – Tutaj. Numer siedem. Jesteście obok Jacka i Jill. – Skinął głową w kierunku gapiącej się pary w średnim wieku.

Gapiąca się para nazywała się Jack i Jill?

– Maaamo! – syknęłam. – Nie chcę spać obok Jacka i Jill. Wyglądają jak seryjni mordercy.

– Co to są seryjni mordercy? – zapytał głośno Jam. – I dlaczego Jack i Jill wyglądają jak seryjni mordercy?

Mama była przerażona, bo wszyscy zaczęli się na nas gapić.

– Ha, ha, ha, musiał coś źle usłyszeć – powiedziała, uśmiechając się nieśmiało. – Nie mam pojęcia, o co mu chodzi.

Jack i Jill patrzyli na nas w sposób sugerujący czystą nienawiść. Świetnie. Nie było mowy, żebym zmrużyła oczy tej nocy.

– No, to tyle – rzucił tata z udawaną jowialnością. Podniósł torby, moją i Jama. Wyglądał, jakby za chwilę miał się przewrócić. – Pójdziemy do naszego pokoju i położymy się wcześniej.

– O nie, nie – powiedziała wtedy kobieta, która właśnie weszła. Była stara jak Bob i równie zrzędliwa.

Domyśliłam się, że to Margie.

– Teraz podajemy kolację, jest noc scrabble.

– Brzmi uroczo – odezwała się mama. – Ale nie jesteśmy głodni, tylko zmęczeni, więc już teraz powiemy sobie dobranoc. Ha, ha, ha – dodała, jakby to miało poprawić ogólny nastrój.

– W porządku – powiedziała Margie, unosząc ręce w dramatycznym geście. – Oczywiście to, że bardzo się staramy, żeby zorganizować wieczór pełen zabawy, nie jest w ogóle dla nikogo ważne. Nie ma już na świecie miłych ludzi.

– Och! – Mama była wyraźnie zaskoczona. – My po prostu... Och, dobrze, przyjdziemy.

NIE! Starałam się rzucić mamie znaczące spojrzenie, aby dać jej do zrozumienia, że się na to nie zgadzam, ale nic mi z tego nie wyszło.

– Przyjdziemy – powtórzyła stanowczo.

Wyszliśmy z recepcji i wróciliśmy do korytarza, skąd – podążając za strzałkami – dotarliśmy do naszego pokoju. Gdy tylko drzwi się zamknęły, zwróciłam się do mamy:

– Nie chcę grać w scrabble z tymi starymi ludźmi – jęknęłam.

– Słyszałaś Margie – mruknęła mama. – Stara się jak może, żeby rozsiewać świąteczną radość. Nie byłoby w porządku zamknąć się teraz w pokoju.

– Mama ma rację – dorzucił tata, rzucając nasze walizki na podłogę. – Zapowiada się dobra zabawa.

– Ja lubię scrabble ze starszymi ludźmi – oznajmił Jam.

– No właśnie. Będzie super.

– A co z kolacją? – spytałam, zmieniając taktykę. – Na pewno nie będzie opcji halal[4]. Wątpię, czy w ogóle o czymś takim tutaj słyszeli.

---

4 Halal – sposób odżywiania się muzułmanów, podobny do żydowskiej koszerności. Koran kategorycznie zakazuje spożywania krwi, mięsa wieprzowego, padliny oraz wymaga, aby zwierzęta ubijano w sposób rytualny.

– Niezłe zagranie, ale tata zamówił już u Boba posiłki wegetariańskie.

Prychnęłam i postanowiłam odpuścić. Nie ma sensu się kłócić, kiedy mama jest przekonana, że robimy Coś Dobrego. Rozejrzałam się po pokoju. Stało w nim jedno chwiejące się podwójne łóżko oraz niemal zabytkowe łóżko piętrowe, niewielki stolik i szafka w rogu.

– ZIMNO TU! – oznajmiłam.

– Prawda? – zgodził się ze mną tata, marszcząc brwi. – Ogrzewanie takiego starego domu musi być dość drogie.

Wyjęłam telefon.

– Jesteśmy na odludziu, obok nas mieszkają seryjni mordercy i w dodatku nie ma zasięgu! – jęknęłam z konsternacją. – Dlaczego ktoś miałby stawiać dom w miejscu, w którym nie ma zasięgu?

– Podejrzewam, że ten dom stał tu na długo przed nastaniem ery telefonów komórkowych – odparła mama, podrygując na jednym z brzegów podwójnego łóżka, by sprawdzić jego wytrzymałość. – Nic nam nie będzie. W sumie to nawet dobrze. To znaczy, że możesz odłożyć telefon.

– Lepiej się odświeżmy i chodźmy – powiedział tata. – To noc scrabble!

W salonie przywitał nas zapach kolacji. Bob roznosił jedzenie na tacach, podając je ludziom tam, gdzie akurat siedzieli. Niektórzy goście trzymali talerze na kolanach. Zrozumiałam punkt widzenia inspektora hotelowego.

Usiedliśmy – mama i Jam na podwójnej sofie, a tata i ja na krzesłach. Bob przyniósł tacę z czterema talerzami i bez słowa postawił ją na stoliku do kawy, pod którego nogę wciśnięty był gruby zwitek papieru, żeby mebel się nie kiwał. W kącie stał stary telewizor, w którym leciał jakiś program muzyczny, ale głośność była tak słaba, że w zasadzie dało się tylko oglądać obraz. Z radia stojącego na kontuarze dochodziły świąteczne melodie. Mama podała nam okrągłe talerze z jakąś wegetariańską zapiekanką.

Po salonie kręciło się teraz jeszcze dwóch osobników. Jeden – bardzo szczupły i wysoki – wyglądał, jakby przywalił głową w drzwi, a drugi – krępy i zaskakująco jasnowłosy – był odwrócony plecami do pokoju.

Margie wychynęła z kuchni. Miała na sobie fartuch.

– To mój wnuk, Oliver. Jest w szóstej klasie – odezwała się do taty, wskazując wysokiego chłopaka. W jej głosie pobrzmiewała nuta dumy. – A Brad to jego przyjaciel.

Oliver pomachał z końca pokoju, gdzie odbierał właśnie tace od Jacka i Jill. Brad zasalutował zza kontuaru, gdzie wycierał szklankę.

Szybko skończyłam jeść i teraz zastanawiałam się, jak długo będziemy musieli czekać na scrabble. Miejmy nadzieję, że gra szybko się skończy. Spojrzałam na okno znajdujące się za Jackiem i Jill, nadal padał śnieg. Widać było mnóstwo białych czap.

– Możemy iść? – zwróciłam się do taty.

– Nie – odparł, nucąc „Last Christmas". – Co niby innego można tutaj robić? Zwyczajnie cieszmy się towarzystwem.

– Podoba mi się ten hotel – oznajmił Jam.

No oczywiście. Jemu wszystko się podoba.

Brad przeszedł obok, żeby zabrać nasze tace. Pochylił się przy Jamie, który trzymał głowę na kolanach mamy.

– Hej, koleżko – zagaił. – Wyglądasz, jakbyś miał srogi zjazd.

– Nie wiem, co to znaczy – odpowiedział Jam, a Brad głośno się roześmiał.

– Miał na myśli zmęczenie – wyjaśnił Oliver, przechodząc obok.

– Śnieg popsuł ci wakacje? – Brad wciąż zagadywał Jama. – To do bani!

– Jesteś Amerykaninem? – zapytałam go, wsłuchując się w dziwny akcent.

– Tak, dzieciaku – odpowiedział chłopak, kiwając jasnowłosą głową i uśmiechając się. – NIESAMOWITE, że na to wpadłaś!

Gapiłam się na niego. Było w nim coś lamerskiego, czego nie mogłam rozgryźć. Poszedł z powrotem do baru.

Rozległa się jakaś archaiczna piosenka, chyba z dwutysięcznego roku, i Margie podkręciła trochę radio. Przyszedł Bob i wcisnął się na sofę obok Jama. Pochylił się bardzo blisko mamy, jakby miał zamiar podzielić się z nią jakimś wielkim sekretem.

– Cokolwiek słyszałeś o Jacku i Jill – szepnął – to już koniec. Teraz to zupełnie inni ludzie.

– Co masz na myśli? – zapytała mama, marszcząc brwi.

– Nie wiem, kto wam powiedział – ciągnął Bob szeptem, tym razem zwracając się do taty. – Cała ta gadka o seryjnych mordercach. Oni nie byli przecież seryjnymi mordercami. Jasne, mają na koncie jedno zabójstwo, ale to był wypadek. Chyba. Zły czas i złe miejsce. – Zamachał rękami. – To już przeszłość. Minęło.

– Ha, ha, ha – zaśmiał się tata, ale jego twarz się skrzywiła. – Jesteś zabawny, Bob.

Bob wzruszył ramionami i wstał.

– Czekaj, mówisz poważnie? – syknęła mama, ciągnąc mężczyznę za rękaw.

– Nie musisz się martwić – odparł Bob. – Wyszli z więzienia dwa tygodnie temu.

Muzyka grała coraz głośniej. Cieszyłam się, że zagłusza naszą rozmowę, ponieważ Jack i Jill o twarzach seryjnych morderców siedzieli zaledwie kilka metrów od nas.

Tata uśmiechnął się słabo.

– Więc odmienili swoje życie w ciągu tych dwóch tygodni? Co zamierzają robić teraz, żeby... hmm... zacząć od nowa?

– Cóż, Jill chce założyć kanał na YouTubie o urządzaniu wnętrz – powiedział Bob. – W więzieniu nauczyła się majsterkować i dekorować. Namówiłem Olivera, żeby mnie i Margie też zapisał na takie zajęcia.

– A co oni tu w ogóle robią? – zapytała mama, patrząc z przerażeniem na Jacka i Jill. Dopiero co... hmm... opuścili więzienie, więc chyba nie potrzebują wolnego czasu w hotelu. Mieli go już sporo.

– Och, poproszono ich, żeby dla własnego bezpieczeństwa przez jakiś czas nie opuszczali miasta – wyjaśnił wesoło Bob. – Jeden z tych, którzy zostali przez nich wsypani, może chcieć zemsty.

Oczy taty były wielkie jak spodki.

– Wiadomo, kto to jest? – wyszeptał.

Bob wzruszył ramionami.

– Ktoś o imieniu Buźka. Stary wspólnik Jacka, jeszcze sprzed czasów Jill. W każdym razie nie martwcie się o nic. Cieszcie się scrabble'ami. – Wrócił do baru, nucąc melodię lecącą właśnie w radio.

Tego już było za wiele. Nie chciałam tu siedzieć. Nie obchodziło mnie, co mówią mama i tata.

– Mamo! Musimy opuścić to miejsce – syknęłam.

– Dlaczego? – zapytał Jam. – Z powodu Buźk... – Mama zakryła mu usta dłonią i spojrzała na tatę.

– Ale dokąd mielibyśmy pójść? – zapytała.

Tata przygryzł wargę.

– Donikąd, w pobliżu niczego nie ma. I będziemy bardziej bezpieczni tutaj ze wszystkimi niż sami w pokoju. Może Jack i Jill są zresocjalizowani, jak mówił Bob...

Margie wyszła z przylegającego do salonu pomieszczenia z naręczem gier planszowych. Położyła je na podłodze przy choince. Oliver przeciągnął stół na środek.

– Zbliżcie się, no zbliżcie – powiedział.

– Dzisiaj będą scrabble drużynowe – oznajmiła Margie, otwierając jedno z pudełek.

Nie byłam pewna, czy to wymysł Margie czy nie. Często grałam w scrabble z rodziną, ale nigdy nie słyszałam o wersji drużynowej.

– Drużyna pierwsza, Jack i Jill! – Oliver po kolei wskazywał na drużyny i wykrzykiwał, jakby co najmniej był gospodarzem teleturnieju. – Drużyna druga, rodzina Hassanów! Drużyna trzecia, Kayla i Chenti! I wreszcie drużyna czwarta, pan Shoto!

Jam wiwatował i wszystkich oklaskiwał, zwłaszcza nas.

Biedny pan Shoto wyglądał, jakby nie zależało mu zbytnio na byciu w czwartej czy w jakiejkolwiek innej drużynie. Podniósł palec, żeby zaprotestować, ale Margie go uciszyła.

– Proszę się nie martwić, panie Shoto, dołączę do pana.

Wszyscy przysunęliśmy się nieco bliżej, podczas gdy Oliver rozkładał grę na stole. Każda drużyna dostała stojak na litery, a członkowie każdej z drużyn mogli się naradzić przed umieszczeniem swojego słowa na tablicy.

Wkrótce gra się rozpoczęła. Pan Shoto i Margie od razu wyszli na prowadzenie, układając na środkowym kwadracie sześcioliterowy wyraz z literą „X" w środku. My mieliśmy całe mnóstwo spółgłosek, więc daliśmy radę połączyć tylko marne trzy litery. Margie uśmiechnęła się z zadowoleniem, gdy ułożyliśmy nasze żałosne słowo. Szybko się okazało, jak dobra była i jak uwielbiała rywalizować.

Tata wyszeptał, że to wszystko było podstępem, żeby Margie mogła popisać się swoimi umiejętnościami. Mama i ja zachichotałyśmy, a Jack i Jill spojrzeli na nas podejrzliwie. Grali dość dobrze, z pewnością nie tak źle jak my. Jam miał za zadanie zanosić nasze litery na planszę i je tam umieszczać, chociaż musieliśmy go instruować, ponieważ ciągle się mylił.

Kiedy przyszła kolej na Jacka i Jill, wymienili potajemne spojrzenia, zanim ułożyli słowo.

„ORD?", pomyślałam. To nie było prawdziwe słowo. Ale wtedy Jill uzupełniła wyraz jeszcze jedną literą, a ja aż jęknęłam.

$$M_O{}^R{}_D$$

Po plecach przeszedł mi dreszcz.

Jill odchyliła się do tyłu i wyglądała na bardzo z siebie zadowoloną.

Kayla i Chenti nie wydawały się zbytnio zdenerwowane. Zastanawiałam się, czy wiedziały o przeszłości Jacka i Jill.

Po kilku rundach wszyscy zaczęli naprawdę rywalizować, również mama i tata. I nawet ja, choć nie chciałam się do tego przyznać. Jack i Jill ku irytacji Margie wyszli na prowadzenie. Zacisnęła zęby i wpatrywała się w litery na stojaczku. Biedny pan Shoto nawet tam nie spojrzał. Margie nagle tajemniczo się uśmiechnęła i ułożyła swoje słowo.

WENDETA

Wszyscy westchnęli. Siedem liter! Do i tak już wysokiego wyniku Margie i pana Shoto doszła jeszcze pięćdziesięciopunktowa premia za ułożenie słowa ze wszystkich płytek.

– Pięćdziesiąt punktów! Naprawdę? – rzucił Brad przy barze, mieszając cukier w kubku z nadrukowanym reniferem Rudolfem. – Łał, stary!

Margie zacisnęła usta, jakby bardzo starała się ukryć radość. Nawet pan Shoto był podekscytowany. Wyglądało na to, że wygraną mają w garści.

Nam szło okropnie, z wyjątkiem jednej genialnej rundy, w której uzyskaliśmy potrójną premię. Ale nawet to nie wystarczyło, aby wyciągnąć nas z bagna, w jakim się znaleźliśmy.

Dwie rundy później Jack i Jill ułożyli kolejne siedmio-
literowe słowo.

– To jest nie do zniesienia – szepnęła mama. – Dlaczego jesteśmy w tym tacy kiepscy? Jestem nauczycielką an-
gielskiego, na litość boską.

– Nie martw się – pocieszał ją tata, a na jego twarzy
malowało się najwyższe skupienie. – Jakoś pokonamy
Jacka i Jill! Jakby...

Oliver przyszedł z kubkami gorącej czekolady dla
wszystkich. Odchyliłam się na krześle i sączyłam ciep-
ły, słodki napój. Muszę przyznać, że wieczór był całkiem zabawny. Owszem, ta zacięta rywalizacja doros-
łych była trochę tragiczna, ale przyznaję, że nawet dla
mnie ta rozrywka okazała się całkiem ekscytująca. Poza
tym było cudownie i przytulnie, na zewnątrz padał gęs-
ty śnieg, a my piliśmy gorącą czekoladę i kłóciliśmy się
o to, czy GOUDA to akceptowalne słowo (okazało się,
że nie). A wokół nas migotały świąteczne lampki i roz-
brzmiewały kolędy.

Nie martwiliśmy się o nic. Nawet Jack i Jill wydawali
się w porządku.

Zanim gra się skończyła, Jam zasnął, i nawet Jack wyglądał, jakby walczył, by nie zamknąć oczu. Odstawił
swój kubek z Rudolfem i potarł skronie. Teraz na grze
koncentrowała się głównie jego towarzyszka. W ostatniej
rundzie ku irytacji Margie wygrali Jack i Jill.

Margie nerwowo odsunęła krzesło i wyszła, zostawiając nas samych ze sprzątaniem liter i pakowaniem wszystkiego.

Pan Shoto, w przeciwieństwie do swojego koleżanki z drużyny, uśmiechał się z wdziękiem i uścisnął wszystkim dłonie.

– Gratulacje – powiedział do Jacka i Jill oraz: – Byłyście genialne! – do Kayli i Chenti. My otrzymaliśmy życzliwe: – Dobra gra.

Kiedy wszyscy mówiliśmy sobie dobranoc i rozchodziliśmy się do pokoi, panowała przyjazna atmosfera. Zupełnie inna niż wcześniej. Śnieg przestał padać, a Bob wyłączył zewnętrzne światło i zasunął zasłony. Oliver i Brad zmywali naczynia za barem. Wszyscy wyszliśmy około jedenastej. Margie nadal się nie pojawiła.

– Dobranoc wszystkim – zaćwierkała Chenti, idąc korytarzem z Kaylą obok naszego pokoju. – Musimy jutro bardzo wcześnie wstać. Mam nadzieję, że przynajmniej trochę się prześpimy!

Jack i Jill zniknęli w swoim pokoju. Z przyjemnością zauważyłam, że ich sypialnia wcale nie była w bezpośrednim sąsiedztwie naszej, lecz spory kawałek dalej. Pan Shoto wszedł do pokoju naprzeciwko drzwi Kayli i Chenti.

W pośpiechu umyłam zęby i wskoczyłam na dolną pryczę, próbując zakopać się w cienkiej pościeli, podczas gdy tata gasił światło. Naciągnęłam kołdrę na głowę, aby zablokować dostęp lodowatego powietrza. W pokoju było zimno, chłód przenikał do kości. Jam oddychał głęboko, wciśnięty między mamę i tatę. Usłyszałam, jak cichną odgłosy zmywania naczyń w salonie, a rodzina gospodarzy (plus Brad) idzie na górę do swoich pokoi.

– Nie mogę spać – jęknęłam z głębin swojej pościeli. – Jest za zimno.

– Włóż skarpetki – powiedział tata. – Albo płaszcz.

– Mam na sobie skarpetki. I nie mogę spać w płaszczu! Czy możemy podkręcić ogrzewanie?

– Zawsze możesz spać z naszą trójką – zasugerowała mama. – To urocze, że Jameel jest jak termofor.

Ech, nie ma mowy. Mam jedenaście lat, nie jestem dzieckiem. Nie można było wymyślić już nic gorszego.

Ktoś przeszedł korytarzem, ciężkie kroki oddalały się powoli. Ten ktoś, idąc, wyraźnie jęknął. Próbowałam zakopać się w pościeli i zasnąć. Materac był twardy i szorstki. Wyczuwałam pod nim nawet deski od tworzącego łóżko stelaża.

Starałam się, jak mogłam, ale nie dałam rady zapaść w sen. Gdzieś w domu rozległ się nagle głuchy łomot. Jakby coś spadło na dywan.

– Dość tego! – Wyskoczyłam z łóżka i podeszłam do drzwi. – Poproszę Boba lub Margie, żeby podkręcili ogrzewanie.

Nacisnęłam klamkę i wyszłam.

– Już idę – powiedział tata zaspanym głosem. Usłyszałam, jak wstaje z łóżka.

Zatrzymałam się tuż za drzwiami i nadstawiłam uszu. Wydawało mi się, że słyszę szuranie gdzieś po lewej stronie, w pobliżu pokoju Jacka i Jill. Hałas wzbudził moją ciekawość i pomimo tego, że dobiegał z przeciwnego kierunku niż ten, w którym zamierzałam pójść, podążyłam w jego stronę. Szłam w samych skarpetkach. Zza drzwi Jacka i Jill dobiegało głośne chrapanie.

Nagle w korytarzu zmaterializował się jakiś ciemny kształt, a groza ścisnęła mnie za gardło. Chciałam krzyczeć, ale byłam jak sparaliżowana. Kształt się zbliżył.

To była Chenti. Krzyknęła, gdy mnie zobaczyła.

– Czemu się tu ukrywasz? – syknęła. – Przestraszyłaś mnie.

– Usłyszałam hałas! – wyjaśniłam. – Co robiłaś?

– Nic – odparła. – Po prostu nie mogę spać.

Gdzieś rozległ się trzask, jakby pękło szkło. Obie spojrzałyśmy w mrok, w stronę salonu. Czy ktoś tam był?

– Czyli – dopytywałam, zapominając na chwilę o szkle – po prostu relaksowałaś się w ciemnościach? A czy jutro nie musisz przypadkiem wcześnie wstać...?

– Będziemy tu teraz stać i rozmawiać? – przerwała mi Chenti. – Ja na przykład jestem zmęczona i chciałabym wreszcie się położyć.

Wróciła do swojego pokoju, trzasnąwszy drzwiami.

Stałam zmieszana. Myślałam, że nie była śpiąca.

Odwróciłam się i poszłam w stronę salonu, mijając zamknięte drzwi do naszego pokoju. Tata prawdopodobnie mnie szukał. Zobaczyłam kałużę światła wylewającą się z salonu, więc skierowałam się tam, po czym wpadłam... prosto na wychodzącego pana Shoto.

– Auć! – syknęłam, robiąc krok w tył.

Pan Shoto zarumienił się i skłonił w swój oficjalny sposób.

– Przepraszam – rzucił. Zachowywał się uprzejmie, ale wydawał się zarumieniony i pełen niepokoju.

– Szukam Boba lub Margie – powiedziałam. – I mojego taty. Widział ich pan może?

– Nie, nie ma ich tutaj. Do zobaczenia rano, panno Hassan. – Pan Shoto ominął mnie i poszedł korytarzem do swojego pokoju.

W salonie panowała głęboka cisza. Lampki bożonarodzeniowe były wyłączone, ale wszystko wyglądało tak jak wcześniej.

– Bob? – spytałam. – Oliver?

Margie pewnie wciąż była zirytowana przegraną w scrabble. Gdzieś za ladą rozległo się kliknięcie, ale nikogo tam nie było. Może ktoś był w małym pokoju za recepcją, gdzie Margie trzymała gry planszowe? Weszłam do środka przez otwarte drzwi. Pomieszczenie było znacznie mniejsze i przytulniejsze od salonu, a temperatura tutaj wydawała się równie tropikalna jak tam. Wyglądał na pokój należący do rodziny, wydawał się bardziej osobisty i codziennie użytkowany. Na ścianie wisiały zdjęcia, a na kominku stał brzydki obraz przedstawiający umierające drzewo.

Niemal dostałam zawału, gdy na sofie zobaczyłam Jacka.

– Przepraszam, nie... – Ale nie mogłam dokończyć, ponieważ moje usta zadrżały.

Jack tam był, ale jednocześnie wcale go nie było. Leżał na sofie z rozpostartymi ramionami, wpatrując się prosto w ponury obraz. Martwy jak kamień.

Przede mną na dywanie leżał nóż, zaledwie kilka metrów od moich szaro-różowych skarpetek w słoniki. Gapiłam się na niego. Był pokryty mętną, ciemną cieczą, od której zrobiło mi się niedobrze.

Wtedy przez drzwi zajrzał tata.

– Tutaj jesteś! Szuka... – Spojrzał na mnie z przerażeniem. – Saba! – wrzasnął na całe gardło, jakbym zrobiła coś strasznego, i odciągnął mnie od miejsca, w którym stałam.

W dużym salonie rozległy się kroki i do saloniku wszedł Brad. Krzyknął i spojrzał na mnie i na tatę. Potem wbiegli Oliver i Margie.

Margie podniosła nóż z podłogi.

– Czy on nie żyje? – zapytała.

Tata jęknął.

– Nie powinnaś dotykać noża, Margie.

Bob wszedł w koszuli nocnej i staromodnej czapce do spania, przypominał postać ze starej rymowanej książki.

– Margie! – zawołał. – Zrobiłaś to! Zabiłaś go, bo wygrał z tobą w scrabble!

– Mylisz się, Bob – zaprotestowała kobieta, obracając nóż w dłoniach. – To nie byłam ja. Zrobił to pan Hassan.

– Ja? – zdziwił się tata. – To nie byłem ja. Już nie żył, kiedy przyszedłem tu po córkę.

– Więc to ty? – spytała Margie, lustrując mnie od stóp do głów. – Są coraz młodsi.

– Nie zabiłam go! – zaprotestowałam żarliwie. – Nie żył, kiedy tu przyszłam.

– Wygląda na to, że nikt się nie przyzna – powiedział Bob takim tonem, jakby chodziło o wylanie odrobiny herbaty na dywan. Podrapał się po głowie. – Gdzie go położymy?

Oliver się zakrztusił. Odwrócił wzrok od ciała i spojrzał na Boba.

– Dziadku, nigdzie go nie położymy. Powinniśmy wezwać policję. Spróbuję ze stacjonarnego. – I poszedł do telefonu. Wydawał się jedyną normalną osobą w tym szalonym domu.

– Policja nie przyjedzie – mruknął Bob. – Nie przy takiej pogodzie.

– Więc zostawimy go tutaj do rana? – obruszyła się Margie. – Wolałabym, żeby nie leżał na narzucie mojej ciotki Jemimy. To prawdziwy haftowany muślin.

Brad wystąpił na środek.

– Może powinniśmy zawołać resztę? – zasugerował.

– Spójrz, co zrobiłeś! – krzyknęła Margie, wskazując na stopy Brada. – Ubrudziłeś sobie skarpetki jego krwią. Rozniesiesz to po całym domu.

– Dość! – zaordynował Bob. – Wszyscy wynocha.

Wygonił nas do głównego salonu, jakbyśmy byli namolnymi muchami. Potem zamknął drzwi od saloniku.

– Policja nie dotrze tu w najbliższym czasie – oznajmił Oliver, odkładając słuchawkę.

– Posterunkowy Stanley mieszka niedaleko, więc może da radę, ale właściwi ludzie przyjadą rano, w zależności od pogody.

– Rano będzie dobrze – powiedziała Margie. – On już i tak nie żyje, prawda? Niewiele mogą zrobić.

Do pokoju weszła mama, trzymając za rękę zaspanego Jama.

– Co się dzieje?

– Doszło do morderstwa – wyjaśniłam. – Jack nie żyje.

Jam wrzasnął.

– Łał! Zupełnie jak w filmach!

– Nie bądź śmieszna, Sabo – warknęła mama, po czym zwróciła się do taty: – Co się stało?

Do salonu weszły teraz Chenti i Kayla, a za nimi Jill i pan Shoto. Wszyscy wyglądali na zdziwionych.

– Ona mówi prawdę – powiedział tata. – Przepraszam wszystkich, ale Jack został zamordowany.

Jill westchnęła.

Twarz taty zrobiła się czerwona.

– Przepraszam, Jill. Nie widziałem, że weszłaś. On...

– Nie przejmuj się – przerwała mu. Wyglądała na całkiem zrezygnowaną. – Miał wielu wrogów. Kto to zrobił?

Wszyscy potrząsnęli głowami. Nikt nie wiedział. Uważnie obserwowałam Jill, szukając w niej jakiejkolwiek nuty fałszu. W końcu jedynie ona była tutaj mordercą i miała na to papiery.

– A co z tym facetem, na którego Jack doniósł? – zapytała mama. – Czy mógł się włamać i go zabić?

Buźka. Sama się nad tym zastanawiałam. Był tylko jeden sposób, aby się o tym przekonać.

– Bob, czy możesz włączyć wszystkie zewnętrzne światła? – poprosiłam.

Mężczyzna podszedł do szeregu przełączników i pstryknął kilka z nich.

Odsunęłam zasłony w oknach salonu i wyjrzałam na zewnątrz. Oświetlony przez księżyc śnieg przykrywał ziemię jak ciężki koc, nienaruszony po tej stronie domu.

– Sprawdzę z pozostałych stron – oznajmiłam. – Niech nikt się nie rusza! – Biegałam po domu, wyglądając przez wszystkie okna, jakie udało mi się znaleźć. Mimo mojej prośby Jam przybiegł za mną. Nie przeszkadzało mi to. On nie był przecież podejrzany.

Wyjrzeliśmy przez szybki w drzwiach wejściowych, przez nadproże w toalecie na dole i okno na klatce schodowej. Wokół całego domu śnieg był idealnie nienaruszony.

– Tak jak myślałam – powiedziałam, wpadając z powrotem do salonu. – Nikt nie wszedł do domu przynajmniej od godziny.

– A wszystkie puste pokoje są zamknięte – dodał Oliver.

– Bob, Margie i ja regularnie je sprawdzamy i upewniamy się, że wszystkie klucze do wolnych pokoi są za kontuarem.

– Więc to musi być ktoś z nas – oznajmiłam.

– Pan Hassan mówi, że to nie on – przypomniała Margie.

– Oczywiście, że to nie on! – oburzyłam się. – Bob myślał, że to ty, Margie. Poza tym pan Shoto był tutaj tuż przed tym, jak znalazłam ciało.

– Pan Shoto? – zapytał Bob. – Ten miły dżentelmen?

– Pan Shoto nie skrzywdziłby muchy! – zaprotestowała Kayla.

– Dziękuję pani – powiedział pan Shoto. – To prawda. Nie skrzywdziłbym muchy.

– Wszyscy są podejrzani, prawda? – spytała Jill.

– Nawet ty – odparł Brad, a po chwili zastanowienia dodał: – Zwłaszcza ty.

– Ja jestem poszkodowana! – wykrzyknęła Jill.

– Dajcie spokój! – zawołałam. Na szczęście oglądałam z mamą stare filmy detektywistyczne i wiedziałam, jak trzeba postąpić. – Musimy przestać się kłócić i to rozgryźć. – Odwróciłam się do pana Shoto stojącego cicho przy drzwiach. – Panie Shoto, co pan tu wcześniej robił?

Mężczyzna wyglądał na kompletnie zawstydzonego.

– Wszedłem napić się wody, ale przypadkowo upuściłem szklankę – powiedział. – Posprzątałem, a potem spotkałem panią, kiedy wychodziłem, panno Hassan. – Spojrzał ze skruchą na Boba. – Przepraszam.

Więc to tak. Biedak był zawstydzony, ponieważ przypadkowo stłukł szklankę. Istniała jednak szansa, że kłamał. Ale przecież ja rzeczywiście usłyszałam dźwięk tłuczonego szkła.

– Zajrzał pan do saloniku? – zapytałam.

– Tak – powiedział pan Shoto. – Widziałem tam pana, hmm... Jacka, ale wyglądał na rozkojarzonego, więc nie rozmawiałem z nim.

– Zapalał pan światła? – dociekałam dalej.

– NIE. Już były włączone – odparł. – Zarówno w salonie, jak i w saloniku.

– Czy ten dzieciak będzie nas wszystkich przesłuchi-
wał? – spytała nagle Jill. – Bo ja nie mam nic do powiedzenia. Spałam twardo od chwili, gdy przytknęłam głowę
do poduszki.

– Słyszeliśmy – rzuciła Chenti, przewracając oczami. –
Głośno i wyraźnie.

Przyjrzałam się uważnie Chenti. Zaczynałam teraz ro-
zumieć jej zachowanie.

– Tato – powiedziałam – czy możesz, na potrzeby tego
śledztwa, opisać, co robiłeś od momentu opuszczenia
naszego pokoju?

Tata wyglądał na nieco zirytowanego tym, że jest
przesłuchiwany.

– Wyszedłem za Sabą, eee... za tobą... z naszego pokoju i skierowałem się w stronę salonu. Światła się paliły,
ale nikogo tam nie było. Zawołałem, a potem wróciłem.

– Wchodziłeś do saloniku? – zapytałam.

– Nie. I do głównego salonu też nie. Po prostu stałem
w drzwiach i szukałem cię wzrokiem. Potem poszedłem
na górę, żeby sprawdzić, czy tam jesteś.

– Potwierdzam, że pan Hassan zapukał do naszych
drzwi – zauważyła łaskawie Margie.

– Nie tylko do pokoju Margie i Boba – dodał tata. –
Zapukałem też do Olivera i Brada. Brad nie odpowiedział, ale uznałem, że jest w łazience na samym końcu
korytarza, bo tam paliło się światło.

– I żaden z nich mnie nie widział – potwierdziłam. – Co nie jest zaskakujące, bo nie poszłam na górę. Co zrobiłeś potem?

– Zszedłem na dół i jeszcze raz zajrzałem do salonu – wyjaśnił tata. – W końcu zdecydowałem się sprawdzić salonik. Znalazłem cię tam z trupem i nożem u stóp.

– Dziękuję. – Bardzo interesujące.

Mój mózg pracował na najwyższych obrotach. Zauważyłam coś, co wcześniej mi umknęło. Działania jednej osoby zaczynały wydawać się dość podejrzane. Właściwie bardziej niż podejrzane.

– Oliverze – zaczęłam po chwili, przenosząc na niego wzrok – Czy możemy cię prosić o gorącą czekoladę? Usiądźmy wszyscy, bo mam wam coś do powiedzenia. – Wiem, kto zabił Jacka.

Wszyscy usiedli. Każde z nich zajęło inny zakątek salonu. Oliver słuchał ze swojego miejsca za kontuarem, gdzie przygotowywał napoje. Podeszłam do choinki.

– Poskładałam w całość wydarzenia dzisiejszego wieczoru – oznajmiłam. – Wszystko wam opowiem i zdemaskuję mordercę.

Mama i tata patrzyli na mnie ze zdumieniem, ale Jam uśmiechał się z dumą. Podniósł do góry dwa kciuki, przez co się zarumieniłam.

Odchrząknęłam.

– Więc, hmm, zeszłej nocy po kolacji zaczęliśmy grać w scrabble. Wszystko szło dobrze, ale w powietrzu wyczuwało się napięcie. Można powiedzieć, że Margie była bardzo rozgoryczona z powodu przegranej. – Uśmiechnęłam się przepraszająco na widok pochmurnej twarzy Margie. – Ale przez scrabble zostałam wprowadzona w błąd. To była tylko nieszkodliwa gra. Prawdziwe napięcie było spowodowane nie rozgrywką, a tym, że ktoś zamierzał zrealizować plan morderstwa. O dwudziestej trzeciej moja rodzina, a także Kayla i Chenti, pan Shoto, Jack i Jill poszli do swoich pokoi. Bob, Oliver i Brad zostali tutaj, żeby pozmywać naczynia. Margie była na górze i użalała się nad sobą.

Kobieta prychnęła i skrzyżowała ramiona.

– Zabójca wcześniej dosypał Jackowi czegoś do napoju, żeby źle się poczuł – ciągnęłam. – I upewnił się, że ten konkretny kubek trafił do Jacka i nikogo innego.

Z satysfakcją zauważyłam, że Oliver zbladł. Byłam na dobrej drodze.

– Wkrótce po tym, jak Bob, Oliver i Brad poszli na górę, około dwudziestej trzeciej dwadzieścia, Jack prawdopodobnie wszedł do salonu, żeby sprawdzić, czy ktoś tam jest, i poprosić o pomoc, może o paracetamol. Może też próbował obudzić Jill, ale mu się nie udało. Słyszałam, jak przechodził obok naszego pokoju. To były ciężkie kroki, wiedziałam, że to jego, a nie na przykład pana Shoto. Słyszałam też, jak Jack jęknął, a wcześniej, zaraz po grze w scrabble, wyglądał, jakby się źle czuł.

Przerwałam, gdy Margie podeszła do mnie z kubkiem gorącej czekolady. Muszę przyznać, że to był miły widok, kiedy wszyscy mościli się ze swoimi kubkami, słuchając w piżamach mojej opowieści. Ale jedno z nich na pewno nie czuło się miło.

– Zabójca czekał na Jacka w salonie. Życzliwie go przywitał, zaprowadził do saloniku i poprosił, żeby usiadł. Jack rozpoznał swojego zabójcę już wtedy, ale był zbyt słaby, żeby się bronić. Taki był właśnie plan. Wtedy morderca ugodził Jacka nożem.

Nastąpiło jedno wspólne westchnienie. Jill spojrzała na mnie ze smutkiem. Kayla pocieszająco objęła ją ramieniem.

– Jack opadł na sofę, a nóż spadł na dywan. Leżałam w łóżku w pokoju numer siedem i słyszałam dźwięk noża uderzającego o miękką powierzchnię.

W sali rozległo się kilka pomruków – jakby na potwierdzenie, że zgromadzeni też to słyszeli.

– Wkrótce potem wyszłam z pokoju – kontynuowałam. – Ale nie udałam się od razu do salonu, bo usłyszałam coś obok pokoju Jacka i Jill, więc skierowałam się korytarzem w tamtą stronę. Znalazłam wałęsającą się tam Chenti. Nic nie powiedziała, ale była wyraźnie wściekła.

Ona i Kayla chciały następnego dnia wcześnie wstać, ale chrapanie Jill nie pozwalało im zasnąć. Bez urazy, Jill – dodałam. – Ale kiedy śpisz, chrapiesz jak traktor.

– W porządku – mruknęła Jill.

– Chenti zamierzała zapukać do drzwi Jill i powiedzieć jej, żeby się uciszyła, ale w ten sposób dałaby mi zły przykład. Więc wściekła się i wpadła z powrotem do swojego pokoju.

Chenti przepraszająco wzruszyła ramionami. Bob skinął głową, zachęcając mnie, żebym kontynuowała.

– Wkrótce po mnie tata wyszedł z pokoju numer siedem – ciągnęłam – i skierował się do salonu. Nie zdawał sobie sprawy, że ja poszłam w przeciwnym kierunku, czyli w stronę pokoju Jacka i Jill. Zajrzał do salonu i mnie zawołał. W tym czasie zabójca się ukrył. Miał nadzieję, że tata sobie pójdzie. A tata nikogo nie znalazł i ruszył z powrotem po schodach na górę. Wtedy zabójca próbował się wymknąć, ale usłyszał, jak pan Shoto wchodzi do salonu, żeby się napić wody, więc schował się w saloniku, prawdopodobnie za sofą.

Pan Shoto skinął głową na znak zgody. Pozostali słuchali z niekłamanym podziwem.

Kontynuowałam więc relację ze swojego śledztwa.

– W salonie panu Shoto wydawało się, że słyszy hałas dochodzący z małego saloniku. Zajrzał do środka i zobaczył siedzącego tam Jacka, ale w zasadzie tylko rzucił okiem. Nie zdawał sobie sprawy, że Jack wcale nie był rozkojarzony, tylko martwy. Pan Shoto napił się wody i stłukł szklankę. Kiedy się to wszystko działo, Chenti i ja byłyśmy oczywiście po drugiej stronie budynku i rozmawiałyśmy przed pokojem Jill, skąd usłyszałyśmy brzęk szkła rozbijającego się o podłogę.

– Cóż, ja nigdy... – wymamrotała Margie, odstawiając kubek.

– Dobra jest, co nie? – szepnęła do niej Kayla.

Udałam, że nie słyszę tej pochwały, i mówiłam dalej:

– Zabójca czekał niecierpliwie, aż pan Shoto uprzątnie rozbite szkło. Słyszał, że pan Shoto wychodzi, więc pospiesznie wymknął się z kryjówki. Ale wtedy usłyszał, jak wpadam na pana Shoto przy drzwiach do salonu, i schował się za kontuarem – powiedziałam, wskazując na bar, przy którym stali Oliver i Brad.

– Ale skąd możesz to wiedzieć? – zapytała mama, a pozostali pokiwali głowami, zwłaszcza Bob, który patrzył na mnie surowo.

– Dobre pytanie! Kiedy weszłam, usłyszałam dobiegający stamtąd hałas. Nie przyszło mi do głowy, żeby tam kogokolwiek szukać, więc nie wiedziałam, że chowa się tam zabójca. Potem weszłam do saloniku i znalazłam martwego Jacka.

– To jak oglądanie filmu – powiedziała Jill. – Bardzo realistyczne.

– Eee, dziękuję. – Pochlebiło mi to. Nie była taka zła jak na seryjnego mordercę. – Wtedy tata wszedł do salonu i udał się na piętro – ciągnęłam opowieść. – Zapukał do drzwi Boba i Margie i dowiedział się, że mnie nie widzieli. Oliver powiedział mu to samo. Brada nie było w jego pokoju, ale w łazience na końcu korytarza paliło się światło, więc tata założył, że Brad tam jest. Tata zszedł na dół, usłyszał hałas dochodzący z saloniku – to byłam ja – i znalazł mnie z nieboszczykiem.

Mama skinęła głową, jakby chciała potwierdzić, że wszystko się zgadza. Chenti szepnęła coś do Jill i poklepała ją po ramieniu. Twarz Olivera nadal była szara, jedynie Brad sceptycznie kręcił głową.

– Teraz robi się ciekawie – dodałam. – Znalezienie mnie i nieboszczyka zajęło tacie kilka sekund od chwili, gdy zszedł na dół. Zobaczył mnie, krzyknął i rozpętało się piekło. Zewsząd zbiegli się ludzie. Ale pierwszą osobą był zabójca. Ponieważ tak naprawdę był zaledwie kilka metrów ode mnie, bo chował się za kontuarem w salonie.

– Więc kto to był? – zapytała Margie.

– Przedstawiam wam zabójcę Jacka – ogłosiłam i wskazałam. – Brad, znany jako Buźka.

– Bzdura – zaprotestował Brad.

– Ten sztuczny akcent – powiedziałam.

– No cóż... – przyznał.

– Skąd wiesz, że to on? – zdziwił się tata.

Uśmiechnęłam się.

– Tylko pomyśl. Nie było go w jego pokoju, kiedy wszedłeś na pierwsze piętro, myślałeś, że jest w łazience na końcu korytarza. Ale zszedłeś na dół, znalazłeś mnie i pięć sekund później on już był w pokoju. Musiałby wyprzedzić Boba, Margie i Olivera, a wszyscy przyszli po nim.

– Cholera – mruknął Brad pod nosem.

– Powiedziałaś, że Brad to Buźka? – zapytała Jill.

Ukłoniłam się.

– Właśnie dlatego wpadł na pomysł, żeby udawać, że jest w wieku Olivera. Wszyscy myślą, że jest młodszy, niż jest w istocie, a to z powodu młodzieńczego wyglądu. Zaprzyjaźnił się z Oliverem w nadziei, że będzie mógł się tutaj zatrzymać, co da mu okazję do zabicia Jacka. Wiedziałam, że Brad nie wygląda na nastolatka. To po prostu dorosły, który usilnie stara się być cool.

– Znalazłem o tym artykuł w Internecie – stwierdził ponuro Brad. – Było tam napisane, że młodzi używają różnych wyrażeń, bo oglądają mnóstwo telewizji.

– Ja tak nie robię – powiedział Oliver. – Powinienem był być bardziej podejrzliwy. Myślałem, że on po prostu tak ma.

– Dokładnie tak! – zgodziłam się z Oliverem. – Serio, pomyślałam, że to brzmi tragicznie... Brad nie chciał, żeby Jack go rozpoznał, a udawanie Amerykanina miało mu w tym pomóc. To i przesadnie ufarbowane włosy.

– Och, teraz rozumiem – powiedział Bob. – Brad zawsze był nieśmiały, gdy zbliżał się do Jacka. Zachowywał dystans lub odwracał się plecami.

– Zgadza się, dałem Jackowi gorącą czekoladę, przez którą się rozchorował – powiedział Oliver, patrząc ze złością na Brada. – Powiedziałeś mi, że kubek z Rudolfem jest dla niego, bo Jack lubi dużo cukru! A to nawet nie był cukier!

– Masz krew na rękach, Buźka – rzuciła Jill, odwracając się do niego.

– I na skarpetkach – dodał Jam, wskazując palcem.

Spojrzałam na skarpetki Brada.

– Celna uwaga, Jam – mruknęłam. – Na skarpetkach Brada są ślady krwi. Krople. Musiał je zauważyć, kiedy byliśmy w saloniku, i celowo wdepnął w krew na dywanie, aby mieć wytłumaczenie.

Nagle Brad rzucił się do ucieczki. Nie wiem, dokąd chciał pobiec w tym gęstym śniegu, ale tata i Chenti poderwali się i go złapali. Szarpał się z nadąsanym wyrazem twarzy jak dzieciak przyłapany na robieniu czegoś niegrzecznego.

Bob wstał i zaczął klaskać, to samo zrobił Jam, który wskoczył na sofę i wiwatował. Pozostali, jeden po drugim, wstawali i również zaczynali klaskać. Zarumieniłam się.

– Dziękuję.

Na zewnątrz było prawie jasno, a gruba warstwa śniegu wciąż pokrywała ziemię. Zdałam sobie sprawę, że prawdopodobnie będziemy musieli spędzić tutaj kolejny dzień, ale to było nawet okej. Miejscówka nie była zła, a Brad miał przebywać w zamknięciu aż do przyjazdu policji.

Już nawet nie bałam się Jill. Musiałam przestać myśleć o niej jako o seryjnej morderczyni. Była po prostu zabójczynią. To znacząca różnica. Była też zresocjalizowana. Uśmiechnęła się do mnie i wręczyła mi wizytówkę jej kanału na YouTubie o nazwie „Zabijaka ma wkrętaka". Miałam zamiar go zasubskrybować, gdy tylko połączę się z Internetem.

– Cóż, w takim razie to wszystko – powiedziała Margie, wstając i otrzepując ręce. – Mamy cały dzień na relaks. Już wiem, co możemy zrobić! Kto ma ochotę na scrabble?

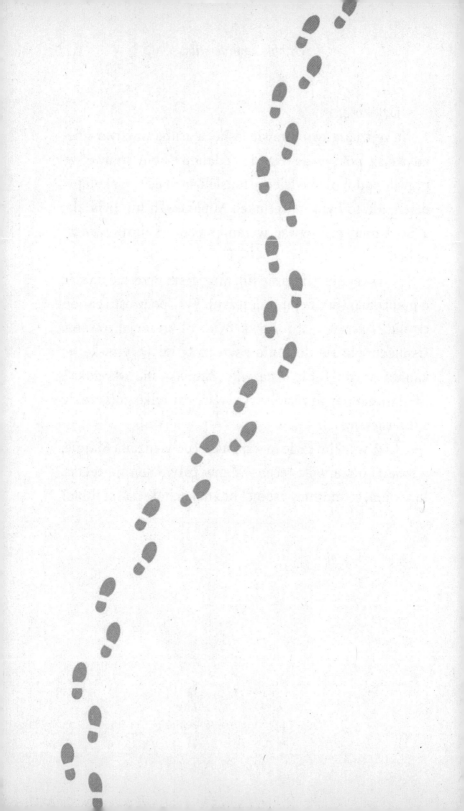

JEDNA OSOBA 49229442

JEDNA OSOBA 49229442005

BENJAMIN DEAN

DOM
ŚMIECHU

ŚCIŚLE TAJNE

WŁASNOŚĆ KLUBU ŚWIĄTECZNYCH ZBRODNI

DOM
ŚMIECHU

Benjamin Dean

Dom Śmiechu znajdował się w zapomnianym zakątku Krainy Czarów. Przyczaił się w ciemności, a macki zimowej nocy obejmowały go mocno. Metalowe elementy domku skrzypiały na wigilijnym wietrze, ale dźwięki te były nie do usłyszenia dla ludzi pospiesznie przechodzących obok. Neony na rogach domu cherlawo migotały na tle nocy, ani jedna dusza nie zwróciła uwagi na ich wezwania. Jakby domu w ogóle nie było.

Z przodu, w małej kabinie nie większej niż budka telefoniczna, siedział starszy mężczyzna. Twarz skrywał pod wysłużonym kapeluszem, który wyglądał, jakby został pogryziony przez psy, a następnie zszyty. Jego oczy biegały w tę i we w tę, obserwując i czekając. Ale nikt nie wydawał się świadomy istnienia Domu Śmiechu ani siedzącego przed nim mężczyzny. To się po prostu nie mogło udać.

Mężczyzna wyszedł z kabiny na metalową rampę, która zaskrzypiała pod jego ciężarem. Poczekał, aż dom się uspokoi, zanim ruszył na sam koniec rampy i nacisnął duży czerwony przycisk, jednocześnie chowając się za klapą.

Zajęło to chwilę, dom się obudził, a z ukrytych głośników wydobył się dźwięk świątecznych dzwonków. Ale dźwięk był niewyraźny, a fałszywe nuty zakłócały spokój nocy. Brzęczące dzwoneczki przyzywały każdego, kto ośmielił się podejść bliżej – każdego, kto odważył się wejść do Domu Śmiechu w zapomnianym zakątku Krainy Czarów.

Billy Beck pierwszy usłyszał brzęczenie dzwonków i jego ciało instynktownie się wzdrygnęło. Nigdy by się do tego nie przyznał, ale tak naprawdę nie lubił świąt. W przeciwieństwie do jego ojców, którzy kochali Boże Narodzenie tak samo mocno, jak Billy kochał lato. Coś mu w tym wszystkim po prostu nie pasowało.

Może to ten przenikliwy grudniowy chłód, okropnie tandetne piosenki i równie tandetne filmy, ciasto z rodzynkami, które – choć najwyraźniej należało do tradycji – w rzeczywistości było zniewagą dla kubków smakowych.

A może dlatego, że jego ojcowie zawsze upierali się, by udekorować dom, w związku z czym od pierwszego tygodnia listopada aż do ostatniego tygodnia stycznia wyglądał jak pieczara. Tak czy inaczej Boże Narodzenie nie było ulubioną porą Billy'ego Becka, więc kiedy usłyszał te brzęczące dzwonki, nie był zachwycony.

– Chodź, będzie fajnie! – powiedział tata, ciągnąc Billy'ego za ramię i podskakując w stronę wesołego miasteczka jak królik, który opił się kawy.

Billy spojrzał na papę, szukając pomocy, ale ten biegł obok nich, uśmiechając się od ucha do ucha. Chłopiec z przerażeniem stwierdził, że mają przewagę liczebną.

– Ile za naszą trójkę? – zapytał tata, grzebiąc w kieszeniach w poszukiwaniu drobnych.

Starzec klasnął w dłonie, a na jego twarzy pojawił się uśmiech. Billy zauważył, że usta, zęby, brudna biała broda i wąsy mężczyzny to właściwie wszystko, co można było zobaczyć. Reszta jego twarzy ukryta była pod postrzępionym kapeluszem.

– Tylko dziś w nocy wstęp wolny! – Głos starca był ochrypły, jakby przeciągał słowa po ostrych skałach.

Ale tata zdawał się tego nie zauważać. Zamiast tego wyglądał, jakby miał zemdleć z radości. Poklepywał Billy'ego po plecach i prowadził go w stronę metalowej rampy. Drewniane drzwi na końcu przywołały ich. Ze szczeliny pod nimi sączył się dym, a wokół krawędzi pulsowała wielobarwna poświata. Znów dało się słyszeć dzwoneczki.

– Myślę... że sobie odpuszczę – powiedział Billy, rzucając szybkie spojrzenie na drzwi. Wolałby raczej rzucić się do krateru czynnego wulkanu. Zanurkował pod ramionami papy i zrobił trzy rozsądne kroki do tyłu, żeby tata nie mógł go ponownie złapać.

– Och, daj spokój. Będzie fajnie! – błagał tata.

– To tylko Dom Śmiechu, Billy – przekonywał papa, unosząc lekko brwi, jakby rzucał wyzwanie.

Ale chłopiec nie zamierzał dać się zwabić do środka błaganiami czy wyzwaniami. Zamiast tego potrząsnął głową i wskazał drzwi, które zdawały się niemal wibrować na myśl o otwarciu.

– Proszę, idźcie sami. Ja zaczekam tutaj.

Tata i papa wymienili spojrzenia. Wokół oczu taty pojawiły się zmarszczki, ale papa tylko wzruszył ramionami i wspiął się po schodach, jakby już podjął decyzję, że to będzie w porządku, jeśli Billy samotnie poczeka na zewnątrz przez pięć minut. Zresztą jakie kłopoty może sprawić dwunastolatek w tak krótkim czasie?

– Nawet nie drgnij, dobrze? Zostań tu, a my wrócimy, zanim się zorientujesz. – Tata zrobił poważną minę, a jego brwi opadły. Billy się nie poruszył. – Słyszysz?

– Powiedziałeś, że mam nawet nie drgnąć! Ale jak mam nie drgnąć, skoro muszę mówić?

Tata przewrócił oczami, przełykając śmiech.

– Idziesz czy nie?! – zawołał papa, stojąc już przed drzwiami, gotowy, żeby wejść.

Tata wskoczył po schodach, żeby do niego dołączyć. Obaj pomachali Billy'emu, po czym złapali się za ręce i odwrócili w stronę wejścia.

– Niedługo wracamy – powiedział tata, a wtedy drzwi się otworzyły, a dym owinął się wokół ich kostek.

Zrobili krok, ale zatrzymały ich słowa starca, który zawołał do nich z kabiny:

– Wesołych świąt!

Billy walczył z dreszczami, kiedy grudniowy wiatr kłuł jego skórę.

Tata i papa uśmiechnęli się.

– Wesołych świąt! – odpowiedzieli. Potem przeszli przez drzwi, zostawiając Billy'ego samego.

Czekał. Upłynęła minuta, potem dwie, a one zamieniły się w trzy i cztery. Minuty mijały, aż dziesięć zamieniło się w piętnaście, a piętnaście w dwadzieścia. W trzydziestej rozległ się robotyczny śmiech, który odbił się echem od domu. Może to miał być elf albo coś równie dziwacznego. Z głośników dolatywały trzaski i maniakalny rechot, który skręcił żołądek Billy'ego.

Miał dość czekania. Dom Śmiechu nie wydawał się szczególnie duży. Nawet jeśli był większy, niż Billy sobie wyobrażał, znalezienie drogi powrotnej nie mogło zająć aż pół godziny. Tata i papa nie pozwoliliby sobie na tak długą zwłokę, wiedząc, że chłopiec został na zewnątrz sam.

Billy podszedł do kabiny i spojrzał w górę na starca. Kapelusz nadal zakrywał mężczyźnie oczy, ale było widać usta – wykrzywione w szyderczym uśmiechu.

– Przepraszam – wykrztusił chłopiec cicho. – Czy oni nadal tam są? Nie ma ich już od wieków.

Usta starca rozchyliły się, ukazując krzywe, poczerniałe zęby. Uniósł głowę, więc cień kapelusza się przesunął. Teraz widać było jego twarz, szczególnie mlecznobiałe oczy.

– Kto? – zapytał zachrypniętym, niemal drwiącym głosem.

Billy cofnął się o krok, serce waliło mu w piersi.

Nagle zdał sobie sprawę, że nie ma tu nikogo oprócz niego i starca. Wszyscy inni ludzie omijają ten zapomniany zakątek jak zarazę. Wiatr niósł śmiech i delikatną muzykę z innych części Krainy Czarów, ale tu Billy był całkiem sam.

– Moi ojcowie – wyszeptał. – Gdzie oni są? Muszą gdzieś tam być.

Starzec wzruszył ramionami, wyraźnie dobrze się bawiąc.

– Nie wiem, co masz na myśli. W środku nikogo nie ma.

Billy'ego przeszył dreszcz, serce waliło mu z całych sił.

– Ale oczywiście możesz wejść do Domu Śmiechu i sprawdzić na własne oczy.

Dom Śmiechu zdawał się rosnąć, złowieszczo górując nad Billym.

– Ja... myślę, że po prostu poczekam – wyjąkał chłopiec. Ale kiedy się odsunął, do jego głowy wślizgnęła się dokuczliwa myśl, którą próbował zignorować: czekał już zbyt długo. Coś było nie tak, a stanie na zewnątrz nie rozwiązywało problemu. Powinien przynajmniej zajrzeć do Domu Śmiechu. – Właściwie to chciałbym wejść – oznajmił, starając się brzmieć pewnie, jednak czuł, że w środku się trzęsie.

Starzec uśmiechnął się i wskazał na drzwi.

– A więc zapraszam.

Billy spróbował zignorować ten złośliwy uśmieszek. Wspiął się po schodach, zanim zdążył zrezygnować, i powłócząc nogami, podszedł do drzwi. Te otworzyły się jak poprzednio, a dym wypełzł, by go powitać.

– Uważaj tam! – zawołał starzec. – Och, i wesołych świąt!

Billy poczuł, jak całe jego ciało sztywnieje i ogarnia go przerażenie. Kręcąc głową i ostatni raz spoglądając w kierunku Krainy Czarów, przeszedł przez otwarte drzwi, a wtedy Dom Śmiechu ożył.

Drzwi się zamknęły, do chłopca nie docierał ani jeden dźwięk z zewnątrz. Zamiast tego otaczało go rytmiczne tykanie, coś jakby pulsowanie ścian. Billy znalazł się w krótkim, wąskim korytarzu, a blask tysiąca kolorów wskazywał drogę do następnych drzwi. W tym hałasie było coś złowrogiego, jakby owo tykanie było okrutnym i szyderczym śmiechem.

– Nie – mruknął Billy, po raz kolejny myśląc, że lepiej będzie poczekać na zewnątrz i wezwać policję, jeśli jego ojcowie się nie pojawią. Odwrócił się i popchnął drzwi, przez które wszedł. Nie ustąpiły ani o cal. Spróbował jeszcze raz, a dreszcz strachu narastał w nim jak lodowaty płomień.

– Billy, Billy, Billy...

Billy podskoczył, obrócił się szybko i z dużą mocą naparł plecami na drzwi, które przed chwilą próbował otworzyć. Nawet się nie poruszyły. A na korytarzu nikogo nie było.

– Nie możesz wyjść, zanim zabawa się nie zacznie. – Głos był miarowy, ale dobitny, jakby ktoś trzymał w dłoni kartkę z zapisanym dowcipem, nie mogąc się doczekać, by go z radością przeczytać.

– Kto tu jest? – zapytał Billy, a strach wyrwał mu słowa z ust w pośpiechu i wyrzucił je w powietrze.

Głos nie odpowiedział, ale krawędź drzwi na końcu korytarza zaczęła świecić słabym czerwonym światłem, wzywając go, by podszedł bliżej. Chłopiec przywarł do ściany i po raz ostatni spróbował się wydostać, mając nadzieję, że za pierwszym razem po prostu nie był wystarczająco silny. Jego ojców nie było w pobliżu, by go zbesztać, więc wymamrotał przekleństwo, które zwykle uziemiało go na co najmniej dwa tygodnie, po czym się wyprostował.

– Nic się nie dzieje – mruknął pod nosem.

Ruszył korytarzem, który z każdym krokiem wydawał się niższy i cieńszy, aż w końcu Billy poczuł, że jest przygwożdżony ze wszystkich stron – ściśnięty przez ściany i sufit. Kiedy odwrócił się, by po raz ostatni rzucić okiem na wejście, drzwi wyglądały na niewiarygodnie małe, nie większe niż znaczek pocztowy.

Ostatni krok, i chłopiec stanął przed kolejnymi drzwiami. Miał nadzieję, że te się otworzą. Położył rękę na drewnianej powierzchni, próbując przekonać samego siebie, że po przekroczeniu progu nie przeniesie się w głąb koszmaru, ale w kierunku wyjścia, gdzie będą na niego czekać tata i papa.

Zanim jednak zdążył otworzyć drzwi, na ich powierzchni zaczęły pojawiać się słowa, jedno po drugim, jakby za dotknięciem czarodziejskiej różdżki.

Gdy zaczyna padać śnieg,
lepiej myśl szybko i sprawnie.
Bo jeśli spanikujesz,
pierwsze drzwi będą ostatnie.

Billy zmarszczył brwi. Czy Dom Śmiechu nie powinien być raczej budynkiem z kilkoma pokojami wyposażonymi w krzywe zwierciadła i gigantyczne kółka dla chomika, w których można biegać? Dlaczego więc to wszystko brzmiało jak wyzwanie? Jak coś, co można wygrać lub przegrać?

Doszedł do wniosku, że nie ma sensu za dużo o tym rozmyślać. No bo co złego może się stać? Pchnął drzwi, podobnie jak pierwsze, i odetchnął z ulgą, gdy z łatwością się otworzyły.

Pomieszczenie za nimi było kwadratowe, a na jego ścianach wymalowane były ośnieżone szczyty gór i lodowe krajobrazy. Na identycznych drzwiach po przeciwległej stronie znajdował się rysunek przedstawiający bałwana. Jego paciorkowate oczy zdawały się wpatrywać w Billy'ego złowrogo, a na bałwaniej twarzy malował się wredny uśmiech. Chłopiec musiał sobie powtarzać, że to w istocie tylko odrobina farby, i że tak naprawdę nie może go skrzywdzić.

Postąpił krok i wszedł do pokoju, drzwi za nim zatrzasnęły się, po czym rozległo się metaliczne kliknięcie tysięcy zamków. Cóż, najwyraźniej były to kolejne drzwi, które nie zamierzały się otworzyć w najbliższym czasie. Ale przynajmniej było stąd inne wyjście.

Zrobił kolejny krok w stronę bałwana na drzwiach, starając się z całych sił ignorować ciągłe tykanie, które stawało się coraz głośniejsze. Gdy dotarł na środek pomieszczenia, tykanie ustało.

A potem wszystko zatonęło w ciemności.

Billy wrzasnął, jego zmysły nagle się wyostrzyły. W pokoju panowała całkowita ciemność, w dodatku nagle zrobiło się zimno. Przejmująco zimno, jakby wyszedł boso na zewnątrz i stanął na lodowym kocu...

Poczuł na sobie pierwszy płatek śniegu i pomyślał, że to zwykła kropla wody, która kapnęła mu na czubek nosa. Spadła kolejna kropla, potem następna, a w jego twarz uderzył delikatny podmuch. Potem znowu zapaliły się światła i pokój się zmienił. Podłogę okrywała warstwa bieli, która rosła powoli, centymetr po centymetrze, ponieważ opadało na nią coraz więcej śniegu. Sufit wyglądał jak burzowe niebo wypełnione groźnymi chmurami, gotowymi, by w każdej chwili zagrzmieć.

Billy stał nieruchomo, a białe płatki opadały leniwie na podłogę. Wyciągnął rękę i ich dotknął, śnieg wydawał się prawdziwy. Niemal zbyt prawdziwy. Złączył dłonie i odczekał chwilę, aż biały puch zbierze się w ich zagłębieniu. Był przeraźliwie zimny. Billy'ego przeszedł dreszcz.

– Jak... – wymamrotał. Ogarnął go taki zachwyt, że na chwilę zapomniał, że powinien się bać.

A potem śnieg zaczął padać szybciej i gromadzić się wokół butów Billy'ego. Sięgał mu już do kostek. Skarpetki chłopca były przemoczone, palce u stóp niemal zamarzały.

Śnieg stawał się coraz gęstszy, aż w końcu zamienił się w zamieć. I nic nie wskazywało na to, że wkrótce przestanie padać. Kiedy biały puch zaczął sięgać Billy'emu do kolan, chłopiec przypomniał sobie rymowankę wypisaną na drzwiach i zaczął biec. A raczej brodzić, ponieważ śnieg zaczynał wspinać się do jego pasa.

Gdy Billy zbliżył się do drzwi, bałwan się uśmiechnął. Wyglądał jak strażnik, który może zdecydować, czy wpuści go do środka, czy też mu tego odmówi.

Billy zignorował go i naparł na drzwi, ale te zachowały się jak inne drzwi w Domu Śmiechu – nie chciały się otworzyć.

– Proszę! Wypuść mnie! – krzyknął, waląc w drewnianą powierzchnię, gdy chłód padającego śniegu coraz bardziej przenikał przez jego ubranie.

Ale krzyki nic nie dały. Jeśli cokolwiek się zmieniło, to tylko to, że śnieg wydawał się padać szybciej.

Billy rozejrzał się dookoła, szukając wyjścia, ale nie dostrzegł niczego poza solidnymi ścianami i sufitem z chmur. Kiedy śnieg sięgał mu do piersi, chłopiec podskoczył, próbując dosięgnąć nieba, jakby to mogło coś zmienić. Musiał tylko trzymać głowę ponad białym puchem. Nie mógł pozwolić, by śnieg całkowicie go zakrył, bo w przeciwnym razie... Powstrzymał tę myśl, zanim zdążyła się ukształtować.

To tylko Dom Śmiechu, nic więcej. Nic naprawdę niebezpiecznego nie może się tu przecież wydarzyć. Takie rzeczy na pewno nie były dozwolone. Ale gdy śniegu było już tyle, że sięgał Billy'emu do uszu, a ręka chłopca pacnęła w chmury, tylko po to, by przekonać się, że są masywne i nieruchome, jego myśli zaczęły galopować.

Lepiej myśl szybko i sprawnie, powtarzał sobie w głowie. Nie mógł mówić na głos, ponieważ śnieg zakrył mu już usta. Chłopiec był tak przemarznięty, że nie czuł już własnego ciała. Było jak puste odrętwiałe naczynie, a jego dusza unosiła się poza nim.

Bo jeśli spanikujesz, pierwsze drzwi będą ostatnie.

Billy prychnąłby, gdyby mógł – jak miał nie panikować, skoro dzieliły go sekundy od całkowitego zapadnięcia się?

Nie panikuj. Nie panikuj. Nie panikuj.

Powtarzał to sobie w kółko. Zamknął oczy, gdy śnieg w końcu całkowicie go pochłonął. Po chwili poczuł, że coś ciągnie go jeszcze głębiej w dół.

I głębiej. Z pewnością miał zostać pogrzebany pod tym śniegiem na zawsze.

Nie.

Panikuj.

Nie.

Panikuj.

Nie.

Panikuj.

Ta myśl stała się rytmem pulsującym w jego głowie tak, jak pulsuje krew. A potem coś zaczęło tykać. Jak zegar.

Jak wcześniej na korytarzu. Billy objął się ramionami, ze wszystkich sił usiłując nie walczyć ani nie panikować. Otaczające go zimno nagle zniknęło i przez chwilę poczuł spokój, jakby po prostu pogrążył się we śnie.

Potem zaczął opadać, najpierw powoli, przez śnieg, a później odniósł wrażenie, że przelatuje przez podłogę i spadał w powietrzu. Wylądował na jakiejś stercie, uderzając w coś rękami i nogami. Ale kiedy się podniósł i otrzepał, nie stwierdził na sobie żadnych ran. Jego ciało nie było już nawet zimne. Wyglądało to tak, jakby żadnego śniegu w ogóle nigdy nie było. Tyle że kiedy podniósł głowę, zobaczył, że białe zaspy napierają na sufit, od razu przypominając mu o pokoju, w którym dopiero co był. Wydawało się, że jakaś niewidzialna bariera oddziela śnieg od niego i powstrzymuje przed spadnięciem.

Co to było za miejsce? To nie był typowy Dom Śmiechu, tego mógł być pewien.

Billy ponownie znalazł się w zwyczajnym pokoju, mniejszym niż poprzedni. Drzwi czekały na otwarcie, ale ta gra zaczynała go męczyć. Ściany były białawe, miejscami prawie szare, a w zasięgu wzroku nie dostrzegł żadnego okna, przez które można by zobaczyć, co jest na zewnątrz. Billy czuł się tak, jakby mógł być w dowolnym miejscu na świecie, zamknięty w pudełku bez możliwości wyjścia.

– Witaj ponownie, Billy. Martwiłem się, że nie wyjdziesz z pierwszego pokoju, co byłoby dość niepokojące, biorąc pod uwagę, że dopiero zaczęliśmy. – Głos rozległ się ponownie, dobiegając znikąd i zewsząd jednocześnie. Nie brzmiał jak głos człowieka, ani nawet robota. Gdyby Billy był religijny, mógłby pomyśleć, że to głos Boga. Albo, co gorsza, diabła.

– Kim jesteś? – zapytał słabo Billy. Wiedział, że to niewłaściwe pytanie. Pierwsze powinno brzmieć: „Jak, do licha, mam się stąd wydostać?", ale ciekawość zwyciężyła.

Po pokoju przebiegł zimny śmiech.

– Jak ci się podobało powitanie w Domu Śmiechu? – padła odpowiedź niezupełnie na jego pytanie.

– Wolałbym cieplejsze – zażartował Billy, zanim zdążył się powstrzymać. Przygryzł dolną wargę, besztając samego siebie, a tymczasem głos przeszedł w chichot.

– Wreszcie ktoś z jakąś wolą walki. To będzie niezła zabawa.

– Kim jesteś? – zapytał raz jeszcze Billy.

– To nie twoja sprawa. Powinieneś zapytać, co będzie dalej.

Billy cofnął się o krok, oddalając się od drzwi, na wypadek gdyby otworzyły się bez ostrzeżenia. Mimo że wewnątrz cały się trząsł, starał się stać prosto, aby udowodnić głosowi, że nie pozwoli sobą pomiatać.

– A co będzie dalej? – powiedział, zmuszając się do zachowania spokoju.

– Nie chciałbym psuć zabawy – odparł głos, a z jego słów przebijała radość.

W umyśle Billy'ego kłębiły się myśli, które starał się okiełznać. Jeśli niedoszłe utonięcie w śniegu było pierwszym krokiem w Domu Śmiechu, to co jeszcze mogło go czekać?

Ze strachu przed tym, co usłyszy, niemal zrezygnował z zadania dwóch pytań tkwiących w jego głowie. Ale musiał wiedzieć.

– Gdzie są moi rodzice? – zadał pierwsze pytanie.

– Oczywiście nadal tu są. Oni są sednem całej tej zabawy.

Cóż, to przynajmniej było coś pozytywnego. Jeśli ruszy do przodu, będzie wiedział, że zbliża się do taty i papy. Wziął głęboki wdech, gotowy zadać drugie pytanie.

– Czy pozwolisz nam odejść?

Głos, nucąc coś, zdawał się rozważać odpowiedź.

– Najpierw musisz przejść trzy próby. Jedną już ukończyłeś, więc jesteś w jednej trzeciej drogi. Jeśli wykonasz wszystkie, to owszem, pozwolę wam odejść. Ale dość tego. Mamy grę do rozegrania, Billy. A to, co teraz na ciebie czyha, zaczyna się niecierpliwić.

Nagle zza drzwi dobiegł ryk. Najpierw cichy, dudniący jak silnik, potem przerodził się w grzmot. Głos się roześmiał, a drzwi same się otworzyły. Za nimi rozciągał się rząd wysokich sosen, stojących konar w konar i tworzących ścieżkę przez oświetlony księżycem las. Śnieżyca spadła z nocnego nieba i osiadła na leśnej ściółce grubą warstwą, nietkniętą jakimikolwiek śladami.

Ryk rozległ się ponownie, tym razem zza pleców Billy'ego, który obrócił się i znalazł kolejne otwarte drzwi z identycznym rzędem drzew ciągnącym się w ciemność.

Rykowi towarzyszyło potworne dudnienie, które było coraz bliżej.

I bliżej.

I jeszcze bliżej.

– Lepiej już idź, Billy – powiedział głos. – Ona jest głodomorem. Ale masz czas, żeby wysłuchać mojej zagadki, jeśli chcesz.

Niewidzialna bestia poruszała się szybko, pędząc w kierunku Billy'ego.

– Cóż, gdybyśmy mogli to przyspieszyć, byłoby cudownie.

Głos roześmiał się, odchrząknął i zaczął:

– *Te leśne ostępy kryją coś dzikiego. Uważaj na kły. Jeśli wybierzesz złą ścieżkę, to twoje ryzyko. Aby wydostać się z tego labiryntu, musisz przestrzegać jednej prostej zasady: idź drogą prawą, aż ona zrobi z ciebie głupca.*

– Twoja rada to pójście we właściwą stronę? – wybeł-
kotał Billy, świadomy, że potwór już prawie go dogania.

– Wszystko, czego potrzebujesz, aby odnieść sukces,
jest w tej zagadce. Musisz tylko wsłuchać się w to, o czym
mówi.

Przerażający dźwięk czegoś wielkiego wypełnił powietrze – czegoś wciąż poza zasięgiem wzroku, ale zbliżają-
cego się coraz bardziej, czegoś warczącego z głębi trzewi.

– Lepiej się ruszaj, Billy. Ona potrafi całkiem szybko
biegać.

Billy bez namysłu rzucił się w kierunku przeciwnym
do źródła dźwięku, pędząc przez otwarte drzwi prowadzące do lasu. Ciszę nocy przerywały tylko jego stłumione kroki dudniące w śniegu i złowrogi ryk czegoś za nim.

Billy zawsze był dobrym biegaczem i teraz miał nadzieję, że to wystarczy, by uciec przed tym, co czai się
z tyłu. Biegł i biegł, słowa Domu Śmiechu krążyły mu po
głowie, a każde z nich było jak stado trzepoczących pta-
ków. *Idź drogą prawą.* To mogło znaczyć wszystko, ale jak
dotąd ścieżka była tylko jedna.

A po chwili już nie była. Billy zobaczył, że rozdziela się
na dwie idące w różnych kierunkach. Wyglądały tak samo,
nic nie podpowiadało, którą powinien wybrać. Lewą czy
prawą? Prawą czy lewą? Ryk potężnej bestii pędzącej za
nim uzmysławiał mu, że nie ma czasu na zastanawianie się.
Wznosząc modły do nieba, skręcił w prawo.

Znów biegł prosto, aż w końcu dotarł do miejsca, w którym ponownie musiał wybrać. Zupełnie, jakby biegał w kółko, las się nie zmieniał, sosny stały na straży, identyczne jak ich sąsiadki. Płuca mu płonęły, bolały go nogi, znów skręcił w prawo, odtwarzając w głowie to, co usłyszał. A potem nagle to zrozumiał. *Idź drogą prawą.* Każdy wybór był prosty – w lewo lub w prawo. Jeśli będzie ciągle szedł ścieżką w prawo, z pewnością znajdzie wyjście. Rzucił się w prawo, a potem znowu w prawo. Warczenie stawało się coraz głośniejsze, ale Billy nie zawracał. Musiał biec dalej.

Nagle coś się zmieniło. Tak jak poprzednio ścieżka przed nim rozdzielała się na dwie: lewą i prawą. Ale tym razem na końcu każdej znajdowały się otwarte drzwi. Za drzwiami po prawej stronie płonął kominek, a przed nim stał duży wyściełany fotel. Pomieszczenie wyglądało ciepło i przytulnie i zapraszało do środka. Po lewej stronie otwarte drzwi ukazywały pusty pokój, identyczny jak te, w których był już wcześniej. W porównaniu z pierwszym ten wydawał się zimny. Teraz, kiedy Billy się zatrzymał, zdał sobie sprawę, że marznie. Gdyby usiadł przed kominkiem, rozgrzałby się w ciągu kilku sekund. Byłby może nawet bezpieczny.

Stłumione dudnienie w śniegu wyrwało z rozmyślań, a kiedy się odwrócił, w końcu ją ujrzał. Bestia była większa, niż się spodziewał. Cała pokryta futrem górowała nad nim co najmniej pięciokrotnie. Miała wspaniałe, sięgające wysoko rogi pokryte kolcami. Jej pysk był długi, a warcząc, odsłaniała ostre zęby ociekające śliną. Kiedy zobaczyła Billy'ego, zatrzymała się i opuściła głowę, tak że prawie dotykała śniegu. Patrzyła na niego spod zmrużonych powiek. Billy wiedział, że zaraz się na niego rzuci.

Musiał dokonać wyboru. *Idź drogą prawą, aż ona zrobi z ciebie głupca.* Bycie głupcem równało się z pójściem w lewo, do zimnego pokoju, mimo że jest przemarznięty do szpiku kości. Ale kiedy już prawie zrobił krok w prawo, przyszła mu do głowy inna myśl – czy może ufać Domowi Śmiechu? Przecież aktem głupoty byłoby właśnie zaufanie ciepłemu, zachęcającemu pokojowi z kominkiem. Dlaczego coś, co do tej pory nie zaoferowało mu żadnej pomocy, nagle chciało dać mu to, czego potrzebował? Z pewnością byłby głupcem, gdyby zaufał domowi.

Idź drogą prawą, aż ona zrobi z ciebie głupca.

W nadziei, że nie będzie tego żałował, Billy zmienił kierunek i pobiegł do drzwi po lewej stronie. Bestia rzuciła się mu na plecy i rozdarła mu sweter. Ale biegł dalej, aż w końcu wpadł do środka pokoiku. Odwrócił się szybko i zaczął zamykać drzwi. Bestia skoczyła na nie, niemal odrzucając Billy'ego do tyłu. Chłopiec zaciskał oczy i pchał drzwi z całej siły, aż wreszcie usłyszał klikanie i zdał sobie sprawę, że się zamknęły. Osunął się na podłogę, wyczerpany, ale bezpieczny. Przynajmniej na razie.

– Szybko wróciłeś. – Głos wybrzmiewał zadowoleniem i szyderstwem. – Myślałem, że staniesz się obiadem dla naszej małej przyjaciółki. Niestety udało ci się ukończyć drugą próbę. Jestem pewien, że nie możesz się doczekać, aby rozpocząć trzecią, ostatnią.

Billy się podniósł. Ten koszmar musiał się wkrótce skończyć. Jeszcze jedno zadanie, a potem odnajdzie swoich ojców i wszyscy zostaną uwolnieni. O ile Dom Śmiechu dotrzyma słowa.

– Ostatnie zadanie jest proste. Nie ma śniegu ani bestii, jest tylko wybór, którego należy dokonać. Twoje ostatnie drzwi czekają, jeśli jesteś gotów.

Drzwi otworzyły się, ukazując pokój pełen świateł.

Plątanina kabli tworzyła ściany po obu stronach pomieszczenia, ponownie rysując przed chłopcem wyraźną ścieżkę. Billy przełknął ślinę, desperacko pragnąc, żeby ta zabawa się skończyła. Ale nie było już powrotu. Nie mógł zawrócić, nawet gdyby chciał. Zbliżył się do drzwi z głębokim westchnieniem i wszedł w morze świateł.

Tykanie Domu Śmiechu wróciło, głośniejsze niż wcześniej. Każdy dźwięk odbijał się echem w pokoju. Światła migotały na czerwono i srebrno, zielono i niebiesko, ciągle i bez końca, po obu stronach rozpościerało się nieskończone morze gwiazd.

Koniec ścieżki zdawał się zanikać, masywna podłoga ustępowała miejsca czarnej nieskończonej pustce. Billy pogrzebał w kieszeniach i znalazł monetę, podrzucił ją w powietrze i pozwolił, by spadła w ciemność. Nie usłyszał dźwięku uderzania o dno.

– Nie podchodź zbyt blisko krawędzi, Billy. Nie chciałbym cię stracić, kiedy musisz dokonać ostatniego wyboru.

Jak na zawołanie dwie splątane pajęczyny świateł zaczęły wypełzać z ciemności i przesuwać się w kierunku chłopca. Były to wielobarwne kule, oddzielone od siebie i unoszące się w głębokiej ciemności. Kiedy przysunęły się bliżej, Billy zdał sobie sprawę, że wewnątrz każdej z nich coś tkwi.

Zmrużył oczy, próbując zrozumieć, co to może być. Jego ciało uzmysłowiło to sobie, zanim jego umysł złożył to w całość. Dostał gęsiej skórki.

– TATA! PAPA! – wrzasnął, gdy świetliste kule zatrzymały się i zawisły obok niego, lecz poza jego zasięgiem.

Tata i papa byli uwięzieni w dwóch plątaninach kabli, oddzielnych sieciach. Ich klatki piersiowe unosiły się powoli, oczy były zamknięte, a twarze spokojne. Jakby spali. Ale nie można było do nich dotrzeć, nie schodząc ze ścieżki w pustkę, a moneta dowiodła, że pustka nie ma końca.

– Oto twój wybór – powiedział głos.

Billy mógłby przysiąc, że usłyszał w tych słowach grobowe nuty.

– Obaj tatusiowie, tacy kochający i dobrzy. Masz ich obu przed sobą. Którego wybierzesz?

Billy sapnął, a powietrze uleciało z jego ciała. Zakołysał się w miejscu i przez chwilę wydawało mu się, że spadnie w pustkę.

– Nie wybiorę – wyszeptał. – Nie mogę.

– Brak wyboru jest też wyborem. Tik-tak, Billy. Twój czas się kończy.

Aby zademonstrować, jakie mogą być konsekwencje, kule świateł rozluźniły uścisk, a tata i papa wypadli ze swoich kokonów. Obaj zwisali teraz tylko na nitkach, obaj w każdej chwili mogli spaść w nicość pod nimi.

– Moja zagadka! Nie powiedziałeś mi zagadki! – Billy bełkotał, desperacko próbując kupić czas do namysłu.

– Oczywiście – odparł głos. – Jak sobie życzysz.

Aby rozwiązać tę zagadkę,
musisz użyć potęgi umysłu.
Decyzja należy do ciebie.
Niełatwa – ani trochę.

Wybrać jednego z dwóch,
tego drugiego pozostawić tu na zawsze.

Ale może istnieje jakiś inny wybór,
ciemny i pusty, ale sprytny.

Rozwiązanie należy do ciebie,
musisz jedynie pomyśleć.
Zaryzykuj i rozwiąż tę zagadkę
lub utknij w niepewności.

Zrób krok, ośmielam cię,
zanim będzie za późno.
Czas podjąć decyzję, Billy,
a może zostawisz to losowi?

– A więc, Billy – dokończył głos – kogo wybierzesz?
Morze świateł otaczające chłopca zdawało się pulso-
wać energią jak miliony pospiesznych uderzeń serca. Oddech chłopca był krótki i płytki, myśli zalewały go falami,
które wznosiły się i opadały, po czym ponownie się wznosiły. Nie mógł zrozumieć zagadki, bez względu na to, jak
bardzo się starał. Widział tylko swoich ojców, wiszących
na cienkich nitkach, z pustką pod nimi, która chciwie czekała, by pochłonąć ich na zawsze.
– Nie wybiorę – powtórzył Billy, mrucząc to raz po raz
pod nosem jak pieśń.
– Jeśli nie wybierzesz, nasza zabawa się skończy –
powiedział głos i światła podtrzymujące ojców Billy'ego
ponownie się poluzowały.

– CZEKAJ! – krzyknął Billy, gdy tata i papa osunęli się jeszcze niżej w pustkę. Miał sekundy na podjęcie decyzji, zaledwie chwilę, by wybrać.

– Tak? – odezwał się głos.

– *Zrób krok, ośmielam cię.* – Billy powtórzył na głos zdanie z zagadki, przenosząc wzrok z rodziców na czarną przestrzeń poniżej, na nocne niebo bez gwiazd i bez końca. – *Zaryzykuj i rozwiąż tę zagadkę* – wymamrotał drżącym głosem. Już wiedział, co musi zrobić. Nie wiedział, czy to dobrze, czy źle, ani co może się wydarzyć. Ale powinien zaryzykować. Nie zostawi tego losowi.

– Podjąłem decyzję – powiedział Billy.

W Domu Śmiechu zapanowała mrożąca krew w żyłach cisza, a tykanie w końcu ucichło. Billy zamknął oczy, malując w głowie obraz swoich ojców, którego pragnął się trzymać. Potem, odetchnął głęboko, zstąpił ze ścieżki i wpadł w tajemnicę.

OGIEŃ
I
LÓD

OGIEŃ I LÓD

Joanna Williams

DZIEŃ PIERWSZY

Czy kiedykolwiek było wam tak zimno, że czuliście się tak, jakby żmija pokąsała wam czubki palców? Albo że kości w waszym ciele zmieniły się w bryły lodu? Czy kiedykolwiek widzieliście, jak wasz oddech unosi się w powietrzu jak dym, którym zionie wielki smok?

Londyn, grudzień 1776. Powietrze gryzie tak mocno, że Tamiza zwolniła i zamarzła w srebrzystą wstęgę lodu, a świat pod nią zatrzymał się, zawieszony w czasie. Nawet ryby stanęły w pół drgnięcia, ich pyszczki zastygły w bezgłośnym „o", a niegdyś falujące dokoła trzciny pozostały nieruchome jak na obrazie.

Ale gdzie lód, tam musi być...

– Jarmark zimowy! – krzyczę, gdy wozy konne załadowane namiotami i szyldami przejeżdżają obok okna mojej sypialni. Hyde Park ma stać się „PIĘCIODNIOWĄ FANTAZJĄ LODOWEJ ROZRYWKI I MROŹNĄ RODZINNĄ ZABAWĄ!".

Wśród proponowanych atrakcji zaplanowane były: opiekanie wołów, pieczenie pierników, gra w kręgle, kącik poetycki i – moja ulubiona – jazda na łyżwach.

Przepraszam. Co za niegrzeczność z mojej strony! Pozwólcie, że się przedstawię.

Lizzie Sancho. Dwunastolatka. Fanatyczka jarmarku zimowego. Mieszkam z rodziną na Charles Street w Westminster, w czymś, co tata nazywa „skromnym" domem tuż obok naszej herbaciarni. Mój ojciec, Ignatius Sancho, znany jest wielu jako „afrykański dżentelmen i wybitny literat". To dlatego, że zawsze pisze listy do swoich przyjaciół, a także do gazet, gdy przyłącza się do jakiegoś protestu. Znany ze swojej hojności, jest również – zgodnie z szyldem w witrynie sklepowej – „Dostawcą wyśmienitych wiktuałów: specjałów dla smakoszy, kuszących herbat i wszelkiego rodzaju wykwintnych artykułów spożywczych". Dla mnie jest po prostu najlepszym ojcem, jakiego można sobie wymarzyć.

Moja mama Anna jest biznesowym mózgiem rodziny. Urodzona w Anglii w rodzinie Jamajczyków, jest dobroduszna i praktyczna. Godzi prowadzenie rodzinnych rachunków z uczeniem mnie i czwórki mojego rodzeństwa „życiowego biznesu". Frances ma siedemnaście lat. Jest bystra, spokojna i miła. Piętnastoletnia Mary to mistrzyni klawesynu z obsesją na punkcie uczenia się najnowszych kroków tanecznych. Pięcioletnia Kitty ma skłonność do chichotów i niekontrolowanych przytulasów, a dwuletniego Billy'ego nazywamy „uśmiechaczem" lub „dzieckiem". To w skrócie my, rodzina Sancho.

Jest słoneczny, ostry poniedziałkowy poranek, pierwszy dzień jarmarku. Tata obiecał, że mnie zabierze, jeśli uda mu się wymknąć ze sklepu. Madame Beerk wykłóca się z nim o dodatkowy tydzień na spłatę swojego rachunku. Kosz, który stawia na blacie, jest pełen gęsi faszerowanych winogronami, pomarańczy z goździkami, lukrowanych wiśni i migdałów w polewie cukrowej.

– Moja droga madame Beerk! – Papa ociera mahoniowe czoło. Robi tak, kiedy jest zdenerwowany. – Pani zaległy rachunek jest bardzo wysoki.

Nie tak wysoki jak ta niezwykła peruka. Jak ona daje radę utrzymać prosto głowę?

– Człowiek musi z czegoś żyć – argumentuje tata. – Muszę prosić o natychmiastową zapłatę za towar.

Madame Beerk zaciska szkarłatne wargi i zalotnie gładzi białe loki swojej wyniosłej peruki. Chmury różowego pudru unoszą się w powietrzu.

– Oczywiście, panie Sancho. Ale proszę mi mówić Hélène. – Przeciąga imię tak, by brzmiało jak „El-ejn". – W przyszłym tygodniu bez wątpienia otrzyma pan swoje pieniądze. Wszyscy musimy sobie jakoś radzić, prawda?

Sądząc po kosztownym jedwabiu w kolorze fuksji, wybrzuszającym się pod obszytym futrem płaszczem, madame Beerk nie musi się martwić o to, czy „jakoś sobie poradzi". Od tygodni przychodzi do sklepu z córką, za każdym razem w coraz bardziej ekstrawaganckim stroju. I za każdym razem jej niezapłacony rachunek – wraz z peruką – rośnie.

Tymczasem mój ojciec wzbogaca swoje życie sklepikarza, komponując muzykę klasyczną. Jego dni są długie, a wieczory spędza z mamą. Siedzą razem przy stole z pochylonymi głowami, obliczając przy świecach finanse rodziny. Mama w ogóle nie aprobuje madame Beerk.

Tata wzdycha.

– Bardzo dobrze. Może trochę gorącej czekolady dla córki, żeby ją rozgrzać, zanim znowu wyjdziecie na zimno?

Napełniam filiżankę czekoladą z dzbanka i podaję ją dziewczynce, która niezgrabnie kiwa się na tyłach sklepu. Jak zwykle jest tak owinięta derkami, że ledwo widać jej twarz. Z uśmiechem wciskam jej naczynko. Bierze je bez słowa, opróżnia i kiwa głową w podziękowaniu, gdy mi je oddaje. Unika mojego wzroku. Być może bardziej cierpi ze wstydu niż z zimna.

– Chodź, chodź, dziecko! – mówi madame Beerk, wręczając jej pełny kosz i wyprowadzając ją ze sklepu.

Tata zamyka za nimi drzwi i szeroko rozkłada ramiona.

– A teraz, moja droga – mówi, zamykając mnie w jednym ze swoich zabójczych niedźwiedzich uścisków. – Mama dała nam naprawdę wolne popołudnie! Ruszamy na jarmark zimowy!

Kiedy docieramy na miejsce, Hyde Park spowija delikatna mgiełka, która srebrzy się w świetle słońca. Drzewa udekorowane śniegiem stykają się gałęziami ponad aleją, którą pośród skrzypienia brniemy na jarmark.

Setki ludzi, zesztywniałych z zimna, wędrują wśród wielobarwnych namiotów rozsianych po brzegach jeziora Serpentine, obecnie ślizgawki dla łyżwiarzy. Z podziwem patrzę, jak przemieszczają się długimi, posuwistymi ruchami, kręcąc zgrabne arabeski, rzeźbiąc skomplikowane wzory i wzbijając za sobą zimny pył. Inni przesuwają się ostrożnie, trzymając się swoich towarzyszy i chwiejnie torując sobie drogę po lodzie.

Stoiska z jedzeniem uginają się od glazurowanych pasztecików z dziczyzną, puchatych ciastek z kremem i połyskujących przekąsek.

Odurzający zapach pierników korzennych miesza się z upojnym aromatem ciemnej, gorącej czekolady. Gdy tłumy ustawiają się w kolejce po jedzenie, w oczy rzuca mi się młody chłopak w podartym ubraniu. Mam dreszcze na jego widok. Biedny chłopiec musi być zmarznięty.

– K.N. Rebel, drukarz. Do usług, sir! – Nosowy głos przerywa moje rozmyślania.

Tata zagląda do namiotu, w którym sprzedawane są pamiątkowe bilety na jarmark. Barczysty mężczyzna w wyrazistym żółtym płaszczu kłania się nisko, machając do nas.

– Bilecik, proszę pana, na pamiątkę pańskiej wizyty?

– Prasa drukarska! – wykrzykuje papcio, spoglądając na dużą drewnianą maszynę składającą się z misternie ułożonych kwadratowych płytek i dźwigni. Wygląda jak dziwne, wielonożne stworzenie.

Tata sięga do kieszeni płaszcza i podaje pensa. Oczy Rebela błyszczą. Chowa monetę i zabiera się do pracy. Jego długie palce układają w kasetce płytki z literami i nanoszą atrament.

– Obejrzyj uważnie układ liter, Lizzie! – mówi papcio.

To dziwne. Litery pojawiają się jakby w odwrotnej kolejności. Pan Rebel wkłada do kasetki czystą kartkę i mocno pociąga za dźwignię. Kiedy ją podnosi, w środku jest nasz własny wydrukowany bilet!

Dnia 10 grudnia 1776 r. Ignatius SanchO i jegO córka Elizabeth SanchO Odwiedzili Jarmark ZimOwy i zakOsztOwali jegO rOzkOszy!

Zobaczyć swoje imię na takim druku – to jak magia!

– Widzisz! – woła tata. – Dowód! Byliśmy tu! W ten sposób, moja droga dziewczynko, powstają książki. Ulotki, plakaty, gazety, wszystko dzięki prasie drukarskiej.

Rozlega się rytmiczne basowe dudnienie bębna. Raz, dwa, trzy razy – zapowiedź.

Zostawiam tatkę omawiającego potęgę prasy z panem Rebelem i podążam za hipnotyzującym rytmem.

Na małej scenie w kącie parku stoi wysoka kobieta o hebanowej skórze. Nosi szatę w wytwornym kolorze indygo, a jej ramiona zakrywa ciemny aksamitny płaszcz. Włosy ma upięte w koronę z grubych czarnych pasm, a pod jednym ramieniem trzyma duży, okrągły bęben, z którego jej palce wydobywają dźwięki.

– Chodźcie wszyscy, chodźcie wszyscy i posłuchajcie Czarnej Poetki! – woła ciepłym, donośnym głosem.

Tłum napiera coraz bardziej, drżąc z ciekawości. Przeciskam się do przodu, żeby mieć lepszy widok. Obok mnie jakiś mężczyzna szkicuje portret Poetki, może do gazety?

Poetka tka swoje słowa jak zaklęcie: potężna pieśń czarów. Śpiewa o swoim domu za oceanem, gdzie słona bryza szepcze wśród bujnych zielonych lasów na brzegu morza. Gdzie słońce zanurza ziemię w swoim szkarłatnym świetle, zanim zatonie za mieniącym się horyzontem. Śpiewa o przybyciu do miejsca, gdzie dzieci śpią na ulicach, a ich matki są zmuszone kraść jedzenie.

Do miejsca, w którym wygłodniały potwór terroryzuje krainę, pożerając wszystko na swojej drodze. Gdzie maleńkie stworzenia żyjące w jego cieniu głodują, ponieważ okruchy, które im zostawia, to za mało, by przeżyć.

Przebiegam wzrokiem po chudych i skąpo ubranych dzieciach, które jak widma kręcą się wśród tłumu. Oczywiście! Zupełnie jak ten chłopiec, którego widziałam wcześniej. To te maleńkie stworzenia, o których śpiewa Poetka. Zupełnie jakby słyszała moje myśli, obejmuje mnie swoimi błyszczącymi czarnymi oczami.

Gdy Poetka kończy swoją pieśń, tłum ogarnia pełna podziwu cisza. Potem rozlegają się gromkie brawa. A ona, podnosząc ręce nad głowę, mówi:

– Dziękuję za uznanie, ale jeśli słyszeliście moje słowa, pomyślcie o zmarzniętych i głodnych dzieciach, które chodzą wśród was.

Wśród publiczności przebiega szmer, gdy przesłanie pieśni staje się jaśniejsze. Dzieci, które potrzebują naszej pomocy, są tutaj, wokół nas. Ludzie, jeden po drugim, zaczynają oferować – a to szalik, a to płaszcz, a to coś do jedzenia czy gorącą czekoladę na rozgrzewkę.

Z niepokojem rozglądam się po tłumie. Gdzie jest papa? Tam, po drugiej stronie jeziora, kupował chleb i placki dla grupki stłoczonych wokół niego dzieci. Ogarnia mnie nagły przypływ miłości do niego, przepycham się przez tłum, by mu pomóc.

Widzicie, tata urodził się na statku niewolników. Został przywieziony do Londynu i strasznie cierpiał w domu trzech sióstr z Greenwich, które twierdziły, że są jego właścicielkami. Wiele lat później uciekł i znalazł przyjaźń, wolność, niezależność i, jak mówi: „Po spotkaniu mojej pani żony – wspaniałej kobiety o bystrym umyśle i mocnym sercu – wielką radość!". Przez wzgląd na swoją historię mój ojciec jest i zawsze był człowiekiem wielkiego serca.

W mojej głowie rozbrzmiewa pieśń Poetki. Rozglądam się w nadziei, że z nią porozmawiam, ale ona już zniknęła, wchłonięta przez ogromny, poruszający się tłum.

DZIEŃ DRUGI

Następnego ranka o świcie pomagam mamie i tacie spakować kosz świeżo upieczonych bochenków, które mam po sąsiedzku dostarczyć do St Giles, jednej z najbiedniejszych parafii w mieście.

Ulice tutaj są ciemne i niebezpiecznie wąskie. Drewniane domy pochylają się ku sobie niepewnie, można wyciągnąć rękę przez okno po jednej stronie drogi, by zapukać w okno po drugiej. Chodząc od domu do domu z ciepłym chlebem, ślizgam się i potykam na oblodzonym bruku. Słowa Poetki brzęczą mi w głowie.

Kiedy koszyk jest już pusty, przechodzę przez Seven Dials w kierunku Covent Garden. Tutaj, zaledwie kilka ulic dalej, eleganckie place obnoszą się ze swoimi wielkimi kolumnadami zwieńczonymi eleganckimi rzeźbami zwierząt i aniołów, które połyskują w białym zimowym słońcu. Inny świat. Kiedy wchodzę na Neal Street, dostrzegam dziewczynę w postrzępionej sukience, która wpatruje się we mnie, stojąc w zacienionych drzwiach. Patrzy na mnie przez chwilę, po czym odwraca się i znika z pola widzenia. Zaśnieżona ziemia, na której stała, jest usiana jakimiś papierkami. Schylam się i podnoszę jedną.

NiepOkOi cię Ostatni wzrOst liczby akcji niesienia pOmOcy biednym?

Chcesz pOwiększyć swOją własnOść i chrOnić swOje przywileje za wszelką cenę?

W takim razie dOłącz dO Kneblerów!

Najbliższe spOtkanie: 16.00, 12 grudnia, na piętrze w kawiarni Jamajka.

12 grudnia. To już jutro! Zbieram ulotki, wpycham je pod płaszcz i pędzę do domu.

W sklepie jest Hélène Beerk i ładuje kolejny kosz. Jej okutana córka niecierpliwie przestępuje z nogi na nogę przy drzwiach. Ponure przesłanie papierów ukrytych w moim płaszczu nie daje mi spokoju. Kim są Kneblerzy i co zamierzają?

Tymczasem biedny tatuś przeszukuje kieszenie.

– Lizzie, najdroższa, chyba zgubiłem list, który pisałem do gazety. Pomóż mi go znaleźć, proszę!

Zaczynam przeczesywać półki stojące pod ścianami sklepu. Zazwyczaj zaśmiecone osobistymi dokumentami i korespondencją taty, są teraz zaskakująco uporządkowane, ale nigdzie nie widzę jego listów. Niespodziewanie wtrąca się madame Beerk:

– Śledzę pańskie ostatnie listy w „Daily Advertiser", panie Sancho.

Jej zęby wydają się ciemnożółte na tle alabastrowego pudru, który ma na twarzy.

– Ach tak, okropna sprawa – odpowiada papcio, smutno kręcąc głową. – Czterech kolejnych powieszonych w więzieniu Newgate. Tylko za kradzież jedzenia, by wykarmić dzieci. Piszę, aby zaprotestować. I składam petycję!

Madame Beerk ponuro kiwa głową, jej peruka przechyla się do przodu pod niebezpiecznym kątem.

– Słusznie, panie Sancho. – Podnosi rękę, żeby przytrzymać perukę. – Zastanawiam się, co by na to powiedział pan Kler.

Twarz taty tężeje. Ben Kler jest jego rywalem w pisaniu listów, z którym regularnie kłóci się na łamach „Daily Advertiser".

Za każdym razem, gdy mój ojciec publikuje list prote-
stacyjny, Ben Kler pisze list, w którym go obraża. Ci dwaj
mężczyźni nigdy się nie spotkali, ale gdyby tak się stało,
leciałyby wióry!

– Mój list zawiera doskonale sformułowane argumenty,
które gwarantują mi poparcie – wyjaśnia tatko, uspokajając się mimo złości. – Mamy wieszać głodnych ludzi za kradzież jedzenia? NIE! W Newgate musi zapanować litość! –
Otwiera szuflady pod ladą, jedną po drugiej, szperając
wśród starych gazet i rachunków. – Gdzie to może być?

– Niech się pan nie przejmuje kłopotami innych, Igna-
tiusie – mówi madame Beerk, naciągając futro z lisa ciaśniej na ramiona. – Poproszę jeszcze funt makaroników,
jeśli można... Wydaje mi się, że rozwijam całkiem niezły
nawyk...

Zdesperowany, by znaleźć listy, tata niechętnie zgadza się, żebym sama poszła na jarmark, pod warunkiem,
że wrócę do domu przed zmrokiem. Chcę ponownie
usłyszeć Poetkę. Maszeruję przez śnieg, rozmyślając
o długich nocach, w czasie których moi rodzice nie
spali, pracując, żebyśmy mieli co jeść i mogli ogrzać się
zimą. Myślę o ludziach cierpiących w więzieniu Newgate. O dzieciach, które przemykają w swoich zgrzeb-
nych łachmanach pośród wytwornie ubranych tłumów.

Gdzie jest ten chłopak, którego widziałam wczoraj? Ani śladu po nim.

Zajmuję pierwsze miejsce przed sceną.

Kiedy Poetka wyłania się ze swojego namiotu, z tłumu wznoszą się radosne okrzyki. Macham. Poetka łapie mój wzrok i uśmiecha się. Czuję na skórze mrowienie. Po raz kolejny rozlega się hipnotyzujący rytm bębna. Znowu wszyscy słuchamy z uwagą.

Jestem oczarowana. Piosenki Poetki przemawiają do mojego serca. Pieśni odległych bibliotek wznoszących się nad piaskami, mądrości napisane przez miłujących pokój skrybów, poezja przekazywana przez wieki, jedno pokolenie śpiewające swoją prawdę następnemu. Moja dusza drży od potęgi słów i muzyki.

Ale gdy piosenka się kończy, przez tłum przetacza się fala niepokoju. Kobieta stojąca obok wpada na mnie gwałtownie. Nagle jestem popychana ze wszystkich stron, a ludzie dokoła chwytają się z konsternacją swoich ubrań.

– Moja portmonetka!

– Moja torebka!

– Wydawało mi się, że coś czuję!

– Kieszonkowiec!

Zamieszanie szybko przeradza się w przepełnione złością pandemonium.

– Zatrzymać się!

– Złodziej!

Tłum zamienia się w motłoch. Jestem przepychana z jednej osoby na drugą. Ludzie łapią każdego, kogo podejrzewają o kradzież.

– Tutaj! Patrzcie! Przyłapany na gorącym uczynku! – Wysoki mężczyzna w okularach trzyma mocno za ramię chudego, ostrzyżonego na jeża chłopca przy wejściu do namiotu Poetki. To ten chłopak, którego widziałam w poniedziałek! W drugiej ręce mężczyzna trzyma torbę pełną sakiewek, monet, banknotów i zegarków.

Tłum wydaje ryk. Chłopiec próbuje się uwolnić, wskazuje na Poetkę i krzyczy:

– Ona nam zapłaciła! Zapłaciła nam, żebyśmy ukradli wasze rzeczy dla niej! Proszę mnie nie karać! Proszę!

Moje serce wali. To nie może być prawda!

– To ona! – grzmi mężczyzna. – Wszystko jest tutaj, w jej namiocie! Kieszonkowcy pracują dla niej!

Poetka patrzy z niedowierzaniem na worek z kosztownościami. Na scenę wdrapuje się tęga kobieta i chwyta ją za ramię.

– Wezwijcie Biegaczy z Bow Street!

Dzieci rozbiegają się we wszystkich kierunkach, gdy czterech krzepkich mężczyzn w niebieskich płaszczach przepycha się przez tłum. Mężczyźni brutalnie ściągają Poetkę ze sceny i ładują ją do czekającego powozu. Z bijącym sercem przedzieram się do niej przez morze ludzi.

– Dokąd ją zabieracie? – pytam przez łzy.

Poetka wychyla się i chwyta mnie za rękę, jej jasne oczy błyszczą.

– Jestem niewinna, siostro – szepcze.

– Do Newgate! – ryczy brodaty mężczyzna, siadając na miejsce woźnicy. Jedno ostre szarpnięcie lejcami, jej palce wysuwają się z moich, i znika.

Newgate! Na wspomnienie słów mojego ojca drżą mi nogi. Słońce szybko chowa się za wieżyczkami miasta, a niebo przybiera barwę indygo. Muszę wracać do domu. Z samego rana znajdę drogę do najsłynniejszego londyńskiego więzienia.

DZIEŃ TRZECI

Więzienie Newgate jest, tak jak się obawiałam, miejscem rozpaczliwym i ponurym. Nikłe promienie cennego światła ledwo przenikają przez mrok jego korytarzy nawet o świcie, a powietrze jest gęste od zgniłego smrodu, który wydaje się sączyć ze ścian. Na dziedzińcu jest niesamowicie cicho. Szczury, przysadziste i bystrookie, przedzierają się przez szron i brud w ciemności.

Przekonałam naczelnika – niskiego, zgarbionego mężczyznę o mocno pomarszczonej twarzy – żeby mnie wpuścił, obiecując mu kosz z zakupami z naszego sklepu. Kręci głową z dezaprobatą, prowadząc mnie korytarzem, i mruczy:

– Nie możesz tu długo zostać. Mógłbym stracić pracę przez to, że cię wpuszczam. – Zatrzymuje się przy żelaznych drzwiach i pobrzękuje dużym pękiem kluczy wiszącym u jego chudej talii. – Pięć minut – burczy, przekręcając klucz z trzaskiem i otwierając drzwi. – I żadnych wybryków.

Poetka przechadza się tam i z powrotem po niewielkiej obskurnej celi. Na mój widok wzdycha.

– Dziękuję, siostro! Wiedziałam, że przyjdziesz.

Rozglądam się po brudnych ścianach.

– Wyciągnę cię stąd – obiecuję.

– Żadnych wybryków! – woła z korytarza naczelnik.

– Jest niewinna! – odkrzykuję. Odwracam się do Poetki. – To nie w porządku. Dowiem się, kto cię wrobił i dlaczego.

– Ufam, że to zrobisz, siostro. Jesteś jasnowidzką, słuchaczką, pobłogosławioną darem obserwacji.

Jej słowa mnie ogrzewają. Mama często mówi to samo.

– Uwielbiałam cię słuchać. Kiedy śpiewałaś, czułam się jak we śnie. Ale ten sen wydawał się taki znajomy...

– To, moja dziewczynko, jest moc Anansitori. Sieć opowieści snutych przez Anansiego, która łączy nas ze sobą. Twoja matka i ojciec mają afrykańskie korzenie, tak?

– Tak. – Mój ojciec podróżował przez ocean w niewoli. Moja matka urodziła się wolna na angielskiej ziemi. Oboje są dumni ze swojej afrykańskiej krwi. Moje rodzeństwo i ja nosimy tę dumę jak pancerz ochronny. Łączy nas ze sobą w tym mieście, które nie zawsze wydaje się postrzegać nas takimi, jakimi jesteśmy. Mama mówi, że to jednoczy nas z innymi ludźmi, z którymi dzielimy nasze dziedzictwo. Odkąd byłam małym dzieckiem, czerpałam pocieszenie z drobnych gestów wzajemnego uznania, które przekazują sobie czarnoskórzy i brązowi ludzie: spojrzenie, uśmiech, delikatne skinienie głową, które mówi „Widzę cię".

Poetka podnosi wzrok do światła sączącego się przez zakratowane okno.

– Byłam poetką dla mojej społeczności. Mam w sobie pieśni i historie, mity i tajemnice, które są cenne dla mojego ludu. Jeśli umrę, one nie mogą umrzeć razem ze mną. Śpiewam, aby przekazać je dalej. Ja też urodziłam się w Afryce, na zachodnim wybrzeżu. Zabrana nocą od moich rodziców, wyrwana ze spokojnego i dostatniego życia w mieście, o którym śpiewałam. Zabrano mnie statkiem do Anglii, do Bristolu, gdzie sprzedano mnie okrutnemu panu. Pewnej nocy zbiegłam przez pola pod osłoną ciemności. – Opiera się o ścianę, przesuwa palcem wzdłuż linii nacięć wykonanych przez byłego lokatora. – Za dnia śpiewałam za grosze i wciąż się przemieszczałam, aby uniknąć schwytania. Głodna, wyczerpana, nocami ukrywałam się w stajniach i przybudówkach. Po tygodniach dotarłam do Londynu. – Jej oczy błyszczą nadzieją. – Słyszałam, jak opowiadano o prezesie Sądu Najwyższego, lordzie Mansfieldzie, i jego rozporządzeniu, które chroni nas przed odesłaniem z powrotem do niewoli za granicą. Ale widzę tu, w tym bogatym kraju tak wielu ludzi zepchniętych na margines przez biedę: dzieci śpiące na ulicach, matki żebrzące o jedzenie...

– Więc śpiewasz, żeby pokazać nam, co widzisz?

Czy dlatego jej słowa tak mnie poruszają?

– Śpiewam, aby rzucić światło na to, co jest wokół nas, choć czasami pozostaje niewidoczne. Niektórzy, jak ty, usłyszą. Inni przejdą obok, niewzruszeni. Ale ci, do których moje słowa naprawdę dotrą, zatrzymają się i zadadzą sobie pytanie, co mogą zrobić, aby pomóc, tak jak ty to zrobiłaś. Dzieci są często oczami i uszami społeczności. Prawda wyjdzie na jaw, nie mam wątpliwości. Pytanie brzmi: dlaczego chłopiec kłamie i kogo chroni?

Kawiarnia Jamajka stoi na skrzyżowaniu Monmouth Street i Little Earl Street. Jedynym sposobem, aby dostać się do pomieszczenia na piętrze bez przechodzenia przez frontowe drzwi, jest wejście zniszczoną klatką schodową, która pnie się z tyłu budynku niczym rozklekotany kręgosłup. Trzymając się lodowatej poręczy, skradam się ostrożnie po oblodzonych stopniach. Odgarniam kupkę śniegu z parapetu i zaglądam przez okno.

Wokół ogromnego stołu siedzi około dziesięciu kobiet i mężczyzn, których sylwetki wydają się groteskowe za sprawą nieprzyzwoicie dużych peruk. Każdy nosi wenecką maskę karnawałową, bogato zdobioną płomieniami lub piórami. Przez oszronioną szybę dostrzegam złotego kota, arlekina-błazna, doktora plagi i wszyscy oni mają puste oczy. Ich jedwabne szaty i klejnoty lśnią w migoczącym świetle świec.

Stół jest zastawiony indykami i żółwiami, kaczkami i popielicami, kalafiorami i cukinią, brzoskwiniami i ananasami. Mężczyzna w srebrnej masce i czarnym kapeluszu rozbójnika stoi i trzykrotnie stuka srebrnym widelcem w kielich. Wszyscy uroczyście wstają, biorą się za ręce i zaczynają intonować:

– Nakarmić bogatych! Ukarać biednych! Kneblować tych, którzy mówią! Nakarmić bogatych! Ukarać biednych! Kneblować tych, którzy mówią! – W kółko, głośniej i głośniej. Te dźwięki przenikają mnie do kości.

Na ścianie dostrzegam serię rysunków. Portrety przekreślone czerwonymi krzyżami. Przyglądam się im dokładniej. Jest tam wizerunek Czarnej Poetki, szkarłatny X zakrywa jej twarz.

Z przerażeniem cofam się od okna i uderzam głową w poręcz za mną. Schodzę po schodach i biegnę, i biegnę, aż jestem z powrotem w sklepie. Trzaskam drzwiami i opieram się o nie, krew pulsuje mi w głowie przy każdym oddechu.

W kuchni przy delikatnym świetle kominka Kitty i Billy bawią się w kółko graniaste wokół stołu, przy którym stoją mama i tata, pakując kolejny kosz dla mieszkańców St Giles.

DZIEŃ CZWARTY

W nocy dręczą mnie pytania bez odpowiedzi. Kim są Kneblerzy? Czy wrobili Poetkę? Jak? Kim jest dziewczyna w kapturze i dlaczego mnie do nich zaprowadziła? Kiedy następnego ranka schodzę na dół, moi rodzice siedzą razem przy ladzie sklepowej, mama obejmuje ramię taty. Tata trzyma głowę w dłoniach. „Daily Advertiser" leży przed nimi otwarty.

Siadam naprzeciwko nich.

– Mamo, tato, co się stało?

Mama przesuwa gazetę po blacie.

CZARNA POETKA SKAZANA NA ŚMIERĆ W ZWIĄZKU Z SERIĄ KRADZIEŻY

PODCZAS JARMARKU ZIMOWEGO CZARNA POETKA ZOSTAŁA ARESZTOWANA I OSADZONA W WIĘZIENIU NEWGATE.
ZOSTANIE POWIESZONA O ZMIERZCHU 14 GRUDNIA.

Moje serce drży.

Na tej samej stronie list:

Szanowni Państwo,

w świetle informacji o aresztowaniu Czarnej Poetki muszę zwrócić uwagę, że niektórzy członkowie rodziny Sancho byli widziani podczas wizyty w więzieniu u tej przestępczyni. Są niewątpliwie w zmowie! Czy kupilibyście artykuły spożywcze w jaskini złodziei? Bojkotujmy herbaciarnię i sklep spożywczy Sancho!

Podpisano,

Ben Kler

Nie wierzę własnym oczom! Ktoś mnie śledził w drodze do więzienia?

– Mamo, tato, tak mi przykro. – Waham się. – Ale Poetka jest niewinna! Chciałam jej pomóc!

– Wiem, Lizzie – mówi mama, zakrywając moją dłoń swoją. – I trzeba jej pomóc, ale więzienie to niebezpieczne miejsce dla dziecka! I teraz...

– Jesteśmy zrujnowani... – mruczy mój ojciec.

Mama nalega, żebym została w domu przez cały dzień:

– Dla twojego własnego bezpieczeństwa. Tutaj mogę mieć cię na oku.

Papa z pomocą Frances spędza dzień na przepisywaniu zagubionych listów do gazety i wskrzeszaniu swojej petycji. Mama prowadzi sklep razem z Mary, a ja biegam za Kitty i Billym.

Tej nocy leżę w łóżku ze wszystkimi zmartwieniami świata ciążącymi na mojej piersi jak goblin. Jak mogłam przysporzyć rodzicom tyle udręki? Nie mogę uwierzyć, że Poetka została skazana na śmierć! Jak znajdę dowód, którego potrzebuję, by ją uratować, skoro nie mogę nawet wyjść z domu?

Moje myśli rozprasza nagle odgłos kamienia rzuconego w moje okno. Po drugiej stronie ulicy stoi mała zakapturzona postać, owinięta w derki. Dziewczyna z St Giles!

Sygnalizuję, że ją widzę, i schodzę na palcach na dół.

Ostrożnie otwieram drzwi, żeby dzwonek nie zabrzęczał na alarm, i wychodzę na zewnątrz. Dziewczyna przywołuje mnie do siebie.

– Nie mogę zostać długo – szepcze. – Ale musiałam przyjść. Chcę pomóc. Nazywam się Gracie. – Jej nos i policzki są zaróżowione z zimna. – Nie mogę pozwolić, by zawisła niewinna osoba! To nie jest wina Jacka.

– Jacka?

– Mojego brata. Chłopiec przyłapany na kradzieży na jarmarku to mój brat. Powiedziała, że nas nakarmi, jeśli będziemy dla niej pracować. Każe nam rozwieszać te ich okropne plakaty i roznosić ich okropne broszury. Ale słodycze to jedyne jedzenie, które dostajemy. Uzależniła Jacka od cukru. Więc wciąż tam wracamy. I powiedziała, że jeśli kiedykolwiek komuś powiemy...

– Ale kto? Chyba nie Poetka?

Gracie marszczy brwi i kręci głową. Rozgląda się nerwowo i wciska mi w ręce torbę z papierami.

– Masz. Przepraszam. I tak za dużo już powiedziałam. Muszę iść... – I jak para unosząca się, gdy dolewa się wody do ognia, zniknęła.

Drżę i wracam do środka. Otwieram torbę. Pełno w niej portretów, takich jak te, które wisiały na ścianie podczas spotkania, jeszcze więcej broszur i... zaginione listy taty! Jakim cudem Gracie je zdobyła?

DZIEŃ PIĄTY

Następnego ranka jestem wyczerpana: klatkę piersiową wypełnia mi lodowaty strach. Poetka ma dziś wieczorem zawisnąć na szubienicy. Aby ją uwolnić, muszę udowodnić, kto ją wrobił i jak to uczynił. Teraz mam torbę pełną dowodów, ale jak to wszystko do siebie dopasować?

Tata siedzi przy ladzie i wściekle gryzmoli piórem kolumny liczb. Bez wątpienia robi swoje obliczenia. Jeśli ludzie naprawdę przestaną przychodzić do sklepu, jak grozi ten list, będziemy mieli trudności z zapłaceniem rachunków. Kładę dłoń na ramieniu ojca. Desperacko chcę mu powiedzieć, że jego listy są bezpieczne, ale muszę najpierw dopasować wszystkie części układanki, aby chronić Gracie.

– Tato, czy jest coś, co mogę zrobić?

Poklepuje mnie uspokajająco po dłoni.

– Dziękuję, moja najdroższa. Twoje towarzystwo wystarczy mi za wszystko. Ale może mogłabyś podyktować mi rachunki... rozjaśnić trochę to ponure zadanie?

Podnoszę pierwszy stos papierów.

– Hélène Beerk. Dziesięć funtów migdałów w cukrze, dwadzieścia funtów rodzynek z Malagi...

Patrzę, jak tata pisze.

– Nie, tatusiu, nie L.N. Beeek..., ale Hélène. To po francusku Helena. Nie wymawiasz... Och! Mój Boże. Czy mogę?

Biorę pióro i piszę:

L.N. Beerk.

Wpatruję się w litery w imieniu.

– Wiem! Może uda mi się ocalić Poetkę! – Zrywam się i chwytam płaszcz. – Jak myślisz, jak szybko uda ci się zebrać mieszkańców na jarmarku zimowym, tato?

– Cóż, z pomocą rodziny, naszych braci, sióstr i przyjaciół z całego miasta... Wysłałem już petycje do wielu zwolenników Poetki!

– Musimy skontaktować się z lordem Mansfieldem!

– Cóż, to...

– Kończy nam się czas, tato!

– No rozumiem, rozumiem. Mów, co robić...

O drugiej wchodzę na scenę Poetki, ściskając torebkę, i rozglądam się wśród tłumu, który zebrał papa. Wieść szybko się rozeszła i ludzie przybyli ze wszystkich zakątków miasta. Sprzedawcy owoców i woźnice, pisarze i aktorzy, zamiatacze i marynarze, poeci i politycy: stoją przede mną najróżniejsi ludzie, młodzi i starzy. Tata stoi na środku. Kilka rzędów dalej znajduje się madame Beerk. Uderzyłam w bęben, aby zwrócić na siebie uwagę.

– Panie i Panowie! Trzy dni temu oczarowały was słowa Czarnej Poetki.

– Dopóki nas nie okradła! – woła rumiana aktorka w kapeluszu z piórami.

– Tak! Zwróciła przeciwko nam nasze własne dzieci! – dodaje kędzierzawy woźnica w czerwonej liberii.

– Jesteście pewni? Dzieci, które teraz widzę wśród was, były tak głodne, że zrobiłyby wszystko za jedzenie. Tak, zabrały wam torebki i pieniądze. Owszem. Ale ktoś im za to zapłacił. Jednak to nie była Poetka!

– Udowodnij! – piskliwy głos dobiega z tyłu tłumu.

– To była pani Beerk!

Hélène Beerk wygląda na przerażoną. Myślała, że przyjdzie posłuchać publicznego potępienia Poetki. Ogarnięta paniką zaczyna przepychać się przez tłum, ale dwie potężnie zbudowane praczki zagradzają jej drogę i przytrzymują ją za ramiona. Inna chwyta ją za perukę.

Podnoszę wysoko kopię rachunku madame Beerk za zakupy.

– Ta kobieta od tygodni skupuje wszelkiego rodzaju słodycze, jakie tylko istnieją! Kupuje je, żeby przekupić biedne, głodne dzieci potrzebujące jedzenia. To Hélène Beerk zapłaciła dzieciom, żeby ukradły wam torebki!

– Nieprawda! – syczy Beerk. – Nigdy wcześniej nie widziałam tych dzieci.

– Ależ widziałaś! W rzeczywistości zapłaciłaś jednej z dziewczynek słodyczami, aby udawała twoją córkę. Przyprowadziłaś ją do sklepu, żeby ukraść listy mojego ojca. Myśleliśmy, że jest po prostu jak zwykle roztargniony, przepraszam, tato, ale dziewczynka ukradła dla ciebie jego listy, podczas gdy ty odwracałaś jego uwagę, nieustannie się targując.

– Nonsens! – warczy Beerk. – Byłam w sklepie, kiedy skradziono torebki!

– Byłaś – kontynuuję. – Ale twój wspólnik był na jarmarku. To on polecił dzieciom okradać kieszenie i ukrywać łupy w namiocie Poetki, aby po przybyciu konstabli uznali ją za winną. Twój wspólnik dokładnie wiedział, kto będzie na jarmarku, i zanotował, gdzie kto trzyma pieniądze, kiedy ludzie płacili za pamiątkowe bilety! Panie Rebel!

Rozlegają się pełne zaciekawienia szepty, gdy tłum rozgląda się za Rebelem. Nigdzie go nie widać.

– Ale to nie ma sensu! – wtrąca się starszy szewc w zielonym surducie. – Sugerujesz, że to zaplanowali. Ale po co kraść pieniądze tylko po to, by je oddać?

– Dobre pytanie. Zadałam je również sobie. Ale widzicie, ich celem wcale nie było zdobycie pieniędzy. Celem było uciszenie Poetki. Na zawsze. – Pokazuję plakat Poetki, jej twarz jest zamazana dużym czerwonym iksem, a z tłumu dobiega okrzyk zaskoczenia.

– Wszystko to jest dziełem Kneblerów! – Zerkam w jedną z ich okropnych broszur. – To wszystko jest częścią ich planu: „Nakarmić bogatych, ukarać biednych, kneblować tych, którzy mówią!".

W tłumie zapada zatrważająca cisza. Ludzie poruszają się nerwowo.

– To jest credo Kneblerów. Drukują te broszury i proszą dzieci, aby roznosiły je po mieście. Ale spójrzcie na literę „o" jest większa niż pozostałe litery.

– No i co z tego? – rozlega się piskliwy głos.

– Jeśli kupiłeś bilet na jarmark zimowy, wyjmij go i obejrzyj uważnie...

– Ona ma rację! Spójrzcie na „o"!

– To błąd prasy, która została użyta do ich wydrukowania.

– Te bilety zostały wydrukowane na tej samej maszynie co broszury, ponieważ K.N. Rebel, drukarz, jest Kneblerem! Przestawcie litery jego imienia i nazwiska. Są anagramem słowa „Knebler" To ich kod. Ich nazwiska są sygnałem dla innych Kneblerów, dzięki któremu mogą ze sobą współpracować. L.N. Beerk! Jest Kneblerką. I oczywiście Ben Kler, ich kontakt w „Daily Advertiser". Ta trójka żerowała na bezbronnych dzieciach, chciała zrujnować mojego ojca, a nawet była gotowa posłać na śmierć niewinną kobietę!

W tym momencie pod bramę parkową podjeżdża powóz. Wychodzi z niego mama, pomaga wysiąść Gracie i Jackowi, i mocno trzyma ich za ręce. Potem wychodzi Poetka, a za nią wysoki, dostojnie wyglądający mężczyzna o poważnym wyrazie twarzy. Oferuje jej swoje ramię i razem ruszają w kierunku sceny. Poetka zajmuje swoje miejsce na podium i spogląda na morze wpatrujących się w nią twarzy.

– Muszę ci podziękować, Lizzie, za to, że zadałaś sobie tyle trudu, by zapewnić mi wolność. I dziękuję lordowi Mansfieldowi za to, że zgodził się wysłuchać tego, co dzieci miały do powiedzenia dziś rano, i zagwarantował im bezpieczeństwo. Dziękuję, Gracie i Jack, za waszą niezwykłą odwagę i ujawnienie się.

Lord Mansfield robi krok do przodu i kłania się Poetce.

– To my powinniśmy podziękować tobie! Za to, że otworzyłaś nam oczy na nasze pożałowania godne realia.

Moja siostrzenica, Dido Belle, powiadomiła mnie o twojej sprawie. – Lord Mansfield wskazuje na wejście do parku, gdzie czeka powóz, a ja dostrzegam w jego oknie ciemną sylwetkę. – Rebel jest w tej chwili w Newgate – kontynuuje lord Mansfield. – Kneblerzy zostaną uwięzieni, ich majątek sprzedany, a pieniądze przeznaczone na miejscowy przytułek dla ubogich. Miejsce, w którym dzieci i ich rodziny mogą bezpiecznie i ciepło spać, dobrze zjeść i zacząć budować przyszłość. – Lord zwraca się do Poetki: – Obawiam się, że nie powitaliśmy cię tak, jak na to zasługujesz.

Poetka przygląda mu się uważnie.

– Kiedy przyjeżdżam w jakieś miejsce, mam nadzieję, że moja poezja pomoże ludziom z otwartością słuchać i patrzeć na to, co się wokół nich dzieje, i odnajdywać w sobie pokłady dobroci. Patrzę, słucham, uczę się. A potem idę dalej. – Bierze moją dłoń w swoją. – Prawda jest jak płomień, który płonie w ciemności, aby wskazać ludziom drogę do bardziej sprawiedliwego i życzliwego życia. Lizzie, masz wyjątkowy dar. Wykorzystuj swój głos, aby przemawiać, i pomagaj innym czynić to samo. – Poetka odwraca się do tłumu. – Tu, w tym właśnie zakątku parku każdy może opowiedzieć swoją prawdę. Tam gdzie jest okrucieństwo i egoizm, niech zapanuje też życzliwość i odwaga. Gdzie jest lód, niech będzie i ogień.

Po tych słowach Poetka schodzi ze sceny. Tłum rozstępuje się przed nią. Patrzę, jak znika w srebrzystej mgle, a jej czarny płaszcz powiewa za nią, i zdaję sobie sprawę, że przez cały czas, kiedy była z nami, nigdy nie zapytaliśmy o jej imię.

SERENA PATEL

CICHA
NOC

ŚCIŚLE TAJNE

CICHA NOC

Serena Patel

To naprawdę był wypadek.

Później, kiedy Ardżun musiał wytłumaczyć mamie, co się stało, zaczął snuć swoją opowieść właśnie w ten sposób. Naprawdę nie miał zamiaru szpiegować swoich sąsiadów. Naprawdę nie chciał widzieć tego, co zobaczył. I na pewno nie miał zamiaru wywoływać incydentu z udziałem policji na swojej ulicy. Ale nie można tak po prostu zignorować morderstwa, które ma miejsce po sąsiedzku!

Zdaniem Ardżuna wszystko było winą jego mamy. Gdyby nie zadzwoniła do lekarzy w sprawie jego ciągłych infekcji gardła:

Lekarz nie zaleciłby usunięcia migdałków.

Ardżun nie musiałby przejść operacji w pierwszym tygodniu roku.

Nie musiałby spędzić tygodnia w domu, aby wyzdrowieć.

Wróciłby do szkoły i nie szpiegowałby sąsiadów.

I, co najważniejsze, NIE wywołałby poważnego incydentu policyjnego.

Ale jego pozbawiono migdałków, wszyscy przyjaciele byli w szkole, a on sam utknął w domu.

Próbował się rozerwać. Grał na PS4, ale żadna to przyjemność, gdy nikogo z przyjaciół nie ma online, bo wszyscy są w szkole. Usiłował czytać, ale po prostu nic go nie wciągnęło. Zaczął odrabiać pracę domową, którą szkoła troskliwie (irytująco) mu podesłała. Cóż, prawdę mówiąc, wcale bardzo się nie starał.

Ponieważ mama musiała pracować, w domu byli tylko Ardżun i Ba, jego babcia. Mieszkała z nimi, odkąd dwa lata temu zmarł jego dziadek. Wszystko było w porządku, ale Ba nie mówiła zbyt dobrze po angielsku i lubiła, gdy Ardżun rozmawiał z nią w języku gudżarati. Ardżun czuł się niezręcznie, ponieważ często mylił gudżarackie słowa, dlatego unikał długich rozmów.

Tak więc, aby jakoś zabić czas, który miał spędzić w swoim pokoju, i dlatego, że nie miał nic innego do roboty, Ardżun zajął się obserwowaniem swoich sąsiadów.

Obok mieszkała pani Jones, która zawsze wychodziła we wtorek o dziewiątej siedemnaście rano, żeby zdążyć na autobus do miasta. W czwartek pani Jones szła na spacer ze swoją drugą sąsiadką, panią Kaur, i czterokrotnie obchodziły razem blok. Ardżun widział, jak mijają go, radośnie rozmawiając przy każdym okrążeniu.

Po drugiej stronie domu Ardżuna mieszkali państwo Singh, niezmiennie bardzo mili, jeśli chodzi o przerzucanie piłki Ardżuna z powrotem przez płot. Po drugiej stronie ulicy, pod numerem 10, mieszkał pan Borokov, poważny, ale życzliwy człowiek, który często oferował pomoc mamie Ardżuna, gdy coś w ich domu się psuło. Pan Borokov codziennie chodził do sklepu o dziewiątej czterdzieści, żeby kupić gazetę, czasem też małą butelkę mleka. Obok niego, pod numerem 12, mieszkał zrzędliwy starzec, pan Abara, który zawsze był naburmuszony i z nikim nie rozmawiał. Ardżun nigdy nie widział, żeby ktoś go odwiedzał, i zastanawiał się, czy pan Abara w ogóle ma jakichś przyjaciół lub rodzinę.

I tak mijały dni, w czasie których Ardżun obserwował sąsiadów i ich codzienne zajęcia. On sam utknął w domu. Co za nudny, nieciekawy początek roku.

Znowu nadszedł poniedziałek i wyglądało na to, że będzie tak samo jak przedtem – cały nowy tydzień nudy. Ardżun jadł swoją cudowną ciepłą owsiankę. Mama pocałowała go w głowę i wyszła do pracy. Ba włączyła już szybkowar i cała kuchnia pachniała daalem. Teraz składała pranie, jak każdego ranka, i oglądała swoje seriale. Od czasu do czasu wrzeszczała na filmowych bohaterów w języku gudżarati. Ardżun skorzystał z okazji, że była zajęta, i poszedł do swojego pokoju.

Jego sypialnia znajdowała się z przodu domu z widokiem na ulicę. Zawsze było cicho, jeśli nie liczyć odgłosów otwierania i zamykania drzwi samochodów lub krzyków kurierów podrzucających paczki. Ale dziś rano słychać było przekleństwa – bardzo głośne przekleństwa!

Ardżun podczołgał się do okna i wyjrzał przez rozchylone żaluzje. To pan Abara i pan Borokov z naprzeciwka. Wymachiwali pięściami i wrzeszczeli na siebie przez płot, który dzielił ich przydomowe ogródki. Na zewnątrz musiało być zimno, ponieważ Ardżun widział, jak para z ich ust unosi się w postaci wściekłych obłoczków. Jego oczy się rozszerzyły. To była pierwsza ekscytująca scenka, jaką widział od wieków!

– Ostrzegałem cię wcześniej, dałem ci szansę oczyszczenia się, możesz winić tylko siebie. Zło to zło! – krzyknął pan Borokov.

– O czym ty mówisz? Nie masz prawa wtrącać się w moje sprawy! – ryknął pan Abara.

– Nie mam ci nic więcej do powiedzenia. Każde działanie pociąga za sobą konsekwencje – odpowiedział ponuro pan B., po czym odszedł.

Ardżun obserwował pana Abarę, który wpatrywał się w plecy pana B. i ściskał łopatę tak mocno, że pobielały mu kostki. Chłopiec nigdy nie widział sąsiada tak wściekłego. Ale o co w tym wszystkim chodziło?

Co pan B. wiedział o panu Abara i dlaczego obaj byli wściekli?

Właśnie wtedy pan Abara odwrócił się w stronę domu Ardżuna i zobaczył, że chłopiec patrzy. Wyglądał na zaskoczonego, a potem zmarszczył brwi.

Ardżun sapnął i odsunął się zawstydzony, że przyłapano go na gapieniu się. Odczekał chwilę, po czym znowu wychylił głowę.

Pan Abara zniknął, a ulica znów pogrążona była w ciszy.

Kilka godzin później Ardżun siedział na swoim łóżku, bez przekonania grając na PS4, kiedy usłyszał huk tak głośny, że aż podskoczył! Rzucił się do okna, ale ulica była pusta. Nic nie sugerowało, skąd mógł dochodzić hałas. Chłopiec zszedł po schodach, żeby sprawdzić, czy Ba wie, co się stało.

– Jaki hałas? – zapytała go w gudżarati. – To pewnie tylko telewizor. Ten złoczyńca właśnie strzelił do tamtego, widzisz! – Wskazała na ekran.

– Nie, słyszałem hałas – upierał się Ardżun. – Nie mógł dochodzić z telewizora.

Ba pokręciła lekceważąco głową i wróciła do oglądania swojego programu.

Ardżun poczęstował się ciepłym daalem z kuchenki i wrócił do swojego pokoju. Kiedy siorbał, usłyszał nadjeżdżający samochód. Podszedł, żeby zobaczyć, kto podjechał, ale szybko zdał sobie sprawę, że to nie był samochód, lecz czarna furgonetka, z której czasem korzystają dostawcy. Od strony kierowcy wysiadł pan Abara. Był okutany dużym płaszczem, szalikiem i w rękawiczkach.

Otworzył drzwi garażu i chwycił kilka narzędzi – łopatę, którą Ardżun widział już wcześniej, młotek, piłę, rolkę czarnych toreb i płachtę foliową. Wrzucił to wszystko na tył furgonetki z głośnym brzękiem.

Chłopiec poczuł dreszcz przebiegający mu po plecach. Po co panu Abara potrzebne były te wszystkie rzeczy?

Ardżun często zostawał do późna w domu swojego przyjaciela Mo, oglądając filmy, na które jego mama nigdy by nie pozwoliła. Straszne filmy z zabójcami w przerażających maskach. Teraz chłopiec nie mógł się oprzeć myśli, że rzeczy, które pan Abara wkładał do furgonetki, byłyby całkiem przydatne do pozbycia się ciała. Usłyszał w głowie głos swojej mamy: „Nie bądź śmieszny!" – mówił. „Masz taką bujną wyobraźnię, Ardżunie. Wykorzystaj ją czasami do prac domowych!".

Westchnął. Głos Wyimaginowanej Mamy miał rację – dawał się ponieść emocjom. Pan Abara prawdopodobnie pomagał przyjacielowi albo sprzątał jakieś stare rzeczy. Chłopiec zerknął na zegarek. Dochodziła czternasta. Jeszcze dużo czasu upłynie, zanim mama wróci do domu. Trochę bolało go gardło. Położył się na łóżku i pozwolił, by ogarnął go tępy ból.

Po chwili jego oczy zaczęły się zamykać.

Ardżun obudził się gwałtownie. W pokoju panowały egipskie ciemności – jak długo spał? Budzik na nocnym stoliku świecił. Była osiemnasta. Spał cztery godziny! Zszedł na dół. W całym domu było cicho.

Na kuchennym stole leżała notatka od Ba, informująca, że poszła do pani Kaur, żeby wspólnie z nią obejrzeć ich cotygodniowy program kulinarny.

Mama wciąż nie wróciła z podwójnej zmiany. Na kuchence stało trochę kurczaka i ryżu w dużych garnkach. W notatce było napisane, że trzeba go podgrzać w kuchence mikrofalowej. Ardżun zdał sobie sprawę, że znowu jest głodny, więc nałożył trochę na talerz i podgrzał potrawę. Podczas gdy kuchenka mikrofalowa brzęczała, poszedł do salonu, żeby włączyć telewizor. Nagle zauważył ruch za oknem. Ktoś był po drugiej stronie ulicy.

Wiedząc, że przy zgaszonym świetle w salonie nikt go nie zobaczy, Ardżun podkradł się do okna i wyjrzał przez na wpół zaciągnięte żaluzje. Śnieg lekko prószył. Po drugiej stronie drogi dostrzegł zacienioną postać. To był pan Abara, który wyciągał coś ciężkiego ze swojego garażu. Coś długiego, masywnego i zawiniętego w folię.

Co to było? Ardżun spojrzał w lewo, w górę ulicy, i w prawo, w dół. Było cicho i pusto. Zerknął też na dom

pana Borokova. Światła były zgaszone. Dziwne. Zimą zawsze zapalały się o szesnastej trzydzieści. Pan Borokov miał je zaprogramowane w jakimś timerze. Ardżun wiedział to nie tylko dlatego, że podglądał go przez okno, ale także dlatego, że spędził kiedyś dwadzieścia niesamowicie nudnych minut, w czasie których pan Borokov opowiadał jemu i Ba o bezpieczeństwie w domu. Uścisk Ba na jego ramieniu był tamtego dnia jak imadło i nie pozwolił mu wymknąć się na ulicę, podczas gdy Pan B. gadał o różnicy między czujnikami ruchu a czujnikami światłoczułymi.

Ardżun popatrzył na czarną furgonetkę, którą teraz pokrywała warstwa śniegu. Pan Abara próbował przetransportować ciężki pakunek z ziemi do samochodu, ale nie był w stanie go dźwignąć. Po krótkich zmaganiach udało mu się podciągnąć go do góry i wepchnąć do środka. Sąsiad wyglądał, jakby brakowało mu tchu. Zamknął drzwi i wskoczył na miejsce kierowcy, po czym furgonetka ruszyła, znikając w ciemności. Dokąd pan Abara jechał o tej porze z wielkim, ciężkim pakunkiem i narzędziami na tylnym siedzeniu?

To było podejrzane. I wtedy Ardżun coś zauważył.

Chwycił kurtkę i wybiegł na zewnątrz, drzwi frontowe zostawił otwarte, a zasuwę wysuniętą, aby się nie zamknęły. Zamknięcie drzwi w tej sytuacji nie byłoby mądre! Ardżun rozejrzał się w poszukiwaniu kogokolwiek na ulicy, po czym przebiegł przez jezdnię, uważając, by się nie poślizgnąć. Na podjeździe pana Abary, tam gdzie przed chwilą stała furgonetka, leżał portfel. Chłopiec podniósł go, strzepnął warstwę śniegu i otworzył. Pan Abara musiał go upuścić, kiedy mocował się z pakunkiem. Nie było w nim wiele, zmięty banknot dziesięciofuntowy i kilka kart bankowych. Ardżun zdecydował, że po prostu wsunie go przez drzwi pana Abary, i już miał zamknąć portfel... kiedy stanął jak wryty. Imię i nazwisko na karcie bankowej brzmiało „D. Borokov"! Co pan Abara robił z portfelem pana Borokova? Ardżun zadrżał, gdy przypomniał sobie kłótnię między sąsiadami, którą podsłuchał wcześniej. „Każde działanie pociąga za sobą konsekwencje", ostrzegł Borokov pana Abarę. Ale co, jeśli to pan Borokov ponosi teraz konsekwencje? Okropna myśl przemknęła mu przez głowę. Co, jeśli to pan Borokov był tym pakunkiem, który pan Abara wsadził do furgonetki?

Ardżun niepewnie włożył portfel do tylnej kieszeni i pospiesznie wrócił do domu. Zatrzasnął drzwi, a następnie zablokował je od wewnątrz. Zerknął na telefon. Czy powinien zadzwonić na policję i powiedzieć im, co widział? Pomyślał o tym, jak śmiesznie by to zabrzmiało. Zamiast tego zadzwonił do swojego najlepszego przyjaciela, Mo.

– Hej, co jest, człowieku? Nadal tkwisz w domu? Kiedy będziesz mógł wrócić do szkoły? – zapytał Mo.

– Do bani, stary... Powinienem wrócić w przyszłym tygodniu, ale posłuchaj. – Ardżun wziął głęboki, drżący wdech. – Właśnie zobaczyłem coś dziwnego. Pamiętasz ten film, który oglądaliśmy razem z twoim starszym bratem? O tym zabójcy z siekierą?

– Tak. Był straszny. Pamiętam, że chciałeś trzymać mnie za rękę, człowieku – zażartował Mo.

– Mo, to nie żarty. Myślę, że naprzeciwko mnie mieszka prawdziwy zabójca z siekierą! – powiedział Ardżun. – No, może nie z siekierą, ale z łopatą.

– Co? Nie wygłupiaj się, stary – roześmiał się Mo. – To tylko film, co nie? Naoglądałeś się programów kryminalnych ze swoją Ba?

– Nie, człowieku, wiem, co widziałem. Mój sąsiad, ten po drugiej stronie, załadował duży, zawinięty pakunek wielkości CIAŁA do furgonetki i właśnie odjechał! Jak to dla ciebie brzmi?

Mo się zawahał.

– Cóż, OK, brzmi to trochę dziwnie, ale takie rzeczy się w naszej okolicy nie zdarzają, człowieku. Żyjemy w najnudniejszym mieście w Midlands. Prawdziwym wydarzeniem tu jest, jeśli pojemniki na śmieci nie zostaną zabrane we właściwy dzień. NIC się tu nigdy nie dzieje. Jestem pewien, że to nic takiego. A teraz do rzeczy, chcesz pograć w FIFĘ?

Ardżun westchnął. Mo prawdopodobnie miał rację. Naprawdę mieszkali w nudnym miasteczku, a pan Abara był najwyraźniej po prostu zrzędliwym starcem, a nie zabójcą.

Grali online do późna. Ba zajrzała do niego, żeby ponarzekać na jego nocne granie, po czym położyła się do łóżka. W końcu Ardżun usłyszał, jak około dwudziestej drugiej mama wraca z dyżuru w szpitalu. Gdy weszła, schował słuchawki pod poduszkę, a ona pocałowała go na dobranoc i kazała mu trochę odpocząć. Oczywiście Ardżun nie miał jeszcze zamiaru iść spać. Właśnie wygrywał z Mo! Dopiero około dwudziestej trzeciej wyłączyli konsolę i życzyli sobie dobrej nocy. Ardżun wczołgał się do łóżka, ale stwierdził, że nie może zasnąć. Po pół godzinie usłyszał furgonetkę jadącą po drugiej stronie ulicy.

Ardżun ponownie podkradł się do okna, wyciągnął telefon i napisał do Mo w ciemności:

Wrócił!

Sekundę później na ekranie pojawiły się trzy kropki, to Mo pisał.

Kto to jest?

Sąsiad, o którym ci mówiłem. W furgonetce! – **wystukał Ardżun, a jego palce drżały.**

I co? Ładuje kolejne trupy? – **zażartował Mo.**

Nie, ale otwiera drzwi i… Poczekaj… Zobaczę, co jest w środku!

I co? – **niecierpliwił się Mo.**

Ardżun patrzył przez chwilę w milczeniu. Było ciemno, więc nie widział zbyt wyraźnie, ale dużego pakunku wielkości ciała, który pan Amara wepchnął do środka, już tam nie było.

Mo znowu napisał:

Ardż, co się dzieje?

Zasnąłeś?

Ardżun podniósł telefon i wystukał:

Pusto.

No i widzisz – **napisał Mo.** – Nie ma się czym martwić. Skoro nie śpisz, zagramy jeszcze raz?

Ale gdzie się podział pakunek, Mo? – **wystukał szybko sfrustrowany Ardżun.** – Był duży, wielkości człowieka. Nie da się po prostu wyrzucić czegoś tak dużego byle gdzie. A jeśli to były śmieci, to centra recyklingu są teraz zamknięte.

Trzy kropki się pojawiły, ale zdawało się, że odpowiedź zajęła Mo całe wieki.

Stary, myślę, że trochę cię poniosło z tą furgonetką – **brzmiała wiadomość.**

Ardżun wiedział, że Mo mu nie wierzy, ale wiedział też, co widział. Wybrał numer Mo. Mo odebrał.

– Stary – zaczął, ale Ardżun od razu mu przerwał:

– To zbyt podejrzane, Mo! Pan Abara pokłócił się wcześniej z panem Borokovem, i wiesz co? Znalazłem portfel pana Borokova tam, gdzie przed odjazdem była zaparkowana furgonetka.

– Co? Poszedłeś tam? – zapytał Mo z niedowierzaniem. – O bracie! Co by było, gdyby cię zobaczył? Nie twierdzę, że jest niebezpieczny, ale mimo wszystko węszenie w jego domu to nie jest dobry pomysł!

– Już go nie było, kiedy tam pobiegłem, a portfel leżał po prostu na środku jego podjazdu. Może pan B. go tam upuścił, ale im dłużej o tym myślę, tym bardziej wątpię, że to możliwe. Skąd pan Abara może mieć ten portfel? Jego podjazd jest oddzielony żywopłotem od podjazdu pana Borokova – wyjaśnił Ardżun.

Mo westchnął.

– Nie odpuścisz, prawda?

Ardżun zastanowił się przez chwilę.

– Cóż, jeśli pan B. będzie jutro cały i zdrowy, po prostu zwrócę mu portfel i nic się nie stanie, prawda? Może pan Abara po prostu zajmuje się dostarczaniem przesyłek.

– A co zrobisz, jeśli pana Borokova nie będzie? – zapytał Mo.

– Będę musiał dostać się do tej furgonetki i dobrze ją obejrzeć, znaleźć jakieś dowody – odpowiedział Ardżun.

– Eee, nie jestem pewien, czy to dobry pomysł, Ardż. Bądź ostrożny i zadzwoń do mnie, jeśli zdecydujesz się tam pójść. Okej?

– Okej – zgodził się Ardżun. Był nawet zadowolony, że Mo zaoferował mu pomoc.

❄

Następnego ranka Ardżun obudził się z gotowym planem. Po tygodniu spędzonym w domu i wielogodzinnych obserwacjach przez okno wiedział, że pan Borokov regularnie jak w zegarku pójdzie o dziewiątej czterdzieści po gazetę. Wszystko, co Ardżun musiał zrobić, to patrzeć i czekać.

Dziewiąta czterdzieści nadeszła i minęła.

A pan Borokov się nie pojawił.

Może był chory? Ardżun zbiegł na dół. Mama znowu wyszła już do pracy, a Ba w kuchni mełła hałaśliwie przyprawy w młynku. Ardżun włożył płaszcz i buty, po czym wyszedł na zewnątrz. Był jasny, ale mroźny poranek. Poprzedniej nocy prószył śnieg, więc wszystko pokrył biały puch. Ulica była cicha, a w pobliżu nie było żywej duszy.

Ardżun powoli przeszedł przez ulicę do domu pana Borokova. Zwyczajnie zapuka do drzwi, odda portfel i wróci do domu. Pozwoli nawet Mo się z siebie pośmiać!

Powtarzając to sobie w drodze przez podjazd pana Borokova, chłopiec poczuł się trochę lepiej.

Wtedy jak burza wyszedł ze swojego domu pan Abara.

– Czego chcesz? – wrzasnął przez żywopłot.

Ardżun zatoczył się, przestraszony, a potem szybko zastanowił się, co odpowiedzieć.

– Ja... Znalazłem portfel pana Borokova, więc chciałem mu go zwrócić. Zwykle rano wychodzi na spacer do sklepu, ale nie widziałem go dzisiaj. A pan go widział?

Pan Abara zmarszczył brwi.

– Nie, nie widziałem. A ciebie nie powinno obchodzić, o której godzinie ludzie zajmują się swoimi sprawami – prychnął i wrócił do środka, zatrzaskując za sobą drzwi.

Ardżun spojrzał na stojący przed nim dom pana Borokova.

Skoro dotarł aż tu, głupio by było nie zapukać i nie sprawdzić. Powoli podszedł do czerwonych drzwi frontowych i nacisnął dzwonek. Zauważył kilka listów wsuniętych do połowy w skrzynkę. Wyglądało na to, że pana Borokova w ogóle tu nie było tego ranka.

Nadal nikt nie otwierał drzwi.

Co teraz?

„Nie zaszkodzi zajrzeć przez okno", pomyślał Ardżun. „Może pan Borokov leży ranny w swoim salonie?" Złożył dłonie wokół twarzy i zajrzał przez szybę w salonie.

Na pierwszy rzut oka salon wyglądał zupełnie normalnie. Ale nagle Ardżun zauważył lornetkę leżącą na podłodze, na gazecie z dramatycznie brzmiącym nagłówkiem: SKRADZIONE DIAMENTY CZĘŚCIĄ AKCJI SIATKI PRZEMYTNIKÓW! – Ardżun rozejrzał się po pokoju, aby sprawdzić, czy znajdzie jakieś wskazówki, gdzie mógłby teraz znajdować się pan Borokov. Dostrzegł mały stolik przed fotelem, a na nim talerz z posiłkiem – ziemniaki, ryż, mięso – zjedzonym tylko do połowy. To nie było normalne. Pan Borokov był najporządniejszą osobą, jaką Ardżun kiedykolwiek spotkał. Nigdy nie zostawiłby tak talerza. Gdzie on jest?

Ardżun nagle poczuł dreszcz, jakby ktoś go obserwował. Spojrzał w prawo, na sąsiedni dom. Pan Abara stał przy oknie i patrzył na niego. Niech to szlag, pan Abara się gapił! Ardżun szybko się wycofał i pobiegł do domu.

Ba była w salonie i czytała książkę. Spojrzała i prychnęła z wyrzutem:

– Ciągle tylko biegasz tam i z powrotem.

– Nic mi nie jest. I już nawet nie boli – skłamał Ardżun. Ruszył bokiem w stronę kuchni, w jego umyśle zaczynał formować się plan. – W każdym razie idę teraz odpocząć. Po prostu wezmę ze sobą trochę przekąsek, wiesz, tak na wszelki wypadek!

– Na wszelki wypadek? – zapytała Ba, ale wróciła do swojej książki, więc Ardżun chwycił butelkę wody i dużą torbę chrupek serowych, które rozpływały się w ustach.

Skoro nie da się przejść na drugą stronę ulicy tak, żeby pan Abara go nie zobaczył, to Ardżunowi nigdy nie uda się dostać do furgonetki. Zamierzał zatem zrobić coś, w czym wyspecjalizował się przez ostatnie kilka tygodni. Przeprowadzi obserwację.

Wziął notes, długopis i oczywiście swoją przekąskę, po czym rzucił się na łóżko. Upewnił się, że rolety są odsunięte, i zajął pozycję przed oknem.

Nagle drzwi się otworzyły i weszła Ba. Ardżun schował notes za plecami.

– Nie musisz ukrywać tego, co robisz. Widzę, że skradasz się jak jakiś szpieg. Może ci się przydać – powiedziała w języku gudżarati, wręczając wnukowi wielofunkcyjny scyzoryk jego dziadka. – Tak na wszelki wypadek. – Uśmiechnęła się i wyszła z pokoju.

Czy to się naprawdę właśnie wydarzyło? Ardżun potrząsnął głową z niedowierzaniem, po czym odwrócił się z powrotem do okna. Wrócił do obserwacji – miał teraz wszystko, czego potrzebował, musiał tylko patrzeć i czekać.

Prawda jest taka, że cokolwiek zaczęło się dziać dużo później, wieczorem, gdy niebo właśnie pociemniało, a drzwi pod numerem 12 się otworzyły.

To znowu był pan Abara z kolejnym dużym pakunkiem, wyglądającym na ciężki i zawiniętym w folię. Próbował wsadzić go do furgonetki, ale pakunek przekręcił się niezdarnie i folia rozdarła się na jednym końcu. Ardżun sapnął. Było ciemno, ale przy lepszym świetle mógłby przysiąc, że właśnie zobaczył wystającą stopę. Prawdziwą stopę. Przyczepioną do prawdziwego ciała!

Pan Abara zamknął drzwi furgonetki, zanim wrócił do domu. Ardżun oparł się plecami o ścianę. Spocił się. To była poważna sprawa. Nie mógł pozwolić, by pan Abara odjechał z ciałem w furgonetce.

Decyzję podjął w jednej chwili. Nie miał wyboru. Podobnie jak bohaterowie tych filmów, które oglądał spod poduszki, on też będzie musiał zatrzymać przestępcę.

Podszedł do szafy i włożył gruby, czarny, prążkowany sweter, czarne spodnie dresowe i kominiarkę, którą mama kupiła mu na zimę, a której nienawidził. Idealnie nadawała się jednak do węszenia w ciemności. Po namyśle chwycił scyzoryk, który dała mu Ba, i wepchnął go do kieszeni spodni. Ostatni raz sprawdził przez okno, czy pan Abara nie wrócił na podjazd. Wiedział, że może nie mieć dużo czasu.

Chwycił telefon, żeby zadzwonić do Mo. Miał tylko pięć procent baterii. Wybrał numer najszybciej, jak tylko mógł.

– Co słychać, człowieku? – spytał Mo.

– Robię to – wyszeptał Ardżun.

– Robisz co?

– Idę tam. Muszę zajrzeć do tej furgonetki!

– O rany, tylko nie to znowu! Stary, bądź ostrożny!

– Jestem, pan Abara wszedł do środka. Mam kilka minut, jak sądzę. Zostań przy telefonie, dobrze?

Na ulicy wciąż było cicho. Ardżun wyszedł w mroźną noc, a jego oddech układał się w obłoczki mimo kominiarki. Rozejrzał się, po czym przebiegł przez ulicę, trzymając się nisko i cały czas jednym okiem wpatrując się w drzwi pana Abary. Dopadł furgonetki i powoli obszedł ją, uważając, by trzymać się w cieniu. Serce waliło mu jak młot. Był pewien, że pan Abara usłyszy go i wyjdzie!

Spróbował otworzyć drzwi po stronie kierowcy. Były zamknięte.

Będzie musiał okrążyć auto. Powoli przesuwał się w bok, aż znalazł się na tyłach samochodu. Oparł się pokusie, by przebiec przez ulicę i schować się pod kołdrą. Głęboki wdech. O tak.

Otworzył tylne drzwi pojazdu. Było ciemno, ale wyglądało na to, że obok pakunku, który jego sąsiad włożył tu wcześniej, leżały dwa kolejne! Jeszcze dwa pakunki! Jeszcze dwa ciała? To było złe, naprawdę złe!

– Co robisz? – zapytał Mo po drugiej stronie słuchawki.

– Myślę, że są tu jeszcze dwa ciała. Nie jestem pewien – wyjaśnił Ardżun.

– To jest wyższy poziom, stary, po prostu zadzwoń na policję i skończ z tym – poradził Mo.

– Może masz rację – mruknął Ardżun. – Muszę tylko zrobić zdjęcie na dowód.

Wyciągnął telefon i cofnął się, po czym wpadł prosto na pana Abarę.

– Och, przepraszam, panie Abara, po prostu wie pan, spacerowałem – powiedział, opuszczając rękę z telefonem wzdłuż boku.

Na szczęście drzwi furgonetki prawie się zamknęły.

– Spacerowałeś? Tuż obok mojej furgonetki? Na moim podjeździe? – warknął pan Abara. Zerknął na drzwi pojazdu i gwałtownie je zamknął, wpatrując się w Ardżuna.

Chłopiec starał się zachować spokój.

– Cóż, hm, to naprawdę zabawne.

– Wątpię – mruknął pan Abara.

– Cóż, lepiej już wrócę, babcia na mnie czeka – powiedział znacząco Ardżun.

Wyglądało na to, że pan Abara zdecydował się na coś bardzo szybko.

– Nie, zostań tutaj.

– Och, wszystko jest w porządku! – próbował zażartować Ardżun. – Naprawdę powinienem wracać do domu!

W brzuchu miał galaretę. W desperacji popatrzył na swój telefon. Padł. O nie! Nie miał kontaktu z Mo. Musiał po prostu zagadać pana Abarę i mieć nadzieję, że ktoś będzie przejeżdżał obok albo że jego mama wróci do domu. Nie był to najlepszy plan, ale co innego mógł zrobić? Wziął głęboki wdech i przemówił odważniej, niż się czuł.

– A więc, panie Abara, zastanawiałem się, czy widział pan już pana Borokova. Trochę się o niego martwię!

Twarz pana Abary pociemniała.

– Nie, nie widziałem go, pewnie wtrąca się w czyjeś prywatne sprawy.

– Pokłóciliście, prawda? – zapytał Ardżun.

– Skąd wiesz?

– Słyszałem was wczoraj rano – przyznał Ardżun.

– Tak, cóż, to nic takiego. A teraz, jeśli nie masz nic przeciwko, mam co innego do roboty. – Podszedł do drzwi kierowcy.

Ardżun panikował. Nie mógł tak po prostu pozwolić, żeby furgonetka odjechała. Potem przypomniał sobie scyzoryk, który dała mu Ba. Był w nim korkociąg. Ardżun wyciągnął go z kieszeni, kiedy pan Abara wsiadał do furgonetki, i wbił w najbliższą oponę. Niski świszczący dźwięk towarzyszył uciekającemu powietrzu. Furgonetka wyraźnie opadła z jednej strony.

Pan Abara wychylił głowę przez okno.

– Co to było?

Ardżun wzruszył niewinnie ramionami.

Pan Abara warknął i wyskoczył z pojazdu, żeby obejrzeć oponę. Ardżun się cofnął.

– To twoja sprawka? – zapytał pan Abara, podchodząc do Ardżuna.

– Ja... tylko... – Ardżun próbował coś powiedzieć, ale już nie musiał. Powietrze wypełnił dźwięk syren.

– Wezwałeś policję? – ryknął ze złością pan Abara. – Dlaczego to zrobiłeś?

Dwa policyjne radiowozy zatrzymały się z piskiem opon, blokując podjazd pana Abary. Funkcjonariusze wyskoczyli i krzyknęli:

– Odsuń się od pojazdu z rękami w górze, tak żebyśmy mogli je widzieć. Już!

– Ma w furgonetce trzy trupy! – wrzasnął Ardżun.

Pan Abara wyglądał na zaskoczonego.

– Co? Nie ma tam żadnych trupów, skąd taki pomysł? – zaśmiał się nerwowo, przenosząc wzrok z chłopca na policjanta.

– Wszystko w porządku, synu? – zapytał oficer. – Otrzymaliśmy telefon od twojego przyjaciela, który powiedział, że jesteś w niebezpieczeństwie.

Chłopiec uśmiechnął się do siebie. To był Mo. Musiał zadzwonić na policję, kiedy zorientował się, że Ardżunowi padł telefon.

– Nic mi nie jest. Ale musicie sprawdzić tę furgonetkę. Myślę, że ma tam ciała, i chyba widziałem, jak wczoraj pozbył się naszego sąsiada, pana Borokova. Słyszałem, jak się kłócili, a później zobaczyłem, jak wciąga coś dużego i ciężkiego do furgonetki. Zabił pana Borokova! – krzyknął Ardżun, wskazując na pana Abarę.

Pan Abara się roześmiał.

– Słuchajcie, wiem, jak to brzmi, ale ten chłopak ma po prostu bujną wyobraźnię. Przenoszę trochę rzeczy dla przyjaciela, żadnych trupów, zapewniam! Właściwie to ja powinienem zgłosić przestępstwo, przebił mi oponę!

Oficer nie wyglądał na przekonanego.

– Lepiej zajrzyjmy do środka.

Migające niebieskie i czerwone światła odbijały się od bocznych drzwi furgonetki. Ardżun zacisnął oczy i przygotował się na to, co miało nastąpić.

Dwaj policjanci zrobili krok, otworzyli drzwi furgonetki i wskoczyli do środka. Coś szeleściło i brzęczało, a potem jeden z nich się wyłonił, trzymając coś w dłoni.

– Czy to właśnie widziałeś? – zapytał Ardżuna.

Ardżun ostrożnie otworzył jedno oko. Oficer trzymał coś albo kogoś.

– Czy to pan Borokov? – zapytał cicho.

Oficer się uśmiechnął.

– Nie. Nie sądzę, chyba że twój sąsiad jest zrobiony z plastiku – rzekł.

Ardżun otworzył oczy, zszokowany.

– Co?

– Wiesz, to manekin, taki jak na wystawach w sklepach! – Oficer się uśmiechnął. – Jest ich tutaj kilka, oto twoje trupy.

Twarz Ardżuna nagle oblała się purpurą.

– Och, ja...

– Przecież wam powiedziałem! – krzyknął triumfalnie pan Abara, wygrażając pięścią.

– Nie tak szybko, sir – przerwał mu oficer. – Będziemy musieli zadać panu kilka pytań w tej sprawie.

– W jakiej sprawie? – zapytał pan Abara. Wyglądał na przestraszonego.

– W tej – powiedział drugi oficer, przewracając bezgłowy manekin do góry nogami i wysypując z niego górę błyszczących przedmiotów.

– Diamenty! – sapnął Ardżun, podnosząc jeden. – Prawdziwe?

– Cóż, nie jestem ekspertem, ale raczej tak – odparł oficer. – Myślę, że to, na co się tu natknąłeś, to nie morderstwo, ale przemyt, i to ogromny.

– Ale co z panem Borokovem? Wciąż go nie ma. Nie widziałem go od wczoraj – martwił się Ardżun.

Oficer spojrzał surowo na pana Abarę.

– Wiesz coś o tym? Będzie dla ciebie znacznie lepiej, jeśli nam powiesz.

Pan Abara przełknął ślinę.

– Żyje. Jest w mojej kuchni, związany. Wścibski staruch. Nie skrzywdziłem go. Zobaczycie. Gdyby nie był tak samo wścibski jak ten chłopak, nie musiałbym tego robić. Pracuję w fabryce, która produkuje te manekiny. Były idealną przykrywką dla mojego dodatkowego przemytniczego fachu. Ani przez chwilę nie pomyślałem, że mój sąsiad może coś podejrzewać. Widział, jak kilka dni temu odbierałem diamenty za rogiem, i od tamtej pory mnie śledził. Zobaczył, jak następnego dnia ładowałem furgonetkę, dodał dwa do dwóch. Zawsze był zbyt sprytny. Spotkał się ze mną i powiedział, że chce, żebym się przyznał, możecie sobie wyobrazić? Musiałem go uciszyć. – Pan Abara popatrzył na mnie. – Wcześniej też widziałem, jak twoja babcia wygląda przez okno. Myślałem, że ją też będę musiał uciszyć, ale ciebie nie podejrzewałem. Jesteś tylko dzieciakiem! – Splunął.

Wtedy sprawy potoczyły się szybko. Jeden z policjantów odczytał mężczyźnie prawa i go aresztował. W tej samej chwili Ba wyszła z domu i z dumą skinęła głową Ardżunowi.

Uśmiechnął się do niej. A potem przyjechała mama.

– Ardżunie Dosanjh, co tu się dzieje? Mam nadzieję, że nie przeszkadzałeś sąsiadom! Masz odpoczywać, przecież w przyszłym tygodniu wracasz do szkoły, prawda? – wymamrotała, podchodząc do niego.

– Nigdy w to nie uwierzysz, mamo – powiedział Ardżun, uśmiechając się nieśmiało i wręczając jej duży, błyszczący diament, a wokół nich znowu zaczął padać śnieg. – Ale mogę to wyjaśnić!

NIE MA
LITOŚCI DLA
ZŁOCZYŃCÓW

ŚCIŚLE TAJNE

WŁASNOŚĆ KLUBU ŚWIĄTECZNYCH ZBRODNI

NIE MA LITOŚCI
DLA ZŁOCZYŃCÓW

E.L. Norry

Byłem w Grosvenor High dopiero od miesiąca, a już jechaliśmy na szkolną wycieczkę za granicę. Te ciągłe zmiany szkoły to była naprawdę chora sytuacja.

Autokar wjechał na hotelowy parking, a ja starałem się zachować spokój, ale, kurczę, nie było łatwo. Przed nami majaczył ogromny hotel z drewnianymi ramami okiennymi. Zanim Ishan się obudził, pospiesznie wrzuciłem do torby „Śmierć na Nilu". Mogłoby się wydawać, że dla trzynastolatka czytanie starych kryminałów nie jest czymś fajnym, ale w ostatnim domu dziecka, w którym wylądowałem, były to jedyne książki i totalnie uzależniały. Całkowicie utożsamiałem się z Herkulesem Poirotem, wiecznie niedocenianym dziwolągiem.

Zamieniłem więc upały Egiptu na lodowatą świeżość ośnieżonych szczytów gór. Wychodząc z autokaru, zmrużyłem oczy, bo aż bolały od śnieżnego blasku. Niebo było jasnoniebieskie i rozciągało się kilometrami. Spojrzałem na niewielki pagórek „dla początkujących", jak powiedziała panna Scarlett. Z boku stała drewniana chatka z napisem „Wypożyczalnia narciarska w San Simone", za nią widać było wyciąg narciarski.

Wszędzie panował spokój i przyrzekłem sobie, że nie zepsuję takiej szansy. Nowa szkoła, nowy dom dziecka; może mógłbym w końcu porzucić swoją torbę BZG (Bądź Zawsze Gotowy) i zacząć wszystko od nowa.

Ishan niemal na mnie wszedł podczas wysiadania z autokaru.

– Ja chciałem jechać do Francji – mruknął, rozglądając się. – Podobnie pani Miller, ale nowa nauczycielka wybrała ten ośrodek.

– Włochy wyglądają niesamowicie.

Ishan tylko wzruszył ramionami i wyciągnął swoją klikającą, rozciągliwą rurę sensoryczną, która doprowadzała mnie do szału przez połowę podróży.

– Nienawidzę makaronu – oznajmił.

Nauczyciele uważają, że dzieciaki z sierocińców niepotrzebnie zajmują tylko miejsca w szkole, więc wiem, o co im chodzi – łączą mnie w parę z Ishanem, dzieciakiem z rozmaitymi tikami i kostką antystresową. Tak było w każdej szkole, do której chodziłem. Nauczyciele uważają, że jeśli połączą nas, czyli „dzieciaki o specjalnych potrzebach", to nie będziemy wkurzać innych.

Panna Scarlett włożyła na głowę wysadzane diamentami okulary przeciwsłoneczne, kładące małe cienie w kącikach jej oczu.

– Ósma B. Już mam migrenę, więc proszę... nie dolewajcie oliwy do ognia, dobrze? – Zajrzała do notesu. – Chodźcie i zabierzcie swoje bagaże.

Pani Miller sprawdziła, czy w autokarze nie ma maruderów, a pan Duncan pomógł nam wyładować plecaki z bagażnika. Po ich zabraniu poszliśmy za nauczycielami do hotelu.

Niektóre dziewczyny zrobiły znak „V" za plecami panny Scarlett. Ktoś szepnął:

– Po pracy w tej eleganckiej prywatnej szkole uważa, że jest lepsza od nas!

Te słowa zniknęły gdzieś pośród komentarzy tak piskliwych, że aż rozbolały mnie uszy.

Gdy szliśmy, torba Ishana była otwarta i wysunął się z niej portfel. Z łatwością można go było ukraść. Nie żebym ja to zrobił, ale obwiniano mnie już o różne rzeczy.

– Spursi[5] są do niczego.

– Co? – Odwrócił się i spojrzał na mnie. – Dlaczego mówisz o Spursach?

_____

5 San Antonio Spurs – drużyna koszykówki

– Jesteś ich fanem, co? Masz ich logo na portfelu, który zaraz wypadnie ci z torby.

Zmarszczył brwi, po czym zapiął torbę i dogonił pozostałych.

Panna Scarlett pewnie prowadziła nas do recepcji, wołając do wszystkich „Ciao!". Patrzyłem na prognozę pogody na telewizorze zawieszonym na ścianie – zapowiadano intensywne opady śniegu i miałem nadzieję, że czeka nas wielka bitwa na śnieżki.

Skręciliśmy w długi korytarz, a panna Scarlett zatrzymała się w recepcji, żeby porozmawiać z jakimś zarośniętym facetem żującym wykałaczkę. Dobiegło mnie mnóstwo śmiechu oraz okrzyk panny Scarlett:

– Och! A myślałam, że w tym sezonie wracasz do Francji?

W jadalni kobieta w białym kombinezonie nakrywała stoły i ustawiała ławki. Podniosła wzrok, gdy hałaśliwie weszliśmy do środka. Niektórzy mruknęli „Cześć", ale nie uśmiechnęła się. Zobaczyła coś lub kogoś, kogo nie lubiła – prawdopodobnie zbyt wielu nastolatków w jednym miejscu. Zmrużyła oczy i przedarła się przez wahadłowe drzwi, które, jak sądzę, prowadziły do kuchni.

– W porządku! Znajdźcie sobie miejsca. Tylko niech to nie trwa wieki – warknęła panna Scarlett.

– Ona przywodzi mi na myśl trójkąt – powiedział Ishan, kołysząc się na nogach.

Panna Scarlett wyglądała stylowo: miała cienki nos, długie polakierowane paznokcie i usta zawsze pomalowane ciemną szminką, która współgrała z jej krótkim czarnym bobem.

Postanowiłem go jakoś rozbawić. W przeciwnym razie te cztery dni będą się ciągnąć w nieskończoność.

– Tak, prawdopodobnie pochodzi z Bermudów!

Ishan parsknął śmiechem, ale szybko się zamknął, gdy pan Duncan uniósł brwi. Jeśli ma poczucie humoru, może bycie z nim w parze nie będzie takie złe.

Podczas gdy panna Scarlett i pan Duncan wydawali polecenia, pani Miller krążyła za nimi, załamując ręce. Była asystentką wychowawcy naszej klasy; pozwalała mi chodzić podczas lekcji i przyznała mi też dodatkowy czas na sprawdziany. Ale pewnego dnia, kiedy wyszedłem z lekcji, siąkała nosem i tarła oczy. Powiedziała, że to katar sienny, ale ludzie nie chorują na katar sienny w październiku.

– Słyszałeś? – Ishan szturchnął mnie w kolano rurą. – Mamy wspólny pokój.

– Holly! – zawołała panna Scarlett. – Dziewczyny są na trzecim piętrze. Postarajcie się nie hałasować i zgaście światło o dziewiątej trzydzieści.

Rozległ się zbiorowy jęk i ktoś wymamrotał:

– Nie jesteśmy dziećmi!

– Więc nie zachowujcie się jak dzieci! – warknęła panna Scarlett.

– Buuuuu! – zażartowałem, udając bobasa.

Ishan się uśmiechnął.

– Cicho! – ryknął pan Duncan. – Po czterech godzinach codziennej jazdy na nartach będziecie błogosławić wczesne chodzenie spać.

– Będziecie wyczerpani i poobijani – dodała panna Scarlett. – Uwierzcie mi, jeżdżę tu od sześciu lat. A teraz, Ishan i Luca, pan Duncan pokaże wam wasz pokój.

Poszliśmy za panem Duncanem cztery piętra po schodach, a jego duży tyłek kiwał się w brązowych sztruksach.

– Pączuś Dunkin. Co za wdzięk – szepnąłem.

Mieliśmy sporo szczęścia. Pozostali też dostali wspólne pokoje, ale Ishan i ja zostaliśmy potraktowani w specjalny sposób. Coraz mniej przejmowałem się tym, że nas sparowali.

Nasz pokój miał piętrowe łóżko pod ścianą i komodę naprzeciwko. Duże okno wychodziło na ośnieżone stoki i krawędź drewnianej chaty pełnej nart i innego sprzętu.

– Rozpakujcie się i zejdźcie do jadalni. – Pan Duncan przymknął drzwi.

Ishan spojrzał na mnie, a potem na łóżko piętrowe. Odchrząknął.

– Gdzie chcesz spać? – zapytałem.

Bawił się paskami plecaka.

– Wszystko mi jedno.

– Fajnie. W takim razie ja na górze – oznajmiłem, wrzuciłem plecak na górną pryczę, a sam wskoczyłem na nią z rozbiegu.

Ishan oparł się o łóżko.

– Czy to prawda, że wyrzucono cię ze szkoły za uderzenie nauczyciela?

Jego brązowe oczy mrugały szybko.

Płynnie zeskoczyłem z pryczy, wyobrażając sobie, że pod moimi stopami znajduje się deskorolka i że mogę po prostu odjechać, jeśli zechcę.

– Nie. To plotki. Tak naprawdę... walnąłem w komputer.

Podszedłem do okna i wyjrzałem.

– Rozbiłem monitor, a kiedy nauczyciel próbował mnie złapać, zamachnąłem się na niego, ale chybiłem.

Przycisnąłem twarz do szyby, żeby lepiej widzieć. Dwie osoby zamykały chatę narciarską, z wysokości czwartego piętra wyglądały na malutkie. Podczas gdy Ishan ściskał swoją rurkę sensoryczną, ja udawałem, że zgniatam między palcami maleńkie przedmioty i ludzi znajdujących się za oknem w oddali. Promień słońca odbił się od czegoś i rozpoznałem okulary przeciwsłoneczne panny Scarlett. Chyba pomagała w porządkowaniu sprzętu na następny dzień. Nie wiem, kim była osoba, która jej towarzyszyła, ale od stóp do głów ubrana była na żółto. Położyła jej dłoń na ramieniu, ale panna Scarlett ją strząsnęła. Po sposobie, w jakim wymachiwała rękami, można było odnieść wrażenie, że była rozgniewana. Dało się to stwierdzić nawet z takiej odległości. Pytanie brzmiało: o co?

Hmm. Co by o tym pomyślał Herkules Poirot?

Kolacja była gotowa. Nauczyciele siedzieli przy osobnym stole. Pani Miller rozglądała się z przygnębioną miną. Wyglądała, jakby wolała być gdzie indziej.

– O co chodzi z panią Miller? – zapytałem Ishana.

Zerknął w stronę stołu nauczycieli.

– Jest zdenerwowana jakąś sprawą związaną ze szkołą. Słyszałem, jak komuś mówiła, że „ta cała Scarlett" nie da jej referencji.

W połowie kolacji złożonej z gulaszu i pierogów rudowłosa dziewczyna odłożyła tacę i usiadła na ławce obok mnie. Przesunąłem się i zerknąłem na nią.

– Nie mogę ich już słuchać! – Chwyciła serwetkę ze stosiku na środku stołu i ze złością zaczęła odrywać z niej małe paseczki.

– Co się dzieje, Hols? – westchnął Ishan.

– Och, wszyscy gadają o tym, jak świetnie jeżdżą na nartach, i o wszystkich miejscach, w których byli...

Holly i ja nie mieliśmy razem żadnych zajęć, ale w zeszłym tygodniu siedziała ze mną za karę w klasie, to był jej pierwszy raz. Przez cały czas płakała, próbując wytłumaczyć, że zapomniała stroju na wuef z powodu problemów w domu.

Uśmiechnęła się do mnie, ale podejrzewam, że odważyła się podejść do stołu Przegrywów, żeby się pośmiać.

– Ty jesteś ten nowy, Luca.

Nie spuszczałem wzroku z talerza.

– No nie mów.

Bycie nowym było intrygujące – dopóki nie przestawało się nim być.

– To jaki masz problem? – Nałożyła sobie na talerz papkowatych zielonych warzyw.

– A ty? – warknąłem. Nienawidziłem wścibskich osób.

– Ja? Niewielki. Mama ma depresję, więc pojechała do jakiegoś spa, ale ze mną nie było co zrobić.

Tak po prostu wylewała swoje frustracje?

Patrzyła na mnie, wciąż się uśmiechając. Może jednak nie przyszła tu dla zgrywu. Może mógłbym nieco obniżyć gardę.

– Gdzie w takim razie jest twój tata? – zapytałem.

– A gdzie twój? – warknęła.

– W więzieniu.

Ucichła. Wolałem tak odpowiadać. Krótko i szczerze. Nie przejmowałem się. Sam nie byłem na tyle głupi, żeby bawić się w złodzieja.

– Mój tata wyprowadził się rok temu – powiedziała cicho. – Odszedł z kimś i złamał mamie serce. Teraz mieszka z nami babcia. – Holly włożyła do ust bezkształtną bryłkę.

– Co to jest? – Ishan spojrzał na swój talerz.

– Wegańskie nuggetsy. – Holly wzruszyła ramionami. – Są okej. Panna Scarlett też jest weganką, ma okropną alergię na nabiał. Mówi, że jedzenie jest tu teraz o wiele lepsze niż kiedyś.

Panna Scarlett pojawiła się przy naszym stole ze zmarszczonymi brwiami.

– Holly? Nie bez powodu wszyscy mają przydzielone miejsca. Idź tam i usiądź. – Wskazała na drugi koniec sali, a Holly aż zamurowało.

– Co? Och, panna Scarlett! – Dziewczyna zacisnęła oczy, próbując przeżuć i połknąć cały kęs, po czym odkaszlnęła i wykrzyknęła zduszonym głosem: – Co za cudowna bransoletka!

Panna Scarlett przekręciła nadgarstek, a srebrna bransoletka z masą perłową zalśniła, gdy światło padło na zapięcie.

– Dziękuję. Jest wyjątkowa.

Holly patrzyła na ozdobę, jakby chciała ją zjeść.

– Skąd ją pani ma? – spytała niemal bez tchu, jak zahipnotyzowana.

– To prezent... od byłego. – Panna Scarlett zaśmiała się gardłowo i szepnęła: – Zażądał zwrotu, kiedy się rozstaliśmy, ale niech się nie łudzi!

Holly zakaszlała, opluwając stół okruszkami wegańskich nuggetsów. Fuj.

– Niezły zwód – stwierdziła panna Scarlett, mrużąc oczy.

– Ale pochlebstwa donikąd cię nie zaprowadzą. Ruchy!

Dziewczyna burknęła i zabrała tacę. Było mi jej żal. Pozostali przy jej stoliku się śmiali, a kiedy wróciła, udali, że ją ignorują. Znałem to uczucie.

– Czy możesz podać sok? – zapytał Ishan.

Chwyciłem dzbanek.

– Skończył się. Pójdę po więcej.

Kobieta nakrywająca wcześniej stoły wsypywała teraz sól do metalowego garnka stojącego na kuchence.

– Tak? – Odwróciła się do mnie, marszcząc brwi. – Co... tu robisz? Kuchnia to nie miejsce dla dzieci.

– Przepraszam! – Podniosłem dzbanek z uśmiechem. – Skończył się... hmm... skończył nam się sok? – Udałem, że piję.

– Ach, jasne. Sok. – Otworzyła dużą lodówkę.

Na ścianach wisiały oprawione, datowane fotografie szefów kuchni pozujących przed hotelem. Zabawnie było widzieć wiele tych samych twarzy, różniących się jedynie fryzurą, wagą i wiekiem.

– Czy to pani? – Wskazałem na uśmiechniętą kucharkę machającą drewnianą łyżką do kucharza, który jadł gigantyczną eklerkę.

Potrząsnęła głową.

– To nie moje czasy. To moja matka. Pracowała tu jako kucharka przez wiele lat. – W jej oczach pojawiły się łzy, potem pociągnęła nosem, a jej mina stwardniała. – Niektórzy klienci... ciągle są niezadowoleni, każdy popełnia błędy. Moja matka musiała za to zapłacić... i już tu nie pracuje.

Nie wiedziałem, co na to odpowiedzieć.

– Twój sok.

– Och. Tak, dziękuję.

Kiedy wychodziłem, zarośnięty chłopak, z którym wcześniej rozmawiała panna Scarlett, przemknął obok mnie, niemal dźgając mnie w policzek wykałaczką, którą żuł.

Przygotowanie się następnego ranka zajęło nam wieki. Salopettes to taki watowany kombinezon. Ledwo mogłem się poruszać, mając na sobie tyle warstw. Ishan był zestresowany, bo było mu niewygodnie, ale rozśmieszyłem go czymś i zapomniał o tych wszystkich dziwnych metkach i szwach, chociaż spóźniliśmy się na śniadanie.

Holly właśnie wychodziła, kiedy szliśmy z Ishanem po rogaliki.

– Twoje kumpelki nadal dziwnie się zachowują? – zapytałem ją.

Skinęła głową.

– Ciągle gadają o tym instruktorze. Obserwowały go wczoraj wieczorem przez okno, kiedy próbowałam zasnąć. – Ziewnęła. – Podnosił worki z piaskiem, przenosił różne rzeczy tam i z powrotem, a ja słyszałem tylko: bla, bla, muskuły, bla, bla, sprawność... To obciachowe. Aż musiałam wsadzić sobie zatyczki do uszu.

– Wy wszyscy! – krzyknął pan Duncan. – Proszę udać się do recepcji. Jesteście z grupą początkujących pod opieką panny Scarlett.

– Ja... ja muszę do toalety – mruknęła pospiesznie Holly.

Na zewnątrz było zimno i rześko, a niebo miało barwę jasnoniebieską. Czułem ekscytację. Obejrzałem kilka filmów na YouTubie, żeby nie wyjść na kompletnego głupca, ale wiedziałem, że czeka mnie coś innego niż jazda na deskorolce.

– *Andiamo!* – wrzeszczał Baptise, nasz instruktor narciarstwa, gdy staliśmy w kolejce po narty, kijki i gogle. – Żadnego bałaganu!

– Gdzie jest panna Scarlett? – zapytał Ishan. – Powiedziała, że mogę mieć specjalne gogle, bo te tutaj będą za duże.

– Za duże? Hmm... – Baptise zmarszczył brwi i sprawdził coś w swoim notesie. – Panna Scarlett... poszła... teraz z grupą zaawansowaną. Pan Duncan jest przy windzie, zabiera początkujących razem ze mną. Pani Miller wróciła do hotelu z jakąś chorą dziewczyną. Idź już!

Chorą dziewczyną musiała być Holly – było mi jej szkoda, że straciła pierwszy dzień.

Wyciąg narciarski wyglądał jak kolejka w wesołym miasteczku. Kiedy stanęliśmy tuż przed nim, pan Duncan powiedział:

– Chwyćcie kijki jedną ręką i mocno trzymajcie.

Ishan i ja śmialiśmy się nerwowo, gdy szarpnęło krzesełkiem naszym i pana Duncana, unosząc nas w powietrze.

Ishan mówił coś do pana Duncana, a ja nie mogłem przestać patrzeć na góry, które ciągnęły się kilometrami. Całkowita wolność. Po raz pierwszy poczułem się naprawdę szczęśliwy. Pan Duncan gmerał w swoim telefonie. Mniej więcej w połowie zbocza dostrzegliśmy grupę stłoczoną wokół dużego worka albo bryły, albo czegoś podobnego. Wyciąg zatrzymał się gwałtownie. Coś w rodzaju plamy oleju odcinało się wyraźnie na tle oślepiająco jasnego śniegu. Olej wyglądał na czerwony... To krew? Czy tam leżało... ciało?

Szturchnąłem Ishana, ale bawił się paskiem swoich zaparowanych gogli. Tkwiliśmy tak ze zwisającymi nogami i zdrętwiałymi stopami.

– Przykro mi, chłopaki, ale... – Pan Duncan odchrząknął i odłożył telefon. – ...dziś nie będzie jazdy na nartach. Wracamy na dół.

– Co się stało? – zapytałem.

Pan Duncan unikał mojego spojrzenia. Mój instynkt Herculesa Poirot nie zawiódł, poczułem mrowienie – chodziło o coś złego.

– Ech... być może ktoś... jeździł na nartach po godzinach, bez nadzoru. Wypadek. To wszystko, co wiemy.

Gdy schodziliśmy, próbowałem dostrzec jakieś inne okoliczności, które mogły być wytłumaczeniem dla bryłopodobnego worka i krwi. Czy tam było widać dwie pary śladów? Nie byłem pewien, podłoże było bardzo nierówne.

W recepcji hotelu czekała pani Miller, obgryzając paznokcie. Baptise rozśmieszał dziewczyny, w tym Holly, która musiała już chyba czuć się lepiej. Czy nikt z nich nie słyszał o wypadku?

– Co jest takiego zabawnego? – zapytał Ishan.

Baptise uśmiechnął się szeroko, żując wykałaczkę.

– Nie martw się, koleżko!

– Nie martwię się. – Ishan zmarszczył brwi. – I nigdy wcześniej się nie spotkaliśmy, więc nie możemy być koleżkami, chociaż ty i panna Scarlett zapewne nimi jesteście.

Widziałem wasze zdjęcia na tablicy w holu.

Baptise zakaszlał i wypluł wykałaczkę.

– Ishan! – Holly roześmiała się, ale nie w złośliwy sposób. – „Nie martw się, koleżko" to tylko takie powiedzenie!

Ishan wzruszył ramionami.

Baptise zniknął w pokoju za recepcją, a pan Duncan i pani Miller szeptali coś, prowadząc nas do jadalni. Wyglądali na przerażonych, choć starali się tego nie okazywać. Powinienem wiedzieć, widywałem ludzi w takim stanie przez całe życie. Nie da się mieszkać w różnych rodzinach zastępczych i domach opieki bez zrozumienia ludzkiej natury.

Zacząłem czuć się jak Herkules Poirot. Coś się działo, i może to właśnie ja powinienem dotrzeć do sedna sprawy. Co się stało i gdzie była panna Scarlett?

Podczas kolacji było jeszcze głośniej niż poprzedniego wieczoru, wszyscy czuli się rozczarowani, że nie pojechali na narty. Nauczyciele wchodzili i wychodzili, a telefon w recepcji dzwonił bez przerwy. W końcu, po odchrząknięciu, pani Miller powiedziała:

– Musimy ujawnić nieoczekiwaną i, szczerze mówiąc, bolesną wiadomość. Wygląda na to, że wczoraj wieczorem panna Scarlett źle się poczuła i poszła na spacer. Ale musiała... – Nauczycielka zamilkła, wpatrując się bezradnie w pana Duncana.

Musiała co? Upaść?

Pan Duncan położył dłoń na ramieniu pani Miller.

– Panna Scarlett prawdopodobnie straciła równowagę i spadła. Straszny wypadek.

Obróciłem się na swoim krześle.

– Założę się, że ona nie żyje.

– Co? – Holly szturchnęła mnie łokciem w żebra.

– To oczywiste – syknąłem. – Nigdzie nie można jej znaleźć. Nauczyciele praktycznie płaczą. Gdyby została ranna, nawet poważnie, byliby szczęśliwsi i usłyszelibyśmy lub zobaczylibyśmy karetkę albo jakiś transport powietrzny.

– Och. – Źrenice Ishana się rozszerzyły. – Może – mruknął, skubiąc skórkę wokół paznokcia.

Z kuchni wyszła cała czerwona na twarzy kucharka i zajrzała do jadalni. Widząc Baptise'a na końcu sali, przywołała go gestem.

Wysłano nas do pokojów wcześnie, ale do późna w nocy słyszałem krążące helikoptery i widziałem światła latarek za oknem, choć było zbyt ciemno, aby cokolwiek zobaczyć dokładnie.

– Nie śpisz?

Poderwałem się gwałtownie, serce biło mi mocno. Ishan podniósł się i spojrzał na mnie. Włosy stały mu dęba.

– Nafajdało wczoraj w nocy – powiedział.

Fuuuj.

– Jesteś obrzydliwy!

Wycelował latarką w moją twarz i posłał mi spojrzenie CuL (Co u Licha).

– Mam na myśli to, że nafajdało kupę świeżego śniegu! – Zaczął włączać i wyłączać latarkę. – Nikt z nas nie może się stąd ruszyć.

Musiałem przez chwilę przemyśleć znaczenie jego słów.

– Masz na myśli to, że jesteśmy w pułapce?

Pokiwał głową.

– Myślę, że tak.

– Więc... – Mój mózg zwolnił, aby przetworzyć to, co powiedział Ishan: – Gdyby śnieg spadł wcześniej... być może ciała by w ogóle nie znaleziono. – W mojej głowie pojawiła się myśl w stylu Herkulesa. – Może od początku taki był plan!

– Plan? – Ishan wyglądał na zaniepokojonego.

Usiadłem prosto i chwyciłem kołdrę.

– Może ktoś liczył właśnie na to, że śnieg przykryje ciało... Może to nie był wypadek – powiedziałem stanowczo. – Sam pomyśl, panna Scarlett była dobrą narciarką i przyjeżdżała tu od lat. Pamiętasz? Powinniśmy dowiedzieć się, co się stało.

Co zrobiłby Herkules?

– Co, jeśli... – Oblizałem wargi w nadziei, że Ishan nie pomyśli, że postradałem zmysły. – Co, jeśli ktoś ją zabił?

Mój kolega przełknął ślinę, po czym wymamrotał:

– To głupie.

– Na pewno?

Ludzie umierają codziennie: morderstwa, wypadki, starość. To, że się o tym nie mówi, nie znaczy, że tak się nie dzieje. Po prostu prawdziwi przestępcy popełniają głupie błędy, zupełnie jak mój tata. Nigdy nie są tacy sprytni jak ci, z którymi miał do czynienia Herkules.

Ishan nie przestawał prychać i mrugać przez jakieś pięć minut. Poczułem się z tym źle, nie powinienem mówić na głos o zabijaniu.

– Muszę poszukać wskazówek.

To może być okazja do udowodnienia, że nie jestem nieudacznikiem ani „kłopotliwym dzieckiem zastępczym". A poza tym miałem dość tego, że złym ludziom wszystko uchodzi bezkarnie. Ci wszyscy podejrzani opiekunowie zastępczy i nauczyciele, których miałem...

Ishan ziewnął i potarł oczy.

– Wskazówek?

– Panna Scarlett pokłóciła się wczoraj z kimś przed wypożyczalnią nart. Może uda nam się coś znaleźć, jeśli tam poszukamy?

– My?

Westchnąłem.

– Nie możemy wychodzić, owszem. Ale mamy coś lepszego do roboty?

– O, tak... Na przykład nie dać się zabić, jeśli na wolności grasuje psychol. – Ishan przygryzł paznokieć tak, że aż zaczął krwawić.

– Ale bezpieczeństwo tkwi w liczbach, prawda? Ze mną będziesz bardziej bezpieczny niż sam w pokoju bez zamka na czwartym piętrze.

Jego rurka sensoryczna zaczęła wariować.

Na zewnątrz właśnie się rozjaśniało. Śnieg pokrywał ziemię grubą warstwą, a wokół panowała cisza. Powoli przemierzaliśmy drogę do wypożyczalni nart. Wszystko wydawało się zupełnie inne bez wrzeszczących i żartujących uczniów dokoła.

Głosem Herkulesa szepnąłem:

– Po pierwsze musimy sporządzić listę podejrzanych. Kto żywił urazę do panny Scarlett?

Ishan ciaśniej owinął twarz szalikiem.

– Wiemy, że pani Miller jej nie lubiła.

– Hmm. Słuszna uwaga. To, co mówiła wtedy na temat referencji, może stanowić motyw.

Na śniegu wokół wypożyczalni było wiele różnych śladów, ale mimo wszystko dało się dostrzec odciski dużych butów narciarskich prowadzące w nieznanym kierunku, a częściowo pokryta śniegiem głęboka bruzda biegła od drzwi do połowy pagórka. Zupełnie jakby coś (lub ktoś) było ciągnięte po ziemi...

Kiedy wślizgiwaliśmy się z powrotem do hotelu, zastanawiałem się, gdzie jeszcze moglibyśmy poszukać wskazówek. Ishan skierował się w stronę schodów, ale moją uwagę przyciągnęły kurtki narciarskie wiszące w recepcji.

– Będę za chwilę – powiedziałem.

Kurtka panny Scarlett wisiała na ostatnim wieszaku. Przeszukałem jej kieszenie i w jednej z nich, na podartym paragonie zobaczyłem nabazgrany numer telefonu z napisem „Zadzwoń do mnie" i pocałunkiem na końcu. Schowałem paragon do kieszeni i postanowiłem zadzwonić pod ten numer, kiedy tylko nadarzy się okazja.

Następnego ranka w milczeniu stanęliśmy w kolejce do wyciągu narciarskiego, który wywoził nas na inny stok. Baptise był chory, a pan Duncan i pani Miller wydawali się zmęczeni i zdenerwowani. Szkoła nalegała, żebyśmy spróbowali pojeździć na nartach, bo wszystko zostało opłacone. Najwyraźniej najlepszą rzeczą, jaką można robić w takiej sytuacji, to „normalnie się zachowywać". Nie zgadzałem się, ale nie miałem na to wpływu.

Po zejściu z wyciągu mała francuska instruktorka pokazała nam kilka podstawowych ruchów. Byłem w tej samej grupie co Holly i Ishan. Holly bawiła się zamkiem błyskawicznym kieszeni, ale w pewnej chwili zaczepiła o niego rękawiczką. Moją uwagę natychmiast przykuł srebrzysty błysk.

– Co to? – Pochyliłem się i sięgnąłem do jej otwartej kieszeni i zobaczyłem srebrną bransoletkę z masą perłową! – To należy do panny Scarlett!

– Ciii! – syknęła Holly, rozglądając się.

Francuska instruktorka zabierała małą grupę w dół pagórka. Holly wyrwała mi bransoletkę i wsunęła ją z powrotem do kieszeni.

– Ja nie chciałam... – Holly przygryzła policzek.

– Czego? – zapytałem bez ogródek.

Ishan pojawił się obok mnie.

– Zabić kogoś? – wtrącił się.

– Skąd to masz? – Zmrużyłem oczy, czekając, aż Holly się wzdrygnie, ale tego nie zrobiła.

– Panna Scarlett żyła, kiedy widziałam ją ostatni raz. – Zaczęła cicho płakać. – Przysięgam! Pani Miller dała mi zatyczki do uszu i usłyszałam, jak panna Scarlett mówiła, że potrzebuje zaczerpnąć powietrza, bo źle się czuje. A potem... poszłam.... za nią. Było ślisko i prawie się wywaliłam. Ona to usłyszała i chwyciła mnie za rękę, żebym nie upadła. Ale wtedy bransoletka się zerwała i nie wiem... nagle znalazła się w mojej dłoni, i po prostu... uciekłam.

– Ech... i nikomu o tym nie powiedziałaś?

– Ta bransoletka należy do mnie! To znaczy... do mojej babci! – Holly pociągnęła nosem. – Mama nosiła ją przez lata, ale potem tata ją zabrał. Kiedy zobaczyłam ją na ręce panny Scarlett, zrozumiałam jedno. – Rozpłynęła się w kolejnych łzach. – Panna Scarlett była tą kobietą, dla której porzucił nas mój tata! A kiedy zerwała z nim sześć miesięcy temu, tata błagał mamę, aby go przyjęła z powrotem, ale mama nie chciała.

Ishan gwizdnął.

– To brzmi jak... jak to nazwałeś, Luca?

– Motyw. Tak, powiedziałbym, że to solidny motyw: chcieć, żeby ktoś zniknął.

Holly ciekło z nosa.

– Ale ja dopiero teraz dowiedziałem się, kim ona jest!

Zmrużyłem oczy, wpatrując się w nią intensywnie.

– Tym większa była pokusa nagłego „wypadku".

– Nie miałam z tym nic wspólnego! Po prostu uciekłam, bo bałam się, że będę miała kłopoty. Panna Scarlett wołała coś za mną, ale kiedy się odwróciłam, jej już nie było, a ktoś inny szedł w jej stronę.

– Kto? – zapytałem.

– Zauważyłaś w nim coś niezwykłego? – dopytywał Ishan.

Holly pokręciła głową.

– Nie bardzo... Miał dużą watowaną kurtkę i nosił kapelusz.

Ishan i ja próbowaliśmy przekraść się piętro niżej do dziewczyn, ale wpadliśmy na panią Miller, która nas pogoniła. Po obiedzie namówiłem więc Ishana, żeby włamał się ze mną do wypożyczalni nart. Kiedy raz zostałem z tatą na weekend, nauczył mnie otwierać zamki. Chyba czuł się w obowiązku, by przekazać mi jakąś wiedzę. Tak czy inaczej otwieranie zamków nie było skomplikowane.

Ishan oświetlił latarką stosy koców, kijków narciarskich i kurtek. Przekopaliśmy się przez to wszystko, ale niewiele znaleźliśmy. Na krześle na tyłach wypożyczalni zawieszona była torba. Wywróciłem ją do góry nogami i wysypałem zawartość na podłogę. Wypadły paragony oraz zdjęcie. Podniosłem je i obejrzałem. Na odwrocie zapisane były jakieś wiadomości, daty i nazwa restauracji, którą rozpoznałem, widziałem ją już wcześniej... Herkules P. byłby dumny.

– No proszę...

– Proszę co? – Ishan podniósł wzrok.

– Mamy winowajcę – oznajmiłem, uśmiechając się.

Ishan z całej siły ścisnął swój miniaturowy brelok antystresowy.

– Och, rozumiem – odpowiedział.

Z prognozy pogody wynikało, że śnieg już topnieje, i chociaż jeździliśmy na nartach tylko przez jeden dzień, jechał już po nas autokar. Wskutek telefonów do domów i skarg rodziców szkoła zmieniła plany.

Znieśliśmy torby na dół, po czym rzuciliśmy je na podłogę w recepcji. Zadzwoniłem dzwonkiem na kontuarze i wybiegł zza niego Baptise.

– To nie zabawka! Nie wal w ten dzwonek!

– Przepraszam, Baptise – powiedział pan Duncan, piorunując mnie wzrokiem. – Luca, przestań się wygłupiać. Idź do jadalni, musimy coś zjeść, zanim przyjedzie autokar.

Pani Miller udała się do jadalni, rozmawiając z Baptise'em, a my poszliśmy za nimi i zabraliśmy ze stołu suchy prowiant na lunch.

– Muszę wszystkim coś powiedzieć – chrząknąłem. – Słuchajcie!

– Luca! – Pan Duncan i pani Miller rzucili mi ostrzegawcze spojrzenia. – Zejdź z tego krzesła, zanim będziemy mieli kolejny wypadek!

– Nie, dopóki nie wyjaśnię, kto zabił pannę Scarlett – odpowiedziałem.

W pokoju zapadła cisza, jeśli nie liczyć Holly, która cicho pisnęła. Pani Miller potknęła się i musiała przytrzymać się krzesła. Twarz pana Duncana przybrała barwę buraka. Wszyscy czekali, aż zacznę, żeby zrobić drakę, ale nie było mowy o żadnej drace, ponieważ to, co miałem powiedzieć, było w stu procentach sprawdzone. Ishan i ja przeanalizowaliśmy wszystko i doszliśmy do dokładnie tych samych wniosków.

– Panna Scarlett nie miała wypadku. Przyjeżdżała do tego ośrodka od sześciu lat. Za pierwszym razem miała tutaj prywatne lekcje z Baptise'em i zakochali się w sobie. Dowód numer jeden. Proszę! – Pomachałem znalezioną w wypożyczalni fotografią przedstawiającą pannę Scarlett i Baptise'a w głębokim uścisku. Na odwrocie widniała data sprzed sześciu lat i podpis skreślony pismem panny Scarlett „Z miłością, na zawsze".

– Ha, ha! – roześmiał się Baptise, a wszystkie głowy odwróciły się, żeby na niego spojrzeć. – Niezły żart, głupku, co nie? – Kłapnął wykałaczką w zębach i zaczął coś wściekle pisać w komórce.

– Spotykali się w każdym sezonie narciarskim. Jednak w zeszłym roku panna Scarlett dołączyła do kadry nauczycielskiej w prestiżowej szkole dla dziewcząt. Zakończyła więc ten związek z obawy, że zaważy na jej karierze, jeśli wyjdzie na jaw. W tym samym roku doprowadziła do zwolnienia z pracy wieloletniej kucharki po tym, jak się pochorowała po zjedzeniu przygotowanego przez nią posiłku. Zyskała zatem kolejnego wroga. Kucharka i Baptise spiskowali. Kucharka podała nabiał, chociaż zdawała sobie sprawę, że panna Scarlett ma alergię na jego składniki, a Baptise wiedział, że kiedy jego ukochana źle się poczuje, będzie chciała wyjść na zewnątrz na świeże powietrze.

Wahadłowe drzwi do kuchni gwałtownie się otworzyły i wybiegła z nich kucharka, załamując ręce i głośno łkając.

– Nie chciałam nikogo zabić! Nie chciałam!

Wszyscy odwrócili się w oszołomieniu w jej stronę, a ona wskazała na Baptise'a.

– Miała się tylko trochę rozchorować... On obiecał, że chce tylko...

Baptise kierował się w stronę drzwi kuchennych. Na moje skinienie Holly wystawiła nogę, a on się o nią potknął. Upadł jak długi na podłogę, a wtedy pan Duncan podbiegł i usiadł na nim okrakiem.

– Nigdzie nie pójdziesz! – sapnął.

Nikt nie byłby w stanie się spod niego wydostać.

Tym sposobem oskarżenie nie było tylko słowami jakiegoś „dzieciaka z sierocińca". Mieliśmy niezbity dowód!

Ishan się wtrącił:

– To nie koniec. Słuchajcie!

– Kiedy panna Scarlett przyjechała tutaj w tym roku, była zaskoczona widokiem Baptise'a. Wcześniej powiedział jej, że wraca do Francji. A teraz wsunął jej swój numer do kieszeni i poprosił o spotkanie w schronisku. Błagał o kolejną szansę, ale panna Scarlett odmówiła. Źle się czuła i poszła się przewietrzyć, ale Baptise poszedł za nią. A co do reszty... Cóż... sam będzie musiał to wyjaśnić.

Wszystkie oczy były skierowane na mnie. Wiedziałem, jak musiał się czuć Herkules – po raz pierwszy w życiu ludzie gapili się na mnie z właściwych powodów, jakby to, co mówiłem, było ważne. I to mi się podobało.

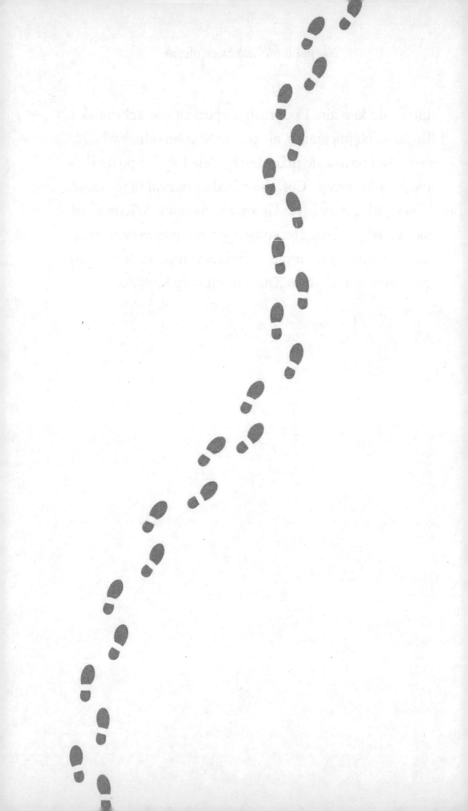

SHARNA JACKSON

GWIAZDKOWY SABAT

ŚCIŚLE TAJNE

WŁASNOŚĆ KLUBU ŚWIĄTECZNYCH ZBRODNI

GWIAZDKOWY SABAT

Sharna Jackson

Przyjęcia są bezsensowne – westchnęłam, patrząc na wzburzone morze. Było już ciemno, więc niedługo tu będą. Przycisnęłam twarz do szyby, obserwując ryczące zimowe fale, które pieniły się i rozbijały o ostre, oświetlone księżycem skały poniżej. Słona piana uderzała w zaparowaną szybę okienną. Cofnęłam się zaskoczona. Do zatoki zbliżała się burza.

Otuliłam ramiona patchworkową pikowaną peleryną i odwróciłam się do mamy. Stała przy wyspie kuchennej w naszym dużym, wciąż skromnie umeblowanym pokoju. Otoczona stosami talerzy i zapachem jedzenia wytarła ręce w fartuch. Skrzywiła się, przeglądając listę dań do przygotowania, po czym jej zwinne, brązowe palce wróciły do owijania słoniny wokół małych, jasnych kiełbasek.

– To nie jest przyjęcie i nie jest bezsensowne – powiedziała, nie podnosząc wzroku. – To po prostu spotkanie zapoznawcze czterech kobiet oraz dziewczynki. W najcudowniejszej porze roku.

– Czy aby na pewno? – prychnęłam.

– Czy co na pewno?

– Najcudowniejsza pora roku?

– Oczywiście! – odparła mama. – Rozejrzyj się! Spójrz, gdzie jesteśmy i co teraz mamy. To naprawdę wyjątkowe, a poza tym kto nie kocha Bożego Narodzenia, hmm?

– Ja.

– Aha – powiedziała mama z sarkazmem i uśmiechem. – Od kiedy?

– Od teraz. Próbuję, mamo, ale to nie moje marzenia i nie doceniam tej życiowej szansy. – Spojrzałam ponownie na wzburzoną wodę. – Czuję się jak w pułapce, pomiędzy morzem, tymi miłymi ludźmi i tymi tamami. – Wzdrygnęłam się. – Chcę tylko wrócić do domu – dodałam cicho pod nosem.

Mama umyła ręce, a potem przycisnęła dłonie do drewnianego blatu.

– To dwa krótkie lata, Malorie, a jesteśmy tu dopiero od tygodnia. Spróbujmy się tym trochę cieszyć, hmm? – powiedziała. – Pomyśl o pozytywach, nigdy nie byłoby nas stać na taki dom. Gdyby nie Stypendium Phoebe Morgan, gdyby Phoebe nie pojechała do Kostaryki, nigdy nie mogłabym znaleźć się tak blisko ekosystemu i...

– I bardziej troszczyć się o delfiny niż o swoją córkę, prawda?

Mama westchnęła.

– Zachowuj się! Posłuchaj, wiem, że to ogromne wyzwanie, a bycie trzynastolatką jest i tak wystarczająco trudne, ale podejmij je... a przynajmniej spróbuj. Przebrnijmy przez dzisiejszy wieczór, a potem rano porozmawiamy przy porządnym śniadaniu. Ale w międzyczasie wiedz, że cię słyszę i że mi zależy. Okej?

Kiwnęłam głową.

– W porządku, mamo.

Mama się uśmiechnęła.

– Więc mamy plan. – Splotła dłonie i przygryzła wargę, przyglądając się swojej pracy. – A podsumowując: paszteciki gotowe, grzane wino bulgocze, miniroladki z indykiem i żurawiną są w lodówce, kiełbaski trzeba włożyć do piekarnika. Co do pozostałych dań, poddaję się. Jedzenia wystarczy dla pięciu osób, prawda? – Mama pochyliła się do przodu, opierając się na łokciach. – Chcę po prostu zrobić dobre wrażenie. Wszyscy są tacy cudowni, a spotkania to tutejsza tradycja.

– Tak?

– Najwyraźniej tak. Beatrice powiedziała, że robią tak co roku. Nazywają to sabatem gwiazdkowym, co mnie rozśmieszyło. Wyobrażasz sobie? Zatoka, sabat, kobiety...

– Czarownice?

– No właśnie. Świetnie byś pasowała z tym płaszczem, który masz na sobie – powiedziała, wskazując na moją kołdrę.

Spojrzałam w dół i się uśmiechnęłam.

– Chyba tak.

Zadzwonił alarm piekarnika i mama odwróciła się, żeby sprawdzić, która godzina.

– Już za pięć siódma? – Jej wzrok błądził po pomieszczeniu, a ona sama wymachiwała rękami. – Mała przysługa, Mally? To miejsce wciąż wygląda tak pusto, przynieś jakieś dekoracje, proszę. Pudełko jest na strychu. I wrzuć do ognia jeszcze jedno polano.

– Muszę?

Nie odpowiedziała, więc wiedziałam, że muszę. Położyłam koc na sofie, dorzuciłam kawałek drewna do ognia i przemaszerowałam po ciemnoszarej podłodze. Wbiegłam po schodach. Na podeście wyjrzałam przez okrągłe okno wychodzące na trzy inne domy w okolicy. Padał deszcz. Unoszący się dym z kominów tańczył razem z wiatrem.

Z czterech domów w zatoce nasz był największy i położony najbliżej klifów. Peggy i Mark Seaverowie mieszkali za nami z trójką dzieci, ale jeszcze ich nie spotkałam. Kiedy Beatrice powiedziała mamie, że są bardzo bogaci, a ten dom to tylko ich dom wakacyjny, poczułam ukłucie zazdrości. Seaverowie mieli dokąd pójść, ale ja nie. Utknęłam tutaj. Na dwa lata.

Westchnęłam i spojrzałam na osobliwy dom Diane Dunbar po prawej stronie. Ona, podobnie jak mama, badała tutaj zachowania delfinów, więc powinny się zaprzyjaźnić. Miało to sens i żywiłam nadzieję, że tak będzie. Diane przyszła, kiedy się wprowadziłyśmy, z naprawdę pysznymi domowymi ciasteczkami krówkowymi, które za chwilę znowu będę jadła. Patrzyła na mnie, gdy je pałaszowałam, i cały czas się uśmiechała.

Dalej od pozostałych, a bliżej tamy, znajdował się dom Beatrice. Beatrice Strand-Hythe i jej mąż Philip najwyraźniej byli na emeryturze, ale nie byłam pewna. Beatrice wydawała mi się bardzo zajętą osobą.

Kiedy przyjechałyśmy, pomachała nam przy tamie, uśmiechając się szeroko. Zanim wyładowałyśmy nasze pierwsze pudło z furgonetki, już była u naszych drzwi z kwiatami, czekoladkami i winem. Potem nagle znalazła się w domu, przesuwając palcami po powierzchni mebli i potrząsając głową.

Mama chyba miała rację. Wszyscy byli gościnni i rzeczywiście wydawali się mili. Może zbyt mili.

Wspomniałam o tym wczoraj mamie, a jej odpowiedź była krótka: „Hmm, ciągła podejrzliwość wobec wszystkich przez cały czas jest niezdrowa, Mal". Powiedziała, że muszę być bardziej radosna. Może miała rację. Spojrzałam ponownie na ich domy, obiecując podjąć większy wysiłek w tej kwestii. Najpierw jednak czas na dekorację.

Włączyłam światło na poddaszu, a wisząca żarówka oświetliła ułożone w stosy na wpół otwarte pudła z książkami i artykułami naukowymi. Mama nie jest wielką miłośniczką porządku, strych był tego wyraźnym odzwierciedleniem. Parsknęłam i pokręciłam głową, po czym ostrożnie przeszłam na środek, pod szczyt dachu.

Wyprostowałam się i zlustrowałam pomieszczenie poprzez sieć gęstych pajęczyn. W lewym rogu stało brązowe pudełko z napisem „Rzeczy gwiazdkowe", namazanym czerwonym markerem. Przykucnęłam i podpełzłam, trzymając się belki nad głową.

Pudełko było zapieczętowane i pokryte grubą warstwą kurzu. Wytarłam je, odkaszlnęłam i rozdarłam. Zajrzałam do środka, podsuwając pudło do żarówki. Na górze leżał czerwono-zielony łańcuch, który owinęłam sobie wokół szyi. Pod łańcuchem znajdował się stary długopis i warstwy pozłacanych bombek, których nie rozpoznałam. Wybrałam kilka i wsadziłam je do kieszeni bluzy. Wróciłam do pudła, żeby jeszcze raz spojrzeć na ozdoby, a kiedy odgarniałam pozostałe bombki, poczułam ostre ukłucie wzdłuż kciuka. Skrzywiłam się z bólu i szybko wypuściłam pudło. Kropla krwi wypłynęła mi z palca. Zirytowana possałam go i spojrzałam do pudełka, aby znaleźć winowajcę.

Spomiędzy bombek wystawał róg białej kartki. Wyciągnęłam go i przyjrzałam się kartce, obracając ją w dłoniach.

Bilet lotniczy do Kostaryki, datowany na jakiś dzień z zeszłego roku, wystawiony na Phoebe Morgan.

Phoebe Morgan?

„Jeśli ona jest w Kostaryce, dlaczego jej bilet jest tutaj?", pomyślałam przez chwilę. Może zamiast tego użyła biletu mobilnego? Albo zapomniała o tym i wydrukowała kopię na lotnisku. Tak zrobiłaby mama. Wzruszyłam ramionami i wsunęłam bilet do tylnej kieszeni.

Zaciekawiona, sięgnęłam z powrotem do pudełka. Już się zorientowałam, że nie należy do nas.

Pod bombkami leżała koperta opatrzona starannym napisem „Do nowych lokatorów". Ponieważ, technicznie rzecz biorąc, to byłam ja, otworzyłam ją.

Wyjęłam kartkę świąteczną ze zdjęciem uśmiechniętej, sympatycznie wyglądającej siwowłosej kobiety. Klęczała między choinką a płonącym kominkiem, identycznym jak ten, który znajdował się na dole.

– Phoebe – mruknęłam pewna, że to ona.

Miała na sobie zielone sztruksowe spodnie i czerwony dzianinowy sweterek z dużą złotą broszką – dwoma splecionymi delfinami z szafirami w miejscu oczu. Otworzyłam kartkę.

Najdroższy najemco,
jeśli to znalazłeś, oznacza to, że jesteś tutaj – mam nadzieję, że cieszysz się stypendium i nowym domem. Gratuluję!

Przepraszam za pośpiech. Sama się spieszyłam. Chroń moje delfiny!

Będzie mi ich brakowało.

Jeśli ta koperta pozostanie nieotwarta i wciąż będzie w pudełku, cóż... Wiedziałam, że ona zabije mnie w Boże Narodzenie. Po prostu to wiedziałam.

Wesołych świąt!

P.M.

Temperatura w pomieszczeniu natychmiast wzrosła, a moje dłonie zrobiły się czerwone.

– „Wiedziałam, że ona zabije mnie w Boże Narodzenie?" – szepnęłam.

Trzęsąc się, usiadłam, żeby się uspokoić. Głowa mi pulsowała, a serce biło jak szalone.

Phoebe nie żyła?

Nagle poczułam suchość w ustach. Oddychałam szybko, wciągając w płuca otaczający mnie kurz i pajęczyny, a mój umysł wypełniały pytania. To była prawda czy chory żart? Co się stało? Dlaczego? Czy to się wydarzyło tutaj? Czy ten dom jest teraz nawiedzony? Kim, u licha, była „ona"? Czy jesteśmy tu bezpieczne? Czy będziemy następne?

Zaskoczyło mnie gwałtowne pukanie do drzwi wejściowych. Podskoczyłam przerażona. Machnęłam rękami i uderzyłam w gorącą wiszącą żarówkę. Światło zakołysało się tam i z powrotem, rzucając niesamowite cienie na ściany i moją twarz.

– Mally!?– krzyknęła mama z dołu. – Schodzisz?

Zamarłam w tym dusznym, gorącym pomieszczeniu. Głosy w mojej głowie szeptały rady. Jeden z nich namawiał mnie, żebym zbiegła na dół i rzuciła się na frontowe drzwi, zanim mama zdąży je otworzyć. Musiałam ją ratować. Inny cichy głos mówił: „Zadzwoń na policję, idiotko!". Najgłośniejszy powiedział po prostu: „Jesteś taka podejrzliwa wobec wszystkich. Najpierw dowiedz się więcej".

– Mally! – krzyknęła mama.

Potem rozległ się dźwięk otwieranych drzwi wejściowych. Zimny przeciąg przebiegł po schodach aż na poddasze, uspokajając mnie. Nieznacznie.

– Cześć! – powiedziała ciepło mama do swojego pierwszego gościa i potencjalnego mordercy. – Ty musisz być Peggy? – Usłyszałam w głosie mamy śmiech. – Straszna pogoda, prawda? Och, to miło, pozwól, że wezmę twój płaszcz. – Jej głos stał się donośniejszy. – Moja córka właśnie idzie, za chwilę będzie na dole. Prawda? – zapytała, zwracając się w moją stronę.

Odburknęłam jakąś ledwo słyszalną bezsensowną odpowiedź, która na pewno do niej nie dotarła.

Nie mogłam spędzić całego wieczoru na strychu. Nie mogłam zostawić matki w zatoce. Chwyciłam w dłoń

kartkę Phoebe i wpatrywałam się w jej twarz. Odwzajemniła mój uśmiech, bezpieczna i ciepła, przyjazna i taka
świąteczna. Cokolwiek się stało, nie zasłużyła na śmierć –
nikt nie zasłużył. Cokolwiek się stało, musiałam poznać
prawdę. Wzięłam głęboki wdech i wróciłam do wertowa-
nia pudła.

Wyciągnęłam złote bombki i rzuciłam je na podłogę. Pod spodem leżały dwa stosy niepodpisanych kartek
świątecznych, wszystkie ze zdjęciem Phoebe.

Seria sześciu kolejnych ostrych puknięć w drzwi ozna-
czała, że czas działać. Zamrugałam szybko i ruszyłam
w stronę drabiny.

– Jasne, mamo! – krzyknęłam, udając wesołą. Zbiegłam po schodach w stronę drzwi wejściowych, błądząc
gdzieś myślami. Dzwoniło mi w uszach, a bombki po-
brzękiwały mi w kieszeni przy każdym kroku.

Mama puszczała kolędy z telefonu, siedząc na końcu
wyspy kuchennej z kobietą, którą, jak sądzę, była Peggy.
Ta potrząsała swoimi długimi, jasnymi włosami, śmiejąc
się z czegoś, co powiedziała mama, i tupiąc wysokimi ob-
casami o podłogę. Mama uśmiechnęła się w odpowiedzi.
Zastanawiałam się, co mogło być tak zabawne, bo mnie
wcale nie było do śmiechu.

Mama spojrzała na mnie i uśmiechnęła się szeroko,
a Peggy w milczeniu przyglądała się mojemu ubraniu.
Otworzyłam drzwi, wpuszczając do środka zimno i strach.

– Wesołych świąt! – zaśpiewały zgodnie dwa głosy. Diane i Beatrice kuliły się pod parasolem. Beatrice oparła głowę na ramieniu i zacisnęła usta.

– No cóż, Malorie, droga dziewczyno – powiedziała. – Twój strój jest z pewnością... interesujący. Prawda, Di?

Diane uśmiechnęła się miękko i nieznacznie przewróciła oczami.

– Z tymi pajęczynami we włosach i łańcuchem na szyi nie wiem, czy obchodzisz Boże Narodzenie czy Halloween! – prychnęła Beatrice. – Tak czy inaczej, bardzo pochwalam twój wysiłek, bardzo dobrze. – Wychynęła spod parasola i weszła do domu. – Janet! Peggy! – zawołała, zdejmując brązowy wełniany płaszcz i wyciągając go w moją stronę. Poprawiła swoje długie, faliste, siwe włosy. – Wspaniale pachnie, umieram z głodu.

Powiesiłam płaszcz Beatrice, a Diane odstawiła parasolkę.

– Myślę, że wyglądasz dobrze – powiedziała. Sięgnęła do torby, którą niosła, i wyciągnęła niewielką srebrną puszkę. – Mam dla ciebie mały prezent, otwórz!

Domowe ciasteczka krówkowe. Nie mogłam teraz nawet myśleć o zjedzeniu ciastek, bo już jej nie ufałam.

– Dziękuję – odparłam. – To naprawdę miłe.

Diane złapała mnie za ramię.

– Wiedziałam, że je lubisz.

Uśmiechnęła się, zsunęła płaszcz z ramion i powiesiła go na kołku. Chwyciłam puszkę drżącymi palcami i patrzyłam, jak mama i być może mordercy z zatoki popijają grzane wino z ciepłych kubków. Mama zerknęła na mnie kątem oka i delikatnie pokręciła głową.

Podeszłam do zlewu i postawiłam puszkę tuż obok. Pomyślałam, że mogę „przypadkowo" je tam później zrzucić. Odkręciłam kran i – stojąc tyłem do pokoju – sięgnęłam po szklankę.

Usłyszałam za sobą kroki mamy w kapciach, a potem mama znalazła się obok mnie i pochyliła się nade mną.

– Mally – powiedziała surowym głosem i z pełnym napięcia uśmiechem. – Co robisz, hmm? – Wyciągnęła rękę i wyjęła pajęczynę z moich włosów.

– Szukałam ozdób. – Upiłam łyk wody, szklanka trzęsła mi się w dłoniach. – Nie zdawałam sobie sprawy, jak dużo jest tam kurzu. Ale je znalazłam. – Postawiłam szklankę przy zlewie i pogrzebałam w kieszeni bluzy. Złote bombki, które niosłam niczym kangurzyca, rozsypały się głośno na niebieskoszarej podłodze, strasząc naszych gości. Jedna potoczyła się w stronę wyspy kuchennej, ku czerwonym butom Peggy. Beatrice i Diane zsunęły się krzeseł, aby zebrać pozostałe.

– Och, przestańcie, dajcie spokój! Nie ma potrzeby tego robić! – zaprotestowała mama. – Jesteście gośćmi! – powiedziała, przesuwając się w ich stronę, podczas gdy kobiety kucały na podłodze.

Złapałam mamę za ramię i przyciągnęłam blisko siebie.

– Mamo! – szepnęłam. – Phoebe na pewno pojechała do Kostaryki, prawda?

Mama patrzyła na mnie zdezorientowana.

– Tak, Mal, wiesz o tym. Dlaczego...

Wysokie obcasy rytmicznie uderzały o podłogę, i po chwili Peggy była już obok nas. W idealnie wypielęgnowanej dłoni delikatnie trzymała bombkę.

– Ładna, prawda? Wyglądają znajomo. Skąd je macie? – Przewróciła oczami i pochyliła się, żeby dotknąć mojego ramienia. – Mojej gospodyni przydałyby się jakieś wskazówki, jej tegoroczne dekoracje były... – Zamiast dokończyć, wystawiła język. Podała mi bombkę. – Tak przy okazji, jestem Peggy, kochanie.

Przełknęłam ślinę, po czym skinęłam głową.

– Malorie – powiedziałem. – Miło mi cię poznać. A bombki właśnie znalazłem na strychu. Myślę, że należały do dawnej właścicielki domu, nie są nasze.

– Och, do Phoebe? – zapytała, uśmiechając się szeroko. – To ma sens. Zawsze miała piękne rzeczy. Pragnęłam wszystkiego, co miała!

– Tak? – wychrypiałam, po czym zakaszlałam. Moje serce przyspieszyło.

Może to była Peggy? Może chciała zawłaszczyć rzeczy Phoebe?

– O tak! – odpowiedziała Peggy, przeczesując rękami włosy. – Ale wiesz, odkąd Mark został partnerem, stać nas teraz na większość rzeczy. – Znów wyciągnęła rękę i dotknęła mojego ramienia, tym razem cofnęłam się lekko. – Wiesz, jestem wielką szczęściarą – westchnęła.

Za nami rozbłysła błyskawica i po chwili nad domem przetoczył się grzmot. Wiatr trząsł szybami, a deszcz w nie bębnił. Nadeszła burza.

– Ja... myślę, że Phoebe też ma szczęście – powiedziałam, jąkając się. Stałam oparta o zlew i trzymałam się jego krawędzi. – Jest w Kostaryce. Pogoda jest tam prawdopodobnie lepsza.

Mama mruknęła, potwierdzając.

– Teraz jest tam pora sucha.

– To prawda – stwierdziła Diane, wyglądając przez okno i trzymając babeczkę. – Perfekcyjna pogoda.

– Naprawdę? Nie znam się na tym – zaśmiała się Peggy, wzruszając ramionami. – Ale zdecydowanie zamieniłabym tę pogodę na gorącą plażę.

Beatrice upiła łyk ze swojego kubka.

– No, już, nie bądź tak źle nastawiona. Co złego jest w starej, dobrej angielskiej pogodzie wzmacniającej charakter? Woda ci służy! Phoebe uwielbiała wodę. – Beatrice pochyliła się, żeby zjeść roladkę z indykiem. Ugryzła ją i skrzywiła się. – Pikantne – mruknęła, odłożyła ją i otrzepała dłonie. – Myślę, że w zatoce jest pięknie.

Zwłaszcza tutaj. Przykro mi, Peggy, ale to najlepszy dom w tej okolicy. Janet i Malorie to szczęściary. Wielkie szczęściary.

Naprawdę? Znalezienie się w środku potencjalnego morderstwa nie wydawało mi się szczęściem. Spojrzałam na Beatrice. Może to była ona? Może chciała przejąć ten dom? Był najlepszy, co do tego miała rację.

Beatrice obróciła się na stołku.

– W zasadzie to opowiedzcie nam, skąd się wzięło to szczęście, całą historię, jak trafiłyście do zatoki. – Najpierw spojrzała na Diane, która wgryzała się w babeczkę, a potem na Peggy, która skinęła głową i wypiła drinka. – To znaczy, wszystko wydarzyło się tak szybko, prawda? W jednej chwili Phoebe tu była... i puf! Wyjechała. Jej meble zniknęły, zamki zmienione! Potem te wszystkie sprawy związane ze stypendium. – Beatrice podrapała się po szyi. – Wszystko takie nagłe. Oczywiście dla was genialne, ale bardzo nagłe. Nie miałam pojęcia, że to zorganizowała.

– Na uniwersytecie też nikt nie wiedział – dodała Diane, ożywiając się. – To była cudowna niespodzianka. – Uśmiechnęła się do mamy.

– To prawda! – przytaknęła mama. Założyła rękawice kuchenne i wyjęła z piekarnika kiełbaski, a Peggy ułożyła je na talerzu. – Zobaczyłam w naszym biuletynie ogłoszenie Phoebe i jej fundacji charytatywnej.

– Fundacja – westchnęła Beatrice, kiwając głową. – Oczywiście.

– Moja wymarzona szansa, prawda, Mally? – powiedziała mama.

– Tak – odparłam. Szkoda, że nie wie, że jej sen szybko stanie się koszmarem.

– Moim celem i marzeniem zawodowym było życie i praca na wybrzeżu Kornwalii. W ogłoszeniu Phoebe napisano, że potrzebuje kogoś, kto będzie kontynuował jej badania...

– Jej badania? – zapytała Diane, krzyżując ramiona. – Naprawdę?

– ...nad zwyczajami godowymi i żywieniowymi delfinów, zwłaszcza rzadkiego delfina szarego. Jeszcze żadnego nie spotkałam – przyznała mama. – Jak dotąd widziałam tylko delfiny zwyczajne i butlonose.

– Tak – westchnęła Diane. – Ja też.

Mama zwróciła się do Diane:

– Ach, ale uda nam się. Jestem tego pewna. Powinnyśmy współpracować! Dzielić się odkryciami! Możesz mieć dostęp do wszystkich moich notatek. Kurczę, wyobraź sobie: mogłybyśmy razem pisać artykuły i jeździć na konferencje na całym świecie!

Diane promieniała.

– Byłoby wspaniale!

– Och, i może mogłybyśmy spotkać się z Phoebe w Kostaryce. Mieszkańcy zatoki razem! Byli i obecni.

Diane skinęła głową i uśmiechnęła się, ale nic nie powiedziała. Zmrużyłam oczy, czekając, aż zacznie mówić. Może to była ona? Może pokłóciły się o badania?

– Cóż, to brzmi cudownie – przytaknęła Beatrice z ustami pełnymi babeczki.

– Nic z tego nie rozumiem – stwierdziła Peggy. – Cała ta mądra nauka... – Podsunęła mamie pusty kubek, żeby go napełniła. – ...jest trochę nudna, wybacz. Ale delfiny są bardzo urocze. Coś ci powiem. – Oparła się na łokciach. – Nie wspominaj o tym Markowi, ale on ma tatuaż z delfinem, wiesz? – Zachichotała, a Beatrice przewróciła oczami.

– Naprawdę? – zaśmiała się mama, sięgając po kubek.

– Tak! Wokół pępka. – Upiła łyk. – Taki urok lat dziewięćdziesiątych, to były dobre czasy.

Jeśli wiadomość na kartce była prawdą, dla Phoebe czasy wcale nie były dobre, nie miała ani jednej dobrej chwili od roku. Ugryzłam się w język, ale musiałam coś powiedzieć. Zaczęłam powoli.

– À propos dobrych czasów, niedawnych. – Wzięłam głęboki wdech. – Czy w zeszłym roku też organizowałyście tu imprezę? Phoebe lubi Boże Narodzenie?

– Tak, było przyjęcie i, o rany, ona naprawdę kochała święta Bożego Narodzenia, stara Phoebe – zaśmiała się Beatrice. – Gdyby mogła, świętowałaby codziennie. Na sto procent.

Diane skinęła głową.

– Cały czas puszczała kolędy. Nawet latem.

– Prawda? – zaśmiała się Peggy. – To było dziwne.

– Ach, to urocze – powiedziała mama. – I osobliwe. Nie mogę się doczekać, aż ją poznam!

– Hm. Tak, Phoebe zawsze kochała Boże Narodzenie – przyznała Beatrice. – Zwłaszcza gdy byłyśmy dziewczynkami...

– ...a jeszcze bardziej, gdy byłyśmy dorosłe – powiedziała Diane, uśmiechając się i kręcąc głową. – Lubiła wszystko: choinkę, jedzenie, ozdoby.

– Przygotowywała nawet własne kartki świąteczne – parsknęła Beatrice. – Kto tak robi?

Phoebe tak robiła. Zacisnęłam oczy i zobaczyłam jej twarz uśmiechającą się do mnie z kartki. Przegoniłam jej obraz ze swoich myśli.

– Co? Dlaczego kręcisz głową? – zapytała Beatrice, prostując się. – Ach, słyszałam od twojej mamy, że najwyraźniej nie lubisz świąt. – Uśmiechnęła się. – Pewnie dlatego.

– Nie – odparłam. – Otworzyłam oczy i zaszurałam nogami. – To nie to. To po prostu... interesujące – powiedziałam, wkładając spocone ręce do kieszeni i nerwowo je ściskając.

– Co jest interesujące? – zapytała Beatrice.

– Cóż... – Wzięłam głęboki wdech. – Zastanawiam się tylko, dlaczego Phoebe zdecydowała się pojechać

do Kostaryki. Na Boże Narodzenie. – Spojrzałam w dół. –
Dla mnie to nie ma sensu.

W pokoju zapadła cisza. Kolędy nagle ustały. Deszcz
padał coraz mocniej, uderzając w dachówki i spływając
po rynnach z powrotem do morza.

– Cóż... Wydaje mi się... – wyjąkała Beatrice, po-
prawiając się na krześle – ...że niektórzy ludzie pragną
zmian, prawda?

– Nowego początku – dodała Diane.

– Oczywiście – odparłam. – Zastanawiam się tylko,
co było nie tak ze... starymi sprawami. Z utrzymaniem
wszystkiego bez zmian.

Diane spojrzała na mnie, jestem pewna, że jej oczy
lekko się zwęziły.

Obok niej Peggy wzruszyła ramionami.

– Myślałam, że chodzi tylko o te delfiny – powiedziała
nieco zdezorientowana, kołysząc się na siedzeniu. Ma-
chała kubkiem. – Zawsze o delfiny. Zbliżyć się do nich jak
najbardziej. Czyż nie?

– Tak, cóż, to oczywiście też – rzekła Beatrice. Położyła dłoń na dłoni Peggy i pochyliła się ku niej. –
Myślę, że potrzebujesz szklanki wody, młoda Peggy –
szepnęła.

– Nie! – zawołała Peggy, wyrywając rękę. Kiedy to
zrobiła, jej dłoń się ześlizgnęła i kubek wyleciał w powietrze, po czym rozbił się na podłodze w drobny mak.

Grzane wino wylało się z brązowych potłuczonych kawałków i popłynęło w stronę okna.

– Och, przepraszam, pomogę to sprzątnąć – powiedziała Peggy, nie ruszając się z miejsca, wpatrując się w plamę.

– Nie, nie – rzuciłam. – Nie martw się, ja to sprzątnę. – Oderwałam kawałek papieru kuchennego z rolki i przykucnęłam, żeby wytrzeć kałużę. Wino sprawiło, że biały papier zrobił się złowrogo czerwony.

Czy to właśnie ci się przydarzyło, Phoebe?

Ostrożnie zerknęłam na zgromadzone kobiety, zastanawiając się, czy któraś patrzyła w dół. Diane tak. Wpatrywała się we mnie, jej oczy, przedtem niebieskie, teraz mocno pociemniały. Szybko spojrzałam na podłogę i skoncentrowałam się na sprzątaniu tego, co zostało z kubka. Kiedy szłam w stronę kosza, czułam, jak jej czarne jak węgiel oczy wypalają mi dziury w plecach. Mama dołożyła kolejne polano do ognia, ale w pokoju było już gorąco. Musiałam uciec od gorąca, jak najdalej od oczu Diane.

– Przepraszam – powiedziałam, mijając kobiety, i ze spuszczoną głową, bo zjeżyły mi się włosy na karku, pobiegłam prosto do swojej sypialni. Po ciemku odszukałam laptop na łóżku i poszłam do łazienki, jedynego pomieszczenia w domu, w którego drzwiach był zamek.

Natychmiast otworzyłam małe okienko i wychyliłam się, wdychając słoną bryzę i zimne morskie powietrze.

Potem osunęłam się na podłogę i schowałam głowę w dłoniach. Na dole było duszno, ale nie mogłam zostawić mamy z nimi samej na zbyt długo. Były niebezpieczne i nie ufałam żadnej z nich. Nie ufałam Diane, z jej spojrzeniami i dziwną reakcją na badania Phoebe. Nie ufałam Beatrice, z jej obsesyjną miłością do tego domu. Nie ufałam Peggy, choć nie byłam pewna powodów, dla których miałaby się w to zaangażować. Na razie. Na chwilę zamknęłam oczy.

Tak, „ona", o której Phoebe ze strachem pisała na swojej kartce, to musiała być Beatrice albo Diane.

Ale która?

Otworzyłam laptop i skrzywiłam się od jasnego blasku monitora. Szukałam Phoebe, zaczynając od zdjęć. Po przeskrolowaniu wyników w Google na trzeciej stronie znalazłam jej zdjęcia, zrobione tutaj, przed domem. Jedno przedstawiało młodą Phoebe z rodzicami, miała na sobie broszkę z delfinem. Na innym była Phoebe jako mała dziewczynka. Były tam też zdjęcia Phoebe i Diane stojących na brzegu morza oraz szeroko uśmiechniętych w laboratorium. Jednak nie było żadnych zdjęć Phoebe w Kostaryce.

Oczywiście, że nie było. Nieżywi nie robią sobie selfie.

Otworzyłam nową kartę i szukałam wiadomości na temat Phoebe, czegoś, czegokolwiek. Przewijałam informacje o wszystkich innych Phoebe Morgan na świecie, mając nadzieję, że są szczęśliwe, a jeśli nie, to może przynajmniej żywe. Były tam linki do badań Phoebe, ale niewiele na jej temat poza krótkim artykułem na stronie internetowej o nazwie Kobiety Kornwalii Online. Zerknęłam na ekran. Artykuł nosił tytuł „Poznaj lokalnych mieszkańców". Przeszukałam tekst w poszukiwaniu czegokolwiek godnego uwagi pomiędzy szybkimi pytaniami dziennikarza a frustrująco krótkimi odpowiedziami Phoebe.

– *Co najcenniejszego posiadasz?* – zapytała Alyson Payne. Phoebe odpowiedziała:

– *Broszkę, rodzinną pamiątkę Morganów, jest w mojej rodzinie od wielu lat.*

To nie było zaskoczeniem.

– *Co cię najbardziej irytuje?*

– *Zazdrość. Nie mogę jej znieść! Kiedy byłyśmy małymi dziewczynkami, głupio kłóciłam się o różne drobnostki z moją najlepszą przyjaciółką Beą. Jednak mamy to już za sobą!*

Bea? Beatrice? Powiedziała, że zna Phoebe, odkąd była dziewczynką, ale czy przestały się już kłócić o te drobnostki?

– *Z czego jesteś najbardziej dumna?*

– Z moich badań. Długo, ciężko i samotnie pracuję na wybrzeżu w zatoce, ale warto.

Czytałam to dwa razy. Samotnie? Zdjęcia Phoebe współpracującej z Diane dowodziły, że to nieprawda.

Ponownie sprawdziłam w Google, aby upewnić się, że mam rację. Miałam.

– *Jaka jest Twoja ulubiona piosenka?*

– *Uwielbiam świąteczne piosenki, a moja ulubiona to „Widziałem trzy statki". Nie jest to najpopularniejsza kolęda, ale słucham jej cały czas, patrząc na zatokę.*

Oparłam się o drzwi. „Diane... lub Beatrice. Beatrice lub Diane... Nie Peggy... Peggy nie ma motywu". Wzięłam głęboki wdech. Nie wiedziałam, co dalej robić. Nie mogłam tak po prostu stawić im czoła. Jeszcze nie.

Po drugiej stronie drzwi Peggy krzyknęła:

– Hej! – I dwukrotnie zastukała do drzwi.

Byłam tak zaskoczona, że laptop wyślizgnął mi się i upadł na podłogę. Złapałam go, szybko wstałam i powoli otworzyłam drzwi.

Oczy Peggy były różowe. Uśmiechnęła się do mnie. Spojrzała na laptop, który trzymałam pod pachą.

– Jesteś taka sama jak moje dzieci, zawsze musicie być online, przez cały czas. Nawet w łazience – mruknęła delikatnie.

– Tak – bąknęłam. – Mam tu najlepsze wi-fi – skłamałam.

– Naprawdę? – spytała Peggy. – Widzisz, dlatego ja wolę być trochę bliżej tamy. – Nachyliła się do mnie, jakby chciała podzielić się tajemnicą. – Bez obrazy, ale nie mam obsesji na punkcie tego domu jak Beatrice,

Królowa Zatoki. Phi! Nie obchodzi mnie to. Zamachała rękami. – Nie obchodzi mnie zupełnie!

Beatrice. Przełknęłam słowa, którymi mogłam się podzielić, aby wypełnić krótką ciszę. Nie musiałam się martwić.

– To mogę teraz skorzystać z łazienki czy nie? – zaśmiała się Peggy.

– Och, oczywiście – odparłam i przecisnęłam się obok niej.

Spojrzałam na strych i wyobraziłam sobie uśmiechniętą Phoebe grzebiącą w pudłach w poszukiwaniu ozdób na choinkę. Potem zbiegłam po schodach i rzuciłam laptop na sofę.

W kuchni mama ryknęła ze śmiechu, usłyszawszy żart, który opowiedziała Diane. Szturchnęła ją żartobliwie w żebra, a Beatrice zachichotała razem z nimi. Mama spojrzała na mnie i uśmiechnęła się.

– Dołącz do nas! – powiedziała. – Te panie są naprawdę zabawne.

– Tak? – zapytałam, zaciskając i rozluźniając pięść.

– Tak! Świetnie się bawię! – Westchnęła, przesunęła się do przodu i zakryła oczy dłońmi. – Ach, bardzo mi ulżyło.

– Z czym? – zapytała Diane, uśmiechając się do niej.

– Och, no wiesz, w kwestii dopasowania się tutaj – wyjaśniła mama. – Sprawiłyście, że poczułyśmy się mile widziane.

Moja klatka piersiowa unosiła się i opadała.

– Na razie – bąknęłam pod nosem.

– Co to było? – zapytała Beatrice, przechylając głowę w moją stronę.

– Na razie – powiedziałam głośniej.

Peggy zeszła po schodach.

– Wspaniale! – Klasnęła w dłonie, przełamując rosnące napięcie. – Co mnie ominęło? Czy możemy teraz włączyć jakąś odpowiednią muzykę, proszę? Myślałam, że to impreza. – Pokręciła biodrami. – Malorie, jesteś młoda, puść nam coś nowego. Coś wesołego.

– W porządku – powiedziałam cicho. Podeszłam do telefonu mamy i wzięłam go do ręki. Przez głowę przemknęły mi wszystkie wydarzenia z dzisiejszego wieczoru. Wiedziałam już wtedy dokładnie, co muszę zagrać. Miałam idealną piosenkę. Była poświęcona Phoebe.

Z głośników poleciała muzyka, brzęcząca, wesoła piosenka, przerywana bożonarodzeniowymi dzwoneczkami.

– Co to jest? – zapytała Peggy, kołysząc się ostrożnie i nieprzekonująco w rytm muzyki.

– Moja ulubiona świąteczna piosenka – odpowiedziałam.

– Myślałam, że nie lubisz świąt – zdziwiła się Beatrice.

– Nie lubię – odpowiedziałam.

Wybrzmiał tekst kolędy.

Widziałem trzy wpływające statki
w Boże Narodzenie, w Boże Narodzenie.
Widziałem trzy wpływające statki
rano w Boże Narodzenie.

Mina Beatrice natychmiast zrzedła. Kobieta zaczęła oddychać głęboko przez nos, a jej ramiona unosiły się przy każdym oddechu. Chwyciła się za krawędź wyspy kuchennej, aż pobielały jej knykcie, i spojrzała na Diane, która skinęła, patrząc na nią szeroko otwartymi oczami. Jej spojrzenie było dzikie.

Obie wstały ze swoich stołków.

Teraz byłam pewna, że to one zabiły Phoebe. Razem.

Diane uniosła brwi, ale szybko uśmiechnęła się słodko do mamy.

– No cóż, było cudownie, Janet – powiedziała. – Ale musimy już iść. Chodź, Peggy.

Zdezorientowana mama spojrzała na Diane, potem na Beatrice.

– Naprawdę? Już? Ale przecież świetnie się bawimy! I jest jeszcze mnóstwo jedzenia!

– Cudowne resztki dla ciebie – powiedziała Beatrice. – Ważne, aby wizyty były miłe i krótkie. –Wpatrywała się we mnie. – Poza tym to wasze pierwsze święta Bożego

435

Narodzenia w zatoce i... – Jej twarde oczy wwiercały się we mnie. – I... kto wie, jak długo tu... zostaniecie. Więc pozwolimy wam się tym cieszyć, póki możecie.

Ścisnęłam mocno telefon mamy w dłoni i lekko podkręciłam muzykę.

– Wy dwie jesteście strasznie nudne – stwierdziła Peggy, prychając pogardliwie. – Ale dobrze, dobrze. I tak lepiej będzie, jak wrócę do Marka. Zachowuje się dziwnie, kiedy zbyt długo jesteśmy osobno.

Mama spojrzała na mnie i zawiedziona wzruszyła ramionami.

– No cóż, skoro tak – powiedziała z westchnieniem. – Mally, pomożesz z płaszczami?

Powoli podeszłam do nich z mamą u boku. Stały tyłem do nas, Diane i Beatrice cicho szeptały. Pospiesznie założyły płaszcze. Diane chwyciła parasolkę i otworzyła drzwi. Deszcz był już słabszy i burza powoli mijała.

– Wielkie dzięki za wszystko – rzuciła, ciągnąc Beatrice za łokieć.

– Tak, dziękuję, że nas ugościłaś! – Peggy odwróciła się i entuzjastycznie mnie uściskała.

„Nie idź z nimi, Peggy!", powiedziałam do siebie w myślach, gdy się obejmowałyśmy. „Nie jesteś z nimi bezpieczna!". Kiedy Peggy zdjęła ręce z mojej szyi, żeby poklepać mnie po ramieniu, próbowałam się od niej odsunąć, ale jej wielbłądzi płaszcz splątał się z moją bluzą z kapturem.

– Och! – roześmiała się. – Teraz jesteśmy razem na zawsze! Co pocznie Mark?

– Peggy – odezwała się cicho, ale surowo Beatrice za jej plecami. – Pośpiesz się. Wyziębisz im dom.

Peggy ściągnęła płaszcz, a kiedy się rozdzieliłyśmy, coś błysnęło w świetle. Pochyliłam się, żeby przyjrzeć się z bliska. Dwa niebieskie szafiry, niebieskie szafiry ze złotej broszki Phoebe ze splecionymi delfinami. Cofnęłam się o krok, spojrzałam na broszkę, której Phoebe nigdy nie chciała zdejmować, której nigdy by nie oddała, a potem spojrzałem na Peggy. Szukałam w jej oczach odpowiedzi. Nic w nich nie znalazłam. Zamiast tego uśmiechnęła się do mnie.

„Ty też, Peggy? Ty też brałaś w tym udział?"

– Och, jakie to cudowne – powiedziała mama, wysuwając rękę, żeby dotknąć broszki.

Diane wyciągnęła szyję w stronę drzwi, żeby sprawdzić, co podziwia mama. Kiedy zobaczyła, co to było, zakryła dłonią usta. Potarła wargi oraz podbródek, próbując ukryć swoją reakcję. Ale widziałam ją. Położyła mocno dłoń na ramieniu Peggy i pociągnęła ją do tyłu.

– Peggy, czas już wychodzić – ponagliła ją.

– Dobranoc! – zawołała Peggy pogodnie. – Do zobaczenia wkrótce? – zapytała, unosząc brwi w moją stronę i przesyłając całusa.

– Zdecydowanie! – odparła mama, uśmiechając się i machając. – Dobranoc! – Zamknęła drzwi i oparła się o nie. – No cóż, to był udany wieczór, prawda? – Rozpromieniona poszła do kuchni i sięgnęła po babeczkę.

Wciąż trzymałam w dłoni jej telefon. Otworzyłam go, po czym nacisnąłem trzy razy. Muzyka ucichła.

– Nie jesteśmy tu bezpieczne.

– Mally, nie zaczynaj. Powiedziałem, że porozmawiamy jutro...

Podniosłam telefon do ucha.

– Policja?

– Mally! – krzyknęła mama, próbując wyrwać mi telefon z ręki.

Odsunęłam się od niej.

– Dzwonię z domu w zatoce. Przyjedźcie szybko. Stara właścicielka naszego domu, Phoebe Morgan, nie wyjechała do Kostaryki. Ona nie żyje. – Spojrzałam na mamę, która westchnęła i pokręciła głową. – Tu jest jej bilet lotniczy z zeszłego roku i znalazłam kartkę, na której napisała, że jest w niebezpieczeństwie. – Przytrzymałam telefon między uchem i ramieniem i wyjęłam bilet oraz kartę z tylnej kieszeni.

Podałam je mamie. Obserwowałam ją, gdy czytała, a jej oczy rozszerzyły się, kiedy dotarła do ostatniej linijki.

– Tak, a najcenniejsza rzecz, której nigdy by się nie pozbyła, jest teraz u jednej z sąsiadek. – Wyrwałam mamie kartkę z rąk i dźgnęłam palcem zdjęcie Phoebe. – Sąsiadki zrobiły to wspólnie, z różnych powodów, głównie chyba z zazdrości. Wiedzą, że ja wiem, i dlatego się boimy. Proszę, przyjedźcie szybko.

Połączenie się zakończyło i ponownie rozbrzmiała muzyka. Wcisnęłam mamie telefon w dłoń. Zachwiała się i oparła o blat kuchenny.

– Mally – szepnęła, krzywiąc się. – Mally... Mówisz poważnie? O co chodzi? Co ty zrobiłaś? Czy to żart?

– NIE. To morderstwo, mamo.

Pobiegłam do drzwi frontowych, zamknęłam je i wbiegłam na górę po schodach.

– Dokąd idziesz?! – zawołała mama. – Zostań tutaj!

– Muszę coś pilnie zrobić! – odkrzyknęłam.

Na podeście wyjrzałam przez okrągłe okno.

Na różowym żwirowym podjeździe Peggy zgromadził się Sabat. Diane trzymała głowę w dłoniach, a Beatrice dźgała palcem broszkę na piersi Peggy. Peggy po prostu wzruszyła ramionami i roześmiała się, opierając się o werandę.

Szybko przeszłam przez strych do pudełka oznaczonego „Rzeczy gwiazdkowe". Twarz Phoebe odwzajemniła mój uśmiech.

– Zrobiłam to, Phoebe. Rozwiązałam to – powiedziałam. – Sięgnęłam do pudełka, wzięłam trzy kartki i długopis. Zeszłam z drabiny i wyjrzałam przez okno. Sabat już się zakończył.

W kuchni rozłożyłam trzy kartki.

– Mally, skąd to wzięłaś, nie... – Głos mamy ucichł.

Próbowałam się skoncentrować. Stuknęłam długopisem o blat. Pochyliłam się, a mama patrzyła mi przez ramię.

– Przeczytaj to, a zrozumiesz – powiedziałam.

Na kartce po prawej stronie napisałam: *Droga Diane, mam nadzieję, że w te święta zyskasz uznanie, jakiego pragniesz i na które zasługujesz. Z miłością. Malorie i Phoebe.*

Na środkowej kartce napisałam: *Droga Beatrice, jestem pewna, że w te święta spędzisz czas w największym i najlepszym domu, oczywiście nie w moim! W więzieniu. Z miłością. Malorie i Phoebe.*

Na kartce po lewej stronie napisałam: *Droga Peggy, dziękuję za otwarcie mi oczu na wszystkie rzeczy, których nie można kupić za pieniądze, a które będą Cię kosztować cały świat. Wesołych świąt. Z miłością. Malorie i Phoebe.*

Gdy włożyłam ostatnią kartkę do koperty, w całej zatoce rozległ się dźwięk syren. Potem jasne, niebieskie światła zamigotały i rozbłysły nad domem i morzem.